SIMONE PACOT

OSE LA VIE NOUVELLE !
LES CHEMINS DE NOS PÂQUES

L'Évangélisation des profondeurs

Tome III

Épiphanie

LES ÉDITIONS DU CERF
www.editionsducerf.fr
PARIS

2007

Nihil obstat

Imprimatur

Paris, le 17 mars 2003

Paris, le 17 mars 2003

M. DUPUY

M. VIDAL, v.é.

Imprimé en France
© *Les Éditions du Cerf, 2003*
www.editionsducerf.fr
(29, boulevard La Tour-Maubourg
75340 Paris Cedex 07)

ISBN : 978-2-204-06974-8
ISSN 0750-1862

AVANT-PROPOS

L'expérience de plusieurs années dans le parcours d'évangélisation des profondeurs montre la nécessité d'approfondir certaines des étapes qui jalonnent ces chemins, cette marche vers la vie, cette quête du sens. C'est ainsi que ce livre est né.

Il prend la suite des deux premiers tomes de *L'Évangélisation des profondeurs*. Le premier traitait des blessures et de leurs issues, dans la recherche essentielle de la jonction entre les dimensions psychologiques, corporelles et la vie de foi. Le deuxième mettait au jour les repères fondamentaux, les balises sur les chemins de la vie, les lois de Dieu, inscrites dans la structure même des êtres humains et explicitées dans la Parole de Dieu : les connaissons-nous ? Nous arrive-t-il de les transgresser ? Comment remettre la vie en route là où elle s'est arrêtée ?

Ce troisième tome a pour but d'aider les « voyageurs » qui explorent le domaine de l'évangélisation des profondeurs – le monde psychologique, celui de leur corps, celui de leur foi. Il s'adresse à ceux qui veulent ajuster, nuancer les passages inévitables de toute avancée vers la vie, être moins démunis devant certains questionnements, tâtonnements, lenteurs, entrer véritablement dans la vie nouvelle que le Christ leur propose. Nous avons tous besoin de devenir profondément « enseignables » (de l'enseignement le plus essentiel qui soit, celui que nous donne la Bible, que nous ne comprenons pas toujours et interprétons souvent de mauvaise façon), d'entendre la Parole de Dieu dans son sens vital, de nous familiariser avec la vie dans l'Esprit[1], d'accueillir activement la grâce du Christ qui nous précède, nous invite, nous fortifie.

Ce livre s'articule autour de trois thèmes.

— Lors du trajet de descente dans ses profondeurs, nous rencontrons nos émotions, enfouies ou virulentes : qu'en faisons-nous ? Comment mettre les émotions négatives au service de la vie ?

— Lors du trajet de remontée vers la vie, du chemin de retour, du changement de direction : nous devons accepter le renoncement et le deuil qui jalonnent toute vie, l'empêchent de s'immobiliser, de se paralyser. À quoi renoncer, comment renoncer ? Quels pièges éviter ? De quoi faire le deuil, comment vivre un deuil ? Comment comprenons-nous la Parole de Dieu qui nous parle de ces passages : nous tromperions-nous sur Dieu, de dieu ?

— Enfin le nom véritable de ce parcours : le passage, la Pâque, une succession de Pâques jusqu'à notre dernier souffle. En prendre conscience est source d'un bonheur, d'une paix qui dure au travers de la tempête, car alors le sens s'éclaire : nous comprenons la Pâque des Hébreux, la Pâque de Jésus, nos propres Pâques, l'accueil de notre forme de résurrection dans le quotidien.

Cette quête se poursuit en permanence dans nos équipes Bethasda dans un partage du cœur, un échange d'expériences. Chacun, chacune, est une pierre vivante sur le trajet de l'autre.

---

1. Chaque fois qu'il est question de l'Esprit, dans cet ouvrage, il s'agit de l'Esprit Saint, annoncé par Jésus, de l'Esprit de Dieu qui vivait en lui. Après sa mort et sa résurrection, l'Esprit Saint, l'Esprit de Vérité nous est donné par le Père à la prière de Jésus, il est envoyé par le Père au nom de Jésus. Il demeure avec nous, nous enseigne, nous conduit à la vérité tout entière.

Nous sommes infiniment reconnaissants à toutes les personnes qui participent à nos sessions et nous poussent au travers de nos limites – nos limites de temps et nos limites personnelles – à toujours plus de justesse, de simplicité, de clarté.

Je remercie tout spécialement Monique Coudert qui a une fois de plus assuré la frappe et la mise en forme de cet ouvrage, avec sa patience habituelle ; elle a été un précieux et chaleureux encouragement tout au long de la rédaction.

Le Père nous crée, nous aime, nous bénit, nous invite à prendre la route qui va de l'esclavage de l'Égypte à la terre de la promesse, notre propre terre intérieure ; le Christ vit en nous de la vie du Ressuscité ; l'Esprit est notre guide intérieur : nous ne sommes pas seuls, nous ne serons jamais plus seuls, nous aurons toujours sur la route le pain, le vin, l'eau fraîche pour nous soutenir, nous nourrir, la lumière pour éclairer nos pas.

INTRODUCTION

> Non je ne mourrai pas, je vivrai,
> et publierai les œuvres de l'Éternel.
>
> (Ps 117, 17.)

Nous savons que nous sommes faits pour une vie bonne, heureuse. Cela fait partie de notre nature même, de notre destin. L'Écriture en son entier, le premier comme le second Testament, nous le signifie. En fait, dès leur création, les êtres humains sont enseignés sur les conditions d'une vie heureuse et féconde. Dieu inscrit dans leur structure même de véritables lois de vie[1]. Nous les trouvons explicitées dans la Bible et le message du Christ. Ces lois nous éclairent sur les conditions du véritable bonheur, celui qui va répondre à la recherche de tout humain. Cependant nous sommes vite alertés : si nous méconnaissons ces lois fondamentales de la vie, nous allons nous orienter vers la mort, non la mort physique, mais cette forme de mort qui « empêche la vie de naître et de s'épanouir[2] ». « La vraie mort n'est pas le terme

---

1. Cinq lois de vie sont explorées, approfondies, dans le tome II de *L'Évangélisation des profondeurs, Reviens à la vie !*, Paris, Éd. du Cerf, 2002. Un tableau de ces cinq lois se trouve à la fin de cet ouvrage, p. 377-379.
2. André WÉNIN, *Pas seulement de pain*, Paris, Éd. du Cerf, 1998, p. 92.

de la vie ; elle est ce qui, dès le début, empêche de naître [1]. »
Il ne s'agit pas ici de morale mais de la mise au jour de la
nature même de l'être humain, de sa destinée, de son parcours, de ce droit et devoir d'être heureux, d'entrer dans la
fécondité, de choisir la vie et non la mort, de transmettre la
vie reçue, d'être artisan de vie quelles que soient les circonstances de l'existence.

La notion de bonheur.

La notion de bonheur concerne toutes les dimensions de
l'être, aussi bien physiologiques que psychologiques et spirituelles. La recherche du bonheur éveille à un dynamisme
profond [2]. Cependant, « il ne saurait être question d'annexer
Dieu comme un préposé à notre bonheur [3] », de le considérer à notre service pour nous procurer le bien-être physique, psychique et même spirituel auquel nous aspirons. Le
trajet est tout autre, bien qu'il soit toujours porteur d'un supplément de vie. Nous ne pouvons oublier qu'il a un fondement et une finalité ; il ne s'agit pas de n'importe quel
bonheur : il induit la découverte du sens de la vie, de la signification et de la direction de sa propre existence.

Pour répondre à la véritable quête de l'être humain qui
cherche *l'eau vive*, dont Jésus révèle la nature à une femme
de Samarie, cette eau qui fait que celui ou celle qui la boit
n'aura jamais plus soif (Jn 4, 10.14), la notion de bonheur

---

1. Paul BEAUCHAMP, *L'Un et l'Autre Testament*, Paris, Éd. du Seuil,
1977, p. 199.
2. Adolphe GESCHÉ, professeur à la faculté de théologie de l'Université
catholique de Louvain, traite du thème du bonheur, notamment dans le chapitre « L'homme, un être pour le bonheur », dans son livre *Dieu pour
penser*, II, *L'Homme*, Paris, Éd. du Cerf, 1993, p. 129-154. On lira également sur ce sujet : Xavier THÉVENOT, *Souffrance, bonheur, éthique*, Mulhouse, Salvator, 1992, « Évangéliser la soif de bonheur », p. 61-89.
3. Adolphe GESCHÉ, *Dieu pour penser*, II, *L'Homme*, p. 145.

demande à être évangélisée. Ceux et celles qui se mettent en route sur un chemin de vérité découvrent que le bonheur ne se trouve pas dans les plaisirs dérisoires, les désordres de l'amour, les dépendances mal situées ou une vie superficielle. Mais beaucoup s'écartent aussi du bonheur en s'établissant dans la fausse croyance que l'on ne saurait aller à Dieu que par un chemin de souffrance, d'échec et parfois même d'autodestruction par déni de son humanité, dérive sacrificielle ou excès de générosité mal située, par incompréhension du véritable amour de soi, énoncé dans le premier et le plus grand des commandements de vie : *Tu aimeras le Seigneur ton Dieu de tout ton cœur, de toute ton âme, de toute ta force, et de tout ton esprit, et ton prochain comme toi-même* (Lv 19, 18 ; Lc 10, 27).

Le Christ transmet un message de joie, de vie pleine, libérée, il annonce la Bonne Nouvelle : découvrir et construire le Royaume est un bonheur. Il ne parle jamais de façon triste. Cependant, sa Parole est claire : pour vivre son trajet spécifique – celui que chacun, chacune, va avoir à parcourir au cours de son existence – l'être humain doit mener un combat. Mais à aucun moment il ne laisse entendre que ces passages devraient se vivre de façon doloriste ou mortifère. Bien au contraire, il proclame heureux ceux et celles qui se mettent en marche sur le chemin de la vraie vie [1] (les Béatitudes, Mt 5, 1-12).

Seul l'Esprit peut introduire dans la véritable compréhension de ce message, car il annonce un bonheur d'une qualité particulière. Il est promis aux hommes et aux femmes qui entendent l'invitation à construire le Royaume et y répondent ; renoncer à la toute-puissance, vivre la confiance en Dieu, accueillir et transmettre l'abondance de ses dons (les pauvres en esprit), sortir de la passivité, entrer dans une

---

1. André Chouraqui traduit le terme « heureux » par « en marche » à partir du mot hébreu, ce qui traduit l'incontestable dynamisme du message du Christ (André CHOURAQUI, *La Bible*, Paris, Desclée de Brouwer, 1990).

fraternité responsable en construisant la justice, la paix, dans la force de la douceur, en refusant les armes de la violence quelle qu'en soit la forme (les artisans de justice, de paix, les doux), vivre l'amour dans la compassion et la miséricorde (les miséricordieux), cesser d'osciller dans un cœur partagé, dire oui à la vie dans le souffle de l'Esprit (les purs de cœur), tous ces choix établissent dans un dynamisme de vie, une joie profonde.

Ce bonheur est même promis à ceux et celles qui vivent des situations très difficiles, qui sont dans les larmes ou subissent la persécution à la suite de leur engagement de vie. Mais, il importe de ne pas faire de contresens : ils sont réellement dans la souffrance et ce n'est pas pour cette raison qu'ils sont heureux ; ils sont heureux parce qu'ils sont en chemin sur la route qui mène d'une forme de mort à la vie, sur un trajet de Pâque ; ils savent que Dieu les bénit, les accompagne dans leur marche, intervient dans leur vie, leur donne force, prend soin d'eux. Sa lumière luit dans les ténèbres qu'ils traversent [1].

Même s'ils sont parfois douloureux, tous les passages de remise en ordre, de retournement, qui jalonnent le chemin de conversion de l'être en toutes ses dimensions, qui permettent de construire la vie en soi et autour de soi, mènent à la joie. La lumière de l'Esprit, la grâce de Dieu vont éclairer et fortifier ceux et celles qui cherchent le chemin du vrai bonheur.

Le trajet de restructuration.

L'être humain se trouve confronté au cours de son existence à la réalité du mal qui est dans le monde. Il a la responsabilité de le reconnaître, de ne pas en devenir le complice, de se situer face à lui. En outre, il doit se construire, et bien

---

1. Daniel BOURGUET, *Les Béatitudes*, Lyon, Réveil Publications, Veillez et Priez, 2000, p. 33-36.

souvent se reconstruire, au travers de sa propre vulnérabilité qui fait partie de sa nature. Il doit affronter les pertes et les manques qui jalonnent toute vie.

La plupart du temps, dès la petite enfance, il est victime de blessures plus ou moins graves, du fait de difficultés, de problèmes non réglés, de torsions multiples, de comportements désordonnés qui courent de génération en génération. C'est alors que, pour contourner la souffrance de la blessure, il lui arrive, par méconnaissance, oubli des lois de vie, de prendre une mauvaise direction, une fausse route qui le mène à une forme de mort et non à la vie. Il se trouve alors au fil des ans face à des difficultés dont il ignore souvent l'origine et qu'il ne sait comment gérer.

C'est à ce moment qu'il cherche à se restructurer. Plusieurs possibilités s'ouvrent à lui.

L'évangélisation des profondeurs propose un parcours à partir de la Bible, du message et de la vie du Christ.

Qui entreprend ce trajet rencontre la miséricorde du Dieu vivant au cœur de sa réalité propre ; il apprend comment permettre à la grâce du Christ de pénétrer jusqu'au cœur de ses blessures les plus profondes, les plus archaïques, de l'aider à quitter les tombeaux dans lesquels il a pu s'enfermer. De jour en jour, il va expérimenter une juste collaboration avec l'Esprit Saint, dont la fonction est de vivifier l'intégralité de son humanité ; c'est ainsi qu'il va peu à peu sortir de son morcellement intérieur, se remettre en ordre dans l'« ordonnancement » de Dieu, cheminer vers l'unité de son être.

L'expression « évangélisation des profondeurs » a été choisie de préférence à celle de « trajet psycho-spirituel » car les dimensions psychologiques et spirituelles ne sont pas sur le même plan. Dieu est la source et la fin du parcours d'évangélisation des profondeurs ; la dimension spirituelle englobe la dimension psychologique et biologique. C'est elle qui donne la couleur et la tonalité du trajet.

Les profondeurs dont il est question concernent aussi bien le corps – réceptacle de tant de mémoires du passé – que la psyché (les émotions et sentiments, l'affectivité, la relation, toutes les facultés : intelligence, volonté, imagination), et le cœur profond, le noyau de l'être, lieu de rencontre avec Dieu. Il est essentiel de ne pas oublier qu'il ne saurait y avoir ni mélange ni division entre ces trois dimensions. Chacune doit être à sa place et remplir sa juste fonction ; celle du cœur profond est d'animer, d'informer la psyché et le corps. C'est le cœur qui est nourri de la Parole de Dieu.

Une lampe sur mes pas.
« Ta Parole, une lumière sur ma route » (Ps 118, 105).

Dieu parle aux êtres humains. Il le fait par l'intermédiaire d'hommes et de femmes dont la mission va être de transmettre sa Parole ; ce sont au sens large du terme des prophètes. La Parole peut aussi arriver par des voies plus secrètes : celles qu'emprunte la Sagesse divine pour s'adresser au cœur des hommes [1].

En la personne de Jésus-Christ, le Verbe s'est fait chair, la Parole s'est faite chair. Elle devient rencontre avec la réalité vivante du Christ et nous permet de la vivre.

L'Esprit Saint nous apprend à redécouvrir la nouveauté permanente de la Parole de Dieu dans le silence d'un cœur frais, simple, dans le renouvellement de l'écoute et du regard. Il nous aide à l'entendre dans toute sa puissance, sa force, son énergie.

La Parole est emplie de la Vie, de la Lumière, de l'Amour de Dieu. Elle crée, révèle, enseigne, agit. Elle est une réalité dynamique. Elle a autorité et puissance, elle s'adresse à tous les humains, elle a une portée universelle.

Elle énonce les Lois de Vie, les grands interdits structurants, les conditions de la vie féconde : choisis la vie quelles que soient les circonstances de ton existence – tu n'es pas

---

1. *Vocabulaire de théologie biblique*, Éd. du Cerf, 1978, p. 905.

Dieu, deviens toi-même dans une juste relation à l'autre – prends soin également de chacune de tes composantes, ne les divise pas, ne les mélange pas, découvre ton unité intérieure – entre dans la fécondité de ta vie…

Cependant, au cours de son trajet, à certains moments de son histoire, l'être humain va être rejoint par une Parole de Dieu qui devient très personnelle. Il prend alors véritablement conscience que cette Parole-là est véritablement pour lui.

Elle peut être très vigoureuse, l'inviter à se mettre en route : lève-toi, sors du tombeau, porte ton grabat et marche, retrouve la vie. Mais elle ne condamne jamais celui ou celle qui revient, qu'elles qu'aient été ses errances. Elle porte en elle la grâce et la force dont chacun, chacune aura besoin pour mettre au jour la fausse route qu'il a pu prendre, l'idole qu'il sert sans en avoir claire conscience, et pour quitter ces chemins de mort. Elle fait naître un désir, mobilise l'élan vital.

Elle peut être tendre et consolatrice, rassurer, sécuriser, apaiser.

Elle restructure le tissu psychique qui a été abîmé [1] ; elle reconstruit ce qui a été dévié, effrité, réduit dans la personne ; elle remplace les paroles mensongères, négatives, génératrices de fausses croyances qui ont été pour beaucoup un véritable poison : elle est l'antidote de ces toxines. Elle descend dans les profondeurs de l'être de celui ou celle qui l'entend et la reçoit, elle les féconde d'une graine nouvelle, y opère les transformations nécessaires, non par une sorte d'endoctrinement mais par l'énergie divine qu'elle porte en elle-même.

C'est ainsi qu'elle agit et accomplit ce qu'elle annonce.

---

1. S. PACOT, *L'Évangélisation des profondeurs*, t. I, Paris, Éd. du Cerf, réimpr. 2000, p. 167 à 177.

« Les paroles de Dieu sont créatrices et font être ce qui n'existait pas [1]. »

C'est dans la vie dans l'Esprit que la Parole de Dieu va être donnée d'une façon ou d'une autre. Tout à coup, on réalise que c'est cette parole-là entendue au cours d'une liturgie, lue dans la Bible, ou reçue directement dans le cœur qui est pour soi. C'est un cadeau très précieux que l'on reçoit alors.

Il est utile de la faire vérifier pour ne pas se tromper de route une fois de plus ; elle doit être brève car elle est un repère que l'on va retrouver plusieurs fois par jour ; elle est reçue dans le cœur profond. Il importe de la garder en soi comme un trésor, de la méditer quotidiennement, de la « manger » chaque jour jusqu'à ce qu'elle soit digérée, assimilée, qu'elle soit entrée jusque dans la chair.

Elle va dire et créer l'être, fortifier l'identité la plus profonde, la liberté authentique.

Un piège fréquent est d'accueillir, de méditer, une parole biblique, une Parole du Christ en croyant que cela va suffire à nous guérir, nous restructurer. Cependant, Jésus nous alerte dans la parabole du semeur (Mt 13, 4-9). La Parole ne portera pas de fruit si elle tombe sur une terre occupée par des épines ou des pierres. Dans notre trajet nous pouvons entendre les épines et les pierres comme les fausses croyances, les paroles mensongères sur lesquelles nous nous sommes construits et qui ont envahi notre terre.

C'est cette difficulté qu'a rencontrée Guillaume : il a grandi dans la croyance profondément ancrée en lui qu'il était « foncièrement méchant » ; c'est l'expression qu'employait sa mère pour parler de lui et le distinguer de ses frères et sœurs qui, eux, étaient « normaux ».

Guillaume fait partie d'un groupe de partage d'Évangile. Lors d'une réunion de ce groupe, il est fortement interpellé par le texte de saint Jean (11, 1-44) : la résurrection de

---

1. Daniel BOURGUET, *Les Béatitudes*, p. 21.

Lazare. Il entend que Jésus se rend au tombeau de Lazare, mort depuis quatre jours, demande que l'on enlève la pierre qui barre l'entrée du tombeau, et crie ensuite d'une voix forte : *Lazare, viens ici, dehors. Le mort sortit, les pieds et les mains liés de bandelettes et le visage enveloppé d'un suaire. Il dit alors : déliez-le et laissez-le aller.* En un instant, Guillaume se voit solitaire et désespéré, enfermé dans un tombeau dont il ne saurait dire le nom ; il sait aussi avec certitude qu'une pierre en bouche l'entrée et que personne ne pourra le sortir de là si on n'enlève pas la pierre. Mais quelle pierre ? Comment l'enlever si l'on n'en connaît pas la nature ? Jusqu'alors sa prière était surtout une prière de supplication : Seigneur aie pitié de moi, aie pitié de moi qui suis si foncièrement méchant, qui ai le cœur si dur.

La méditation de ce passage d'Évangile l'a tellement secoué qu'il décide de se faire accompagner, d'entreprendre un trajet d'évangélisation de ses profondeurs. Le premier pas est de s'ouvrir à la grâce du Christ. Pour lui cela signifie : accepter de se lancer sur un chemin inconnu, se remettre en question. Il ne sait pas encore quelles certitudes il doit abandonner, mais il répond néanmoins à l'invite et choisit de se laisser éclairer pas à pas par l'Esprit. Le trajet commence par l'exploration de la gravité de sa blessure, des conséquences qu'elle a eues sur son affectivité, sa relation, la dépréciation de lui-même, la peur du regard de l'autre… Il va mettre plusieurs mois à « désenfouir » les émotions intenses qu'il a totalement anesthésiées, à les traverser en Christ. Mais il se trouve toujours dans l'incapacité de mettre hors de lui le regard et la parole de sa mère qui « lui collent à la peau » en quelque sorte, sur lesquels il s'est construit dans une fausse identité. Mais il garde courage et demande à l'Esprit de l'éclairer sur ce qu'il ne comprend pas.

Il comprend alors que la pierre qui barre l'entrée du tombeau est sa propre certitude : Ma mère ne peut avoir tort : elle a raison, je suis méchant. Comment Dieu qui est tout amour pourrait-il s'intéresser à quelqu'un qui lui désobéit sans arrêt puisqu'il est méchant ? Comment pourrais-je accueillir un cœur nouveau puisque ma méchanceté est incrustée en moi jusque dans mes gènes comme une malédiction, une sorte de tare ?

À l'évidence c'est à cette certitude-là, à cette croyance en une parole mensongère qu'il doit renoncer. La pierre porte un nom précis : l'idolâtrie, c'est-à-dire ici, le fait d'accorder plus de poids, de valeur à la parole d'un être humain blessé qu'à la Parole de vérité, la Parole de Dieu. Il demande alors au Christ, avec détermination, la grâce de pouvoir, avec lui, enlever cette pierre. L'acte est enfin posé, clair, précis : il renonce à croire à la parole mensongère, il la met hors de lui, il sort de l'idolâtrie. La racine de son chemin de mort est touchée, sa terre est désencombrée, la porte est ouverte, le Christ peut le faire sortir de son tombeau, il lui en donne la force.

Guillaume peut alors recevoir pleinement la Parole de Dieu : *Tu es mon fils bien-aimé* (Lc 3, 22), *tu as du prix à mes yeux et moi je t'aime* (Is 43, 4), *tu es béni*. Dans le même mouvement, il entend l'invite rassurante et bienfaisante du Père : Deviens toi-même, suis ta propre route. Ne crains pas, je suis avec toi.

Je vous donnerai un cœur nouveau, je mettrai en vous un esprit nouveau, j'ôterai de votre chair le cœur de pierre, et je vous donnerai un cœur de chair (Ez 36, 26).

Les deux mouvements du trajet d'évangélisation des profondeurs : la descente dans ses profondeurs et la remontée vers la vie.

Le parcours d'évangélisation des profondeurs commence toujours par l'émerveillement, la joie de la redécouverte, de la mise au jour, en mots, des lois de vie qui nous rappellent les conditions de la vie féconde telles que Dieu les donne à l'être humain. C'est un élargissement du cœur, un vrai bonheur de prendre conscience que le fondement même de ce cheminement se trouve dans ces grands repères essentiels, qui invitent à la vie.

Ces lois de vie sont en principe connues de tous ; elles sont inscrites dans la structure même des êtres humains et rappelées avec force dans l'Écriture. Mais beaucoup les oublient ou en méconnaissent le sens vital, l'effet qu'elles devraient avoir sur leur mode d'être, leur relation, sur tous leurs comportements. La prise de conscience des lois de vie rassure l'être humain, lui donne un cadre vivant, une direction vitale, le rétablit en sécurité.

C'est à partir de la compréhension de leur signification réelle qu'il va pouvoir se reconstruire, remettre en ordre l'intégralité de son être ; en éclairant la façon dont il a ou non adhéré à ces lois, en nommant et en quittant les directions prises qui l'ont détourné de la vraie vie, il s'engage alors dans la première et essentielle conversion.

S'il est d'origine et de finalité spirituelle, le parcours d'évangélisation des profondeurs tient le plus grand compte de la psyché et du corps ; il ne dénie jamais l'humanité.

Ceux et celles qui choisissent de ne pas en rester au seul plan de la connaissance, du savoir, qui acceptent d'entrer dans leur entièreté, vont vivre les deux mouvements essentiels de ce travail de restructuration.

Le chemin de descente dans ses profondeurs.

Si l'on voulait en faire un schéma, on pourrait imaginer d'abord *un chemin de descente dans ses profondeurs* : il commence par l'ouverture de sa terre à la présence vivante du Christ, à la lumière de l'Esprit Saint. C'est le temps de la mise en mots de son histoire, de ce qui est arrivé, de la reconnaissance de la ou des blessures, des conséquences qu'elles ont pu avoir sur soi, de la façon dont on a réagi : la blessure est-elle clairement nommée, mise au jour ?

Comment a-t-on vécu les émotions qui accompagnent

toute blessure ? Qu'en a-t-on fait ? Comment les traverse-t-on dans son quotidien ? C'est un questionnement que l'on ne peut éviter car la traversée des émotions nous ramène à une recherche essentielle : comment vivre les remous de son humanité dans sa condition de fils et fille de Dieu, en étant habité par l'Esprit du Dieu vivant [1] ?

Beaucoup entreprennent le trajet d'évangélisation des profondeurs parce qu'ils sont en souffrance ou en mal-être. Il importe en premier lieu qu'ils soient pleinement accueillis, écoutés, aussi longtemps que ce sera nécessaire.

Mais vient ensuite un passage essentiel : l'être humain n'est pas que souffrant, il est appelé à faire quelque chose de ce qui lui est arrivé ou de ce qui lui arrive aujourd'hui, il est invité à créer de la vie quelle que soit la lourdeur de son passé, de son présent. La Parole de Dieu lui donne des informations essentielles, des balises sur les chemins de vie, elle l'alerte sur les possibles chemins de mort. C'est à partir de ces repères fondamentaux que va émerger la façon dont il a pu transgresser une loi de vie, prendre ce que l'on appelle une fausse route, une orientation qui mène à une forme de destruction de soi. Quand, comment, pourquoi cette direction a-t-elle été prise, pour éviter quelle souffrance ? La transgression est en général involontaire mais elle a eu sans aucun doute des conséquences importantes sur la potentialité de choisir la vie, le comportement, la relation.

Le chemin de remontée vers la vie.

C'est dans la lumière de l'Esprit que va se découvrir *le chemin de remontée vers la vie.*

La Parole de Dieu est toujours là, bien vivante, elle indique la nouvelle issue, celle qui va vers la vie et, en même temps, elle nourrit, fortifie, restructure.

---

1. L'Esprit Saint qui habite les êtres humains les fait fils ou fille d'adoption de Dieu, dans le Christ qui lui est fils unique par nature.

Celui ou celle qui s'est mis en marche est alors invité à poser des actes intérieurs précis.

La prise de conscience que la loi de vie est une loi de Dieu va éclairer le chemin de remontée, conduire à des démarches spécifiques.

Le chemin de remontée commence par la repentance qui est le pôle spirituel de la prise de conscience de la transgression. Vient ensuite le temps de la conversion, du changement de direction : il débute par l'adhésion de tout son être à la beauté, la vérité de la loi de vie. Les démarches se précisent et se poursuivent par un acte de renoncement au chemin de mort : pour pouvoir choisir la vie, il est nécessaire de quitter la forme de mort qui est la sienne. Le renoncement se vit en deux temps, et peut soit ouvrir un chemin de deuil, soit se vivre à la fin du trajet de deuil.

C'est alors que l'on accueille la résurrection. Il s'agit d'apprendre comment laisser le Dieu de la Pâque amener l'être entier à ce trajet de résurrection, étant bien précisé qu'il ne s'agit pas ici de la résurrection promise à la fin des temps, mais de la forme de résurrection qu'il est possible à tout humain de vivre dès aujourd'hui, à l'intérieur de ses limites. Il devient possible de choisir la vie, les comportements sont évangélisés par des pas que l'on pose sur la nouvelle route.

Ainsi, l'aboutissement du trajet est le retour à la vie selon l'ordonnancement de Dieu, en toutes ses dimensions : ce qui était mort en soi revient à la vie. Chacun, chacune va alors porter fruit, entrer dans la fécondité, devenir artisan de vie, transmettre cette vie reçue en abondance : le Christ commence toujours par établir l'être humain dans son identité, sa liberté, son nom, pour le renvoyer au service, au don.

Tous ceux et celles qui s'engagent dans un travail de vérité sur eux-mêmes doivent parcourir un trajet de descente dans leurs profondeurs et une remontée vers la vie.

Mais celui, ou celle, qui a une recherche spirituelle, un

ardent désir d'aller au bout de sa quête, sent bien qu'il y a une part du trajet à découvrir qui va être l'aboutissement de sa recherche : réaliser son unité intérieure, recevoir la vie vivante du Christ dans l'entièreté de son être, retrouver l'unité entre la vie de son corps, sa psyché, et sa vie de foi. La grâce de Dieu l'invite à ce trajet, l'ouvre devant lui. Il va pouvoir répondre – à sa manière, d'une façon ou d'une autre – à cet appel à la vie.

Il est vivifiant et réconfortant de se rappeler que tout être humain est créé libre ; sa liberté a pu être abîmée, réduite au cours de son existence mais il peut toujours faire appel à cette part de lui-même qui fait partie de sa création, de sa nature. C'est là une prise de conscience essentielle car elle révèle que la vie même de Dieu éclaire, fortifie, vivifie cette part de liberté qui appartient en propre à chacun.

Mais il faut bien reconnaître que la Parole de Dieu n'est pas toujours entendue comme un appel à la vie. En outre, quel trajet entreprendre ? Par où commencer ? Beaucoup cherchent à mettre de l'ordre dans leur psyché ou dans leur corps, mais peinent à établir l'unité avec leur dimension spirituelle, le cœur profond. Cependant, c'est dans cette plus grande profondeur qu'il est donné à chacun de pouvoir entrer en relation personnelle avec le Dieu vivant, de recevoir et comprendre le sens vital de sa Parole.

D'autres estiment inutile de perdre du temps à s'occuper de leur dimension psychologique ou de leur corps, leur vie spirituelle leur paraissant authentique. C'est ainsi que beaucoup ne comprennent pas comment la Parole de Dieu pourrait les éclairer sur cette route d'unité intérieure, leur apprendre à tenir en compte toutes les dimensions de leur être.

Qui se met en marche va expérimenter comment accueillir en lui la grâce du *Verbe qui s'est fait chair* (Jn 1, 14), la laisser œuvrer dans l'entièreté de son être, se laisser enseigner sur les actes intérieurs à poser, les démarches spirituelles à faire. En même temps, il devra rester vigilant, se garder de vouloir raccourcir, dénier ou fuir l'épaisseur de son humanité. La Bible donne les grandes directions et il nous appartient de les entendre et de les mettre en œuvre dans la créativité de l'Esprit qui éveille notre créativité propre, pour découvrir la source du vrai bonheur.

Le sens du trajet : la Pâque.

Il ne s'agit pas ici d'une recherche uniquement indivi-duelle qui tournerait au narcissisme. Tout être humain est appelé à parcourir ce trajet qui va du désordre à l'ordonnan-cement de son être selon les grandes lois de vie.

Ces passages d'un chemin de mort au retour à la vie por-tent un nom dans la Bible : c'est la Pâque. De la Genèse à l'Apocalypse, la Parole de Dieu nous alerte sur cette néces-sité de mourir à quelque chose pour naître à autre chose, de quitter ce qui nous retient en arrière pour nous élancer vers le bonheur de vivre, la joie de créer, de transmettre, de construire en toutes circonstances.

Une des grandes tentations de l'être humain est de se fixer dans ce qui n'est pas fait pour durer éternellement. Il risque alors de s'immobiliser dans des formes qui ont eu toute leur valeur, mais doivent cependant laisser la place à des formes nouvelles, ou dans des événements ou blessures du passé dont les conséquences pèsent sur le présent : c'est ainsi que la vie se réduit ou s'arrête.

La grâce de Dieu est toujours l'initiatrice ; elle précède le mouvement de tout humain ; elle invite chacun à entre-prendre le chemin de la Pâque, à reprendre possession du trésor qui lui a été donné, la terre de la promesse, sa propre terre. Elle fonde, transfigure et « transdynamise » – selon l'expression de Xavier Thévenot – la liberté, les choix, les potentialités de tout homme, toute femme en quête du sens de leur vie.

Le Christ, l'innocent, a été victime du mal, il est descendu au séjour des morts, il est ressuscité, est ressorti comme un vivant par la grâce du Père. Il enveloppe de son amour et de sa force ceux et celles qui répondent à l'invite et se mettent consciemment et librement en route sur ce chemin de la Pâque. L'Esprit Saint va leur apprendre comment permettre au Ressuscité de faire en eux et avec eux le travail de la Pâque.

Les étapes.

Les étapes du chemin de l'évangélisation des profondeurs sont détaillées pour la clarté de l'exposé et pour permettre à ceux et celles qui souhaitent se mettre en marche de s'aider d'un certain cadre. Il ne convient pas d'en faire un absolu, ni un système, ni une recette. Chacun doit être très attentif à respecter son rythme propre, ses possibilités. Il importe de ne rien rigidifier, imposer, ni de s'enfermer dans un cadre fixé une fois pour toutes. L'Esprit souffle où il veut et quand il veut (Jn 3, 8). La grâce est libre, l'œuvre de Dieu n'est liée par aucun de nos chemins. La vérité qui est le fondement de cette route est la même pour tous, mais les approches sont multiples.

N'ayons pas peur des passages qui mènent à la vie.

Nous n'avons pas à avoir peur des termes de « transgression », « idole », « repentance », « renoncement », « deuil », qui vont être approfondis dans cet ouvrage et qui peuvent paraître sévères : ils constituent des passages indispensables pour retrouver la vie : ils font partie du travail de renaissance de chaque humain ; ils ne sont pas lourds à traverser une fois qu'on les a bien compris. C'est un trajet vital, tonique, dynamique.

L'amour de Dieu est là : *Je Suis Celui qui Suis* (Ex 3, 14).

C'est ainsi que Dieu se nomme à Moïse. Ce nom ouvre sur une immense profondeur. Il signifie que Dieu est présent parmi son peuple, en chacun de ses fils et filles. Il veille et ne nous laisse pas seuls. Il nous donne chaque jour la manne, le pain vivant et l'eau fraîche ; il nous envoie l'Esprit, nous assure de la grâce et de la présence vivante du Christ, pierre d'angle.

L'amour est autant dans le temps de la consolation, de la tendresse, que dans l'interpellation, l'invite aux passages nécessaires.

Dieu est essentiellement « Père » – dans le sens de celui qui donne la loi fondamentale, condition de l'ordre du monde, de chaque être humain. *Mais il a des entrailles de « mère »* [1]. L'amour n'est entier que s'il réunit ces deux aspects, et cela est vrai aussi pour tout amour [2]. Ces deux courants de l'amour sont inséparables, l'un ne saurait aller sans l'autre.

La fonction maternelle de l'amour de Dieu.

Dans la fonction maternelle de son amour, Dieu commence à nous rendre à la vie en nous permettant d'expérimenter que nous sommes aimés tels que nous sommes : chaque être humain, quel que soit l'état dans lequel il se trouve, peut accueillir l'intervention miséricordieuse de Dieu dans son histoire : il console, rassure, nourrit. Il est accueil inconditionnel, tendresse, patience. Il va à la rencontre de ceux de ses enfants qui se sont perdus, les ramène à la maison, à leur source.

Le Christ est remué jusqu'aux entrailles, empli de

---

1. Marie-Madeleine LAURENT et Dominique DE BETTIGNIES, « Je me lèverai donc et j'irai vers mon père », *La Rencontre avec le Père : le désir et l'interdit*, Documentation Bethasda, document de travail n° 2, 1996, 22, route du Tertre, 41150 Chouzy-sur-Cisse. (Les documents de travail de l'Association Bethasda sont réservés aux seuls adhérents.)
2. Simone PACOT, *L'Évangélisation des profondeurs*, t. I, p. 14-18.

compassion pour les hommes, les femmes, qui souffrent ou errent sans direction (Lc 7, 11 ; Mc 6, 34).

L'accueil de l'amour infini de Dieu au cœur de son histoire, des souffrances du passé et du présent, est une étape fondamentale, première, et il ne s'agit pas de la survoler, de la raccourcir : elle fait partie intégrante du chemin de restauration. Se laisser atteindre par l'amour, la compassion, la tendresse de Dieu est la base, le socle d'une véritable guérison. Qui a vécu cette rencontre jusque dans sa chair est désormais solidement enraciné dans sa sécurité la plus essentielle.

La fonction paternelle de l'amour de Dieu.

Mais dans sa fonction paternelle, Dieu énonce les lois fondatrices de la vie, ainsi que les grands interdits structurants qui ont pour but d'alerter l'être humain sur les possibles chemins de mort qu'il peut prendre, car l'amour veille à ce que ses enfants ne se perdent pas. C'est lui qui établit les conditions et l'ordonnancement de la vie en vue de sa fécondité. Il instruit et enseigne l'être humain. Il l'interpelle pour l'aider à se poser les questions essentielles : où es-tu ? (Gn 3, 9), où en es-tu ? Il l'appelle à se lever, à prendre son grabat, à se mettre en marche (Jn 5, 8), à sortir du tombeau (Jn 11, 43), à ne pas s'immobiliser dans la lourdeur du passé, ni s'établir dans l'impuissance, le doute.

Beaucoup ont d'abord besoin de la consolation, de la miséricordieuse tendresse de Dieu ou de l'apaisement de leur peur, de leur insécurité. Ils entreront ensuite dans l'adhésion aux lois de vie, en mettant au jour la façon dont ils ont réagi à leurs blessures.

Ceux et celles qui sont dans la confusion, le désordre, commenceront par adhérer aux lois fondatrices de la vie, par retrouver les repères essentiels. C'est probablement après ce passage qu'ils auront besoin d'un temps de consolation ou de pacification.

On pourrait dire d'une façon simple qu'il ne saurait y avoir d'amour sans vérité et de vérité sans amour.

Dans le trajet de descente dans ses profondeurs, le temps de l'ouverture de sa terre, de l'accueil de la tendresse, de la miséricorde, mène doucement à la lumière, à la vérité sur soi, à la prise de conscience de son désordre, de la façon dont on a méconnu les lois de vie.

Le trajet de remontée, le temps de la repentance, du deuil, du renoncement, est baigné de la compassion infinie du Père pour ses enfants qui se mettent en route et reviennent à la vie.

Il est bon ici de se remémorer les conditions du départ d'Adam et d'Ève après la transgression. Adam et Ève vont découvrir l'exil ; ils partent du jardin d'Éden – comme ils l'ont en fait choisi. Mais en Dieu rien n'est jamais perdu, il y a toujours une route qui ouvre vers la vie, qui ramène à la vie. L'amour est là : dans le courant maternel de son amour, Dieu fait des tuniques de peau pour couvrir la nudité d'Adam et Ève et ce au moment même où ils s'éloignent, comme un signe qu'il ne les rejette pas, ne les abandonne pas (Gn 3, 21) [1]. La femme reçoit un nom (Gn 3, 20), elle sort de l'anonymat. Elle se nommera Ève ce qui signifie la mère de tous les vivants [2] – et non des mortels – elle, qui a pris un chemin de mort, est ainsi bénie sur la nouvelle route de retour à la vie.

1. Josy EISENBERG et Armand ABÉCASSIS, *À Bible ouverte*, II, *Et Dieu créa Ève*, Paris, Albin Michel, 1992, p. 353.
2. *Ibid.*, p. 344-345.

PREMIÈRE PARTIE

LA DESCENTE
DANS SES PROFONDEURS

La descente dans ses profondeurs a été approfondie dans le tome I de *L'Évangélisation des profondeurs*. Les deux étapes de descente dans ses profondeurs qui vont être explorées plus précisément dans cet ouvrage sont : la traversée des émotions et la prise de conscience de la transgression de la loi de vie, la découverte de la fausse route que l'on a pu prendre.

Répondre à une invite. La grâce de Dieu nous précède.

C'est toujours Dieu qui a l'initiative. Il propose, invite, enseigne, donne force, sagesse, lumière, transfigure les forces vives de tout humain. Il vient le rencontrer là où il en est, va le chercher s'il s'est égaré au loin, pour l'aider à retrouver la juste direction. Beaucoup ignorent ou oublient, ne situent pas de façon juste cette « précédence » de la grâce de Dieu, selon l'expression de Xavier Thévenot, sa priorité dans leur vie. Celui qui se trouve devant un mur, une difficulté qui lui paraît insurmontable, qui cherche en vain une issue, peut être sûr que l'Esprit est là, bien vivant en lui, et qu'il attend de pouvoir exercer sa fonction de guide intérieur. En fait, il se manifeste sans cesse à l'être humain qui souvent n'en a pas conscience. C'est ainsi que l'on peut laisser en friche cette merveilleuse collaboration avec *Celui qui fait toutes choses nouvelles* (Ap 21, 5), aide tout homme, toute femme, à ne pas s'immobiliser dans un lieu de mort, à ne pas se scléroser, à aller de l'avant. Il leur apprend comment se laisser guider par sa lumière, recevoir ses dons de sagesse et de force. Ceux et celles qui expérimentent jour après jour cette façon de vivre dans l'Esprit, dans toutes les dimensions de leur vie, vont peu à peu entrer dans une qualité de vie « inspirée » qui transmet une part de la vie de Dieu.

Ouvrir sa terre[1].

La première invite qui est adressée à celui qui se met en marche est d'ouvrir sa terre intérieure à la présence de l'Esprit, au Christ qui frappe à la porte avec un infini respect, attendant qu'elle soit accueillante (Ap 3, 20).

Il s'agit d'ouvrir à cette visitation l'être en entier dans toutes ses dimensions – y compris les parties de soi les plus blessées, les plus souffrantes, les plus indignes – et également l'intégralité de son présent et de son passé. Ceux et celles qui vivent cette expérience découvrent alors leur condition de fils et filles de Dieu. Ils comprennent qu'ils ne seront jamais plus orphelins (Jn 14, 18), jamais plus seuls face à leurs difficultés, livrés à leur seule sagesse et forces humaines.

C'est au cours de ce mouvement que se situe *la reconnaissance de la blessure subie et de ses conséquences* sur sa vie.

C'est une étape essentielle qui peut prendre du temps. En effet, on se heurte fréquemment aux fausses notions de Dieu que l'on entretient, et qui constituent le principal obstacle au déploiement d'une relation vitale, réelle, au Dieu vivant. On ne saurait se résigner à se tromper sur Dieu : les

---

1. Simone Pacot, *L'Évangélisation des profondeurs*, t. I, p. 29-56.

conséquences en sont désastreuses car la substance même de l'être humain, l'orientation essentielle de sa vie sont alors touchées.

Le croyant apprend à faire ce premier parcours dans la présence intérieure et vivante du Christ ; il vit de sa grâce, il collabore avec l'Esprit Saint, demande et accueille sa lumière. Ce n'est pas le rôle d'un thérapeute de lui faire vivre le trajet de cette façon ; c'est à lui-même d'expérimenter comment ne pas se couper de Dieu en descendant dans les profondeurs de sa psyché, de son corps. Il va devoir alors veiller avec soin à ne pas tomber dans le piège de se réfugier dans le spirituel. C'est le temps du labour de sa terre, dans l'épaisseur de son humanité. Il ne s'agit pas de passer à côté de cette exploration, d'aller trop vite, sous prétexte que Dieu est là.

À LA RENCONTRE DE SES ÉMOTIONS.
QUE FAIRE DE SES ÉMOTIONS ?
LE TRAJET DE TRANSFORMATION
DES ÉMOTIONS NÉGATIVES

« Comment mettre ses émotions négatives au service de la vie et ne pas se laisser engager avec elles du côté de la mort [1] ? »

Émotions et sentiments entretiennent des relations étroites.

Cependant, à la différence de l'émotion, le sentiment s'inscrit dans la durée ; il est de moindre intensité que l'émotion. Dans le langage courant, les termes d'émotion et de sentiment sont fréquemment employés l'un pour l'autre. Ils sont généralement inclus dans le terme générique d'« affects ». Pour ne pas alourdir le texte, je ne distinguerai pas ici les émotions négatives des sentiments négatifs, leurs effets sur l'organisme étant de même nature ; j'emploierai le terme général d'émotions.

La rencontre avec l'émotion est un passage inévitable qui peut se vivre à tout moment du parcours.
Le souvenir est toujours chargé d'émotion. Qu'avons-nous fait de nos émotions dans le passé ? Comment les

---

1. Serge TISSERON, *Du bon usage de la honte*, Paris, Ramsay, 1998, p. 8.

vivons-nous dans notre présent ? Elles font partie intégrante de notre humanité. Nous nous trouvons donc devant une question essentielle : comment traverser ces grands remous qui nous habitent sans nous couper de Dieu, comment leur faire produire de la vie ?

L'émotion nous signale les événements signifiants de notre existence, motive les comportements qui vont permettre de les gérer. Chaque personne va vivre la rencontre avec l'émotion à sa façon et à des moments différents. Les uns arrivent au début du trajet emplis de chagrin, de haine, de violence, de peur, d'insécurité. Ils le savent mais ne peuvent sortir de cet état ; l'émotion est nommée mais n'est pas pacifiée. D'autres ont enfoui, anesthésié, leurs émotions ; beaucoup croient avoir un passé « lisse », sans problème, alors que les conséquences de leur histoire pèsent encore lourdement sur leur présent sans qu'ils en aient conscience.

Certains vont simplement les apprivoiser, les mettre en mots, nommer, amener au jour l'émotion qui accompagne le souvenir ou la difficulté présente. Peut-être la vivront-ils dans leur chair beaucoup plus tard, mais ce n'est pas absolument indispensable. L'essentiel est qu'elle soit reconnue, qu'elle vienne à la lumière.

D'autres vivent rapidement une véritable décharge émotionnelle. Il arrive qu'une personne pose un acte de renoncement à un chemin de destruction assez tôt dans le parcours sans avoir mis au jour ses émotions et qu'elle s'aperçoive ensuite que l'acte qu'elle a posé ne porte pas tout son fruit du fait d'émotions sous-jacentes ignorées. Elle ne pourra éviter d'y faire face. En revanche, beaucoup auront besoin d'aller au fond de leurs émotions avant de pouvoir s'apaiser, consentir à la réalité de ce qui leur a fait du mal et renoncer au chemin de mort qu'ils ont pu prendre pour éviter de trop souffrir.

Tout au long du parcours, l'émotion est là qui affleure. Il importe d'en tenir le plus grand compte, de ne jamais contourner ce passage, à quelque moment qu'il se présente.

La mise au jour de l'émotion peut amener certains remous, certaines perturbations, mais ce sont des mouvements féconds qui mènent à la vie. Ils vont permettre de sortir de la confusion, de l'ignorance de sa propre réalité. Il est néanmoins prudent d'avancer à son rythme, de ne pas forcer ses résistances, de savoir ce que l'on peut vivre, d'être bien entouré ou accompagné si cela est nécessaire.

Jésus a vécu des émotions bien réelles durant son existence : la joie, la tendresse, la tristesse, l'indignation, l'émerveillement... Il a traversé d'intenses et douloureux mouvements émotionnels, notamment lors de ses derniers jours, dans ce parcours de deuil de sa mission et de sa vie. Le savoir est pour nous un grand réconfort.

La manière dont nous allons vivre nos émotions nous ramène de façon inattendue à la loi de l'acceptation de la condition humaine, à la notion de toute-puissance.

En effet, les émotions sont une des manifestations de la vulnérabilité de l'être humain et le refus de la vulnérabilité est une des formes de la toute-puissance. La notion de toute-puissance va donc se retrouver dans la façon de gérer ses émotions.

Il arrive que l'on enfouisse toutes ses émotions aussi bien négatives que positives. Il est essentiel de les amener à la lumière, d'authentifier, de fortifier les émotions positives (la joie, la tendresse, le plaisir, le soulagement...), de transformer les émotions négatives (peur, souffrance, violence, honte...) en forces créatives de vie.

Renoncer brutalement à ses émotions négatives, les mettre hors de soi, est un chemin destructeur. Le fruit du trajet d'évangélisation des profondeurs est la transformation des forces qui se perdent, mènent à une forme de mort, en forces vives créatives.

Il ne sera question dans ce chapitre que de la transformation des émotions négatives.

Les mêmes passages essentiels vont se retrouver quelle que soit la nature de l'émotion :

– *la libération de la plainte* va consister à se donner le droit d'être vulnérable, à mettre au jour l'émotion, en reconnaître la nature, l'objet, en découvrir la racine, à apprendre comment permettre au Christ de les habiter. Il va établir celui qui vit ce mouvement dans une sécurité essentielle, l'assurer qu'il n'est plus seul, lui apprendre à accueillir la tendre miséricorde du Père.

– *la fin de la plainte* : le trajet se poursuit en vivant les renoncements et deuils indispensables pour pouvoir enfin accepter la réalité de son histoire. Il devient alors possible d'accueillir le don de Dieu, la vie qui revient, la résurrection, de poser un choix clair. Les énergies qui se perdaient dans les émotions négatives sont alors libérées et vont pouvoir devenir créatives.

Les deux difficultés les plus fréquentes proviennent des émotions enfouies, non reconnues, et des émotions reconnues, mises en mots, mais non apaisées, tenaces.

Dans les deux cas, il y a un barrage à la vie, une impossibilité de choisir la vie : on est comme envahi par une sorte de brouillard qui provient des émotions enfouies ou par la violence de l'émotion qui submerge. Ces émotions flottantes ou tenaces, solidement accrochées, vont être à l'origine de nombreuses perturbations dans l'organisme, elles perturbent la relation à soi, à l'autre, au Dieu vivant, et sont un obstacle majeur au déploiement de la vie.

Beaucoup pensent que, pour avancer, il suffit de mettre au jour en mots un ou plusieurs souvenirs [1] qui donnent sens à ce que l'on a vécu. Mais on oublie parfois que le souvenir est chargé d'émotion et c'est précisément à cela qu'il convient d'être attentif.

---

1. Il n'y a pas qu'un seul souvenir qui marquerait le temps de la blessure. Cependant un souvenir précis, dont les détails reviennent à la mémoire, rassemble en général une grande partie de l'histoire d'un enfant.

UNE FORME CACHÉE DE TOUTE-PUISSANCE

Les émotions enfouies.

Beaucoup enfouissent leurs émotions négatives ; ils ne les ont ni reconnues, ni vécues, cherchent souvent à s'en débarrasser très vite – en les mettant hors d'eux-mêmes –, à les déposer avant de les avoir traversées. Ils fuient alors leur réalité et méconnaissent la première loi fondamentale qui enjoint à tout homme, toute femme, d'aller au bout de son humanité, d'assumer sa vulnérabilité. Le croyant la vivra non plus dans la solitude, comme un orphelin, mais dans la présence miséricordieuse du Christ qui vient à la rencontre des souffrants, des blessés de la vie. Il y a souvent confusion entre le calme plat et trompeur de la fuite, et la paix bienfaisante et libérante du Christ qui peut demeurer au cœur de la tempête.

Les émotions font partie intégrante de l'être humain, de sa sensibilité, de son affectivité, de son histoire, elles nourrissent ses relations. Lorsqu'on les enfouit sans les vivre, on se verrouille, on peut difficilement recevoir et transmettre l'amour.

Le mal subi fait des ravages quand les émotions qui en résultent n'ont pas été mises au jour, ni vécues. Elles sont cachées mais toujours là, éminemment actives, d'autant qu'elles se manifestent par des moyens détournés. Ce sont comme des ombres, des voiles qui flottent en soi et que, d'une façon ou d'une autre, on va projeter sur l'autre ; elles sont des barrages au choix de vie, à la clarté de la relation à soi, à l'autre, à Dieu.

Ceux et celles qui ont enfoui leurs émotions ont fait ce qu'ils ont pu pour surmonter un événement difficile sans se rendre compte qu'en fait ils transgressaient une loi de vie essentielle et que cette transgression allait être la cause de dégâts importants dans l'organisme entier.

La croyance que la vie spirituelle va permettre d'éviter la traversée de ses émotions est fréquente. C'est certainement une erreur. Car le fait de nier ses émotions est une méconnaissance d'une loi de vie fondamentale, la loi d'acceptation de la condition humaine. La vie spirituelle ne protège pas alors l'être humain du désordre, des dégâts que peut apporter dans son organisme entier, y compris son corps, le fait d'enfouir ses émotions.

Les émotions nommées, reconnues et non apaisées.

D'autres personnes ont fait tout un trajet de vérité sur elles-mêmes, peuvent nommer leurs émotions, mais elles n'en sortent pas, restent englouties dans le chagrin, la révolte, la peur et n'arrivent pas à laisser émerger leur joie. Elles sont comme débordées par leurs émotions négatives.

« J'ai déjà tout dit, tout vu, mais je me trouve devant un mur infranchissable » est une réflexion souvent entendue. Que se passe-t-il, comment en sortir ? Une étape essentielle a peut-être été manquée. Laquelle ? Il est parfois nécessaire de se remettre en route avec d'autres références, différemment. De toute façon, il sera indispensable de mettre au jour la raison très précise pour laquelle l'émotion ne s'apaise pas.

Dans l'une et l'autre situation se retrouve une forme très subtile de toute-puissance, une non-acceptation de la réalité de sa condition humaine :
— de sa propre réalité, de sa vulnérabilité dans le cas des émotions enfouies ;
— de la réalité de son histoire, de l'autre, de l'événement, dans le cas des émotions reconnues et non apaisées.

L'Esprit est là pour nous éclairer sur ce qui se vit en nous, ce que nous ne comprenons pas : les portes que nous avons pu fermer, le lien qui nous retient dans une forme de destruction, le passage à traverser, le chemin à prendre. Sans nul doute, si nous demandons son aide, nous trouverons l'issue de vie.

La vulnérabilité de l'être humain.

Vous serez comme des dieux (Gn 3, 5), dit le trompeur, vous serez invulnérables.

L'être humain est essentiellement vulnérable. La vulnérabilité fait partie de sa condition, de sa constitution. Vouloir être, se croire invulnérable est une illusion. L'homme, la femme n'ont pas à être guéris de leur vulnérabilité mais à l'assumer de façon consciente et paisible. « Dieu ne protège pas l'homme de sa vulnérabilité mais le sauve dans sa vulnérabilité[1]. » C'est ce que l'Esprit enseigne à saint Paul qui demandait à Dieu d'être libéré d'une écharde dans sa chair : *Ma grâce te suffit car ma puissance se déploie dans ta faiblesse* (2 Co 12, 9). C'est ainsi que nous sommes pacifiés, en apprenant que nous pouvons garder en nous des fragilités qui vont persister. Cela n'empêche pas l'œuvre de Dieu de se manifester.

Les émotions, les grands remous qui habitent tout homme, toute femme, sont des signes de leur vulnérabilité.

Enfouir ses émotions, ne pas les vivre jusqu'au bout rejoint l'illusion que les cacher au fond de soi, « mettre un couvercle dessus » ne représente aucun danger, n'aura pas de conséquence grave. Or il y a là un chemin de mort.

La plupart du temps, les émotions sont enfouies dans un oubli total de la loi d'acceptation de la condition humaine. Comprendre que cela constitue une transgression à l'ordre de

---

1. Xavier THÉVENOT, article « Guérison, Salut, Vulnérabilité », *La Maison-Dieu* n° 217, Paris, Éd. du Cerf, 1999.

vie qui enjoint d'accepter les conditions de son humanité sous peine de se prendre pour Dieu est une découverte stupéfiante.

L'acceptation de sa propre vulnérabilité.

Avant tout, il s'agit de s'autoriser à avoir en soi des émotions intenses, de se savoir fragile comme tout être humain. Prendre conscience de la réalité de ses émotions négatives va permettre de ne pas les agir, les projeter sur un ou une autre et donc de ne pas se couper de Dieu lorsque l'on est ainsi agité, perturbé.

Les émotions enfouies sont comme des brebis perdues en nous, mais le Christ est le bon berger (Jn 10, 11). Il vient retirer ses brebis *de tous les lieux où elles furent dispersées au jour de nuées et de ténèbres... Je chercherai celle qui est perdue, je ramènerai celle qui est égarée, je panserai celle qui est blessée, je fortifierai celle qui est malade* (Ez 34, 12.16).

Véronique a cinquante ans, elle vit un profond cheminement spirituel. Cependant, elle ne va pas bien, ni moralement, ni physiquement. Elle donne l'impression de se détruire de jour en jour. Au cours d'un entretien, lors de la relecture de sa vie, elle évoque rapidement la mort de sa mère qui s'est suicidée alors qu'elle-même avait dix ans. Elle dit avoir bien vécu cet événement, son entourage l'assurant que « maman est au ciel, elle est heureuse maintenant ». Elle en est restée là.

Elle décide de se faire accompagner. Son accompagnatrice ne s'occupe alors que de cette question, elle laisse de côté tout le reste de sa vie. Pendant le mois qui suit l'entretien, Véronique explose littéralement de chagrin, de révolte. Elle qui se croyait douce, hurle sa révolte à Dieu. Après un travail de deuil qui va durer plusieurs mois, la paix s'installe en elle [1]. « Que s'est-il passé pour que tu puisses faire ainsi

---

1. Voir Le deuil-Travail de vie, dans « Le temps de la conversion », IIe partie de cet ouvrage, p. 235-245.

sortir de toi ces émotions intenses que tu avais complètement enfouies ? Est-ce que ton accompagnatrice a eu une technique particulière ? » – « Non, aucune technique, simplement par sa façon d'être, sa parole, elle m'a donné le droit d'avoir un immense chagrin, d'être révoltée. Tout cela est enfin mis au jour et je suis profondément libérée. »

Causes de l'enfouissement des émotions.

Aller à la rencontre de ses émotions négatives est une démarche qui fait peur à beaucoup : elle les confronte à leur réalité, à leur douleur aussi, car elle est passage de vérité. Découvrir pourquoi on enfouit ses émotions est un éclairage indispensable.

La peur d'être submergé par un débordement de l'émotion.

La plupart du temps, on anesthésie ses émotions parce que ce que l'on a à vivre est trop dur : trop de souffrance, d'injustice, de violence physique ou psychique. On pense qu'en contournant le problème on sera moins atteint. On s'arrange pour arriver à vivre sans trop de remous.

Beaucoup sont paralysés par la peur d'une explosion : ouvrir la porte à ce qui est en soi peut entraîner le risque d'être englouti par l'irruption d'un intense chagrin, d'une violence meurtrière, de la haine, d'une angoisse qui semble venir de la nuit des temps. Or ces grands remous sont déjà là, c'est un fait qu'il convient de regarder en face. Si l'on continue à les cacher comme sous un couvercle, ils vont se manifester dans tout l'organisme et notamment dans le corps, et entraîner des maladies de toutes sortes. Le corps nous alerte, mais hélas nous n'entendons pas toujours ce qu'il a à nous dire.

Les émotions ont au moins à être mises en mots et c'est vrai qu'elles peuvent exploser, mais la décharge émotionnelle fait partie de la guérison ; peut-être ne peut-on en faire l'économie. Ce n'est pas un mal, bien au contraire. « On vit enfin de façon juste la souffrance non soufferte, la colère, non colérée [1]. »

Il arrive souvent que l'on mette en mots l'émotion sans aucun ressenti, c'est une approche valable, il ne faut pas s'en inquiéter. Des passages très libérants se font dès que l'émotion est mise en lumière. Parfois plusieurs mois, voire plusieurs années, après cette première prise de conscience, on vit véritablement l'émotion, à l'occasion d'un événement, d'un souvenir qui remonte, et là on peut être sûr qu'il y a un approfondissement du chemin de guérison.

La culpabilité.

Beaucoup de croyants se culpabilisent de vivre des émotions. Ils ne se donnent pas le droit de les éprouver, comme si elles ne faisaient pas partie intégrante de leur constitution. Ils passent souvent beaucoup trop vite sur le plan spirituel.

Il arrive que ceux et celles qui ont un grand chagrin se reprochent de manquer de foi en oubliant que le deuil est un travail de vie indispensable après une perte de quelque ordre qu'elle soit.

Beaucoup n'osent approcher la violence, la haine qui ont été enfouies au fond d'eux-mêmes car ils ont peur de se découvrir alors en état de péché. Ils confondent la prise de conscience de la violence et « l'agir » contre l'autre. Ils se dépêchent de mettre le couvercle sur cet élément de perturbation, sans se douter que la haine qui n'est ni reconnue, ni mise en mots, devient une haine errante ; elle va se projeter sur autrui de façon désordonnée ou se retourner contre eux-mêmes.

Ce n'est pas parce que l'on se présente à Dieu dans sa réalité la plus vraie que l'on est coupé de lui. Au contraire,

---

1. Marie-Madeleine Laurent, psychologue, enseignement oral. Rappelons ici la nécessité d'une certaine prudence, du discernement personnel pour savoir ce que l'on peut vivre, de l'importance de se faire aider.

s'ouvre alors le temps du retour, de l'accueil inconditionnel de celui ou celle qui vient à la rencontre de l'amour, qui reconnaît son besoin, qui revient à la source. Le Christ est particulièrement proche de ceux et celles qui se trouvent dans des situations d'extrême vulnérabilité.

On sait que, dans ce mouvement d'apprivoisement de ses émotions, on se prépare à vivre quelque chose d'essentiel qui va faire du bien, remettre en vie.

La peur de juger.

Se reconnaître souffrant ou dans la révolte amène à nommer ce qui a fait mal. Alors vient au jour la peur de juger et de condamner les parents ou ceux et celles qui nous ont blessés, de les trahir. On ne fait pas la différence entre la nécessité de discerner un comportement qui est à l'origine de blessures souvent graves et celle de ne pas être juge de la culpabilité de l'autre, qui ne nous appartient pas. Parfois même, pour éviter de se retrouver accusateurs, de victime on devient coupable et, là, on perd tous les repères.

En aucun cas on ne saurait se permettre de décortiquer la culpabilité des personnes. Elles sont des êtres blessés comme tous les humains et, la plupart du temps, elles n'ont pas été conscientes des conséquences de leur comportement. Dieu seul connaît leur cœur et le jugement lui appartient. En revanche, il est de notre responsabilité d'avoir *un œil sain* (Mt 6, 22-23). Si un comportement a abîmé notre identité, notre liberté, notre dignité, nous avons la responsabilité de le reconnaître de façon à pouvoir nous situer, à dire non si c'est nécessaire, à ne pas nous laisser emprisonner dans un mal ou les conséquences d'un mal.

La peur d'accabler ou de déstabiliser l'autre.

Il arrive que le souci de ne pas accabler l'autre empêche de vivre à fond ses émotions, notamment le trajet du deuil à la suite de la perte d'un proche.

On peut aussi prendre l'habitude de gommer toutes ses émotions pour ne pas déstabiliser les membres d'une famille où l'harmonie est la règle ; on ne saurait introduire un élément de perturbation.

L'interdit de se plaindre, d'avoir ou d'exprimer des émotions.

Beaucoup sont encore sous le coup d'un interdit de cette nature qu'il ait ou non été exprimé.

Il y a bien d'autres causes d'enfouissement de ses émotions. Chacun pourra commencer dans la lumière de l'Esprit à mettre au jour la raison pour laquelle il a enfoui ses émotions.

L'expression de la plainte.

Ils criaient vers l'Éternel dans la détresse...
Il envoya sa parole, il les guérit, à la fosse arracha leur vie...
Il ramena la bourrasque au silence et les flots se turent...
Il les mena jusqu'au port de leur désir.
[Ps 106, 13.20.29-30.]

La plainte va s'exprimer de différentes façons. Elle commence souvent à se dire grâce à l'aide d'un accompagnateur, d'une accompagnatrice, qui aide à reconnaître la blessure, à la mettre en mots, à en mesurer l'effet, les conséquences qu'elle a entraînées. C'est ainsi que l'on s'achemine peu à peu vers la prise de conscience progressive des émotions qui accompagnent toute blessure. Il est alors bienfaisant de savoir qu'il est possible de se plaindre à Dieu, de ne pas instaurer de coupure entre cette plainte qui est au fond de soi, ne s'est peut-être jamais exprimée, n'a été entendue de personne, et sa relation au Dieu vivant.

Les médiations. L'aide sur la route.

On ne saurait négliger les différentes formes d'aide que l'on peut recevoir tout au long de ce trajet de la traversée de ses émotions.

Les mettre de côté, sous prétexte que l'on vit dans l'Esprit, est une forme de toute-puissance. De nombreux livres de psychologie, de théologie, de spiritualité sont maintenant à la portée de tous. Ils permettent d'acquérir les données psychologiques essentielles, minimales, que chacun devrait connaître, de nourrir l'intelligence de sa foi, de découvrir sa forme de prière.

Nous avons tous besoin d'être rassurés par un regard amical, chaleureux, bienveillant, un geste réconfortant, une attention spécifique ; cela suffit parfois à nous faire sortir de l'isolement. « Il y a de ces êtres dont la seule présence est comme une absolution[1]. » « Les anges dans nos campagnes » sont toujours là et nous pouvons être l'un pour l'autre cet ange qui transmet une nouvelle essentielle. *Tu comptes beaucoup à mes yeux, tu as du prix et moi, je t'aime* (Is 43, 4).

De nombreux lieux d'accueil offrent une écoute attentive et réconfortante, proposent des chemins, des groupes de partage...

Avoir recours à la compétence, au soutien d'un professionnel – médecin, psychothérapeute... – lorsque cela se révèle nécessaire est une démarche indispensable.

Comment ne pas parler ici de l'importance de la liturgie comme lieu de célébration, de guérison, de libération, de fraternité, de partage ?

Au cours du trajet d'évangélisation des profondeurs, les personnes ont besoin de rites tout simples (qui ne sont pas des sacrements) : se laver, se plonger dans l'eau, poser des gestes symboliques, l'un pour marquer le renoncement au

---

1. Adolphe GESCHÉ, *Dieu pour penser*, II, *L'Homme*, Éd. du Cerf, p. 101 et 103.

chemin de mort (à sa racine, sa manifestation), l'autre pour signifier le pas que l'on va poser sur le chemin de la vie...

Mais elles peuvent aller beaucoup plus loin, dans la façon dont elles vont pouvoir vivre les sacrements. Le sacrement est un rite symbolique[1], donc chargé de sens, d'une puissante efficacité. Symbolique signifie qu'« à travers une pratique concrète il évoque un ordre de choses tout autre que sa réalisation matérielle... Il exprime une dimension de l'existence qui n'arrive pas à se dire en langage ordinaire ». Toute société humaine a besoin de rites ; « les sacrements chrétiens respectent la condition humaine commune : nous sommes indissociablement corps, psyché, cœur profond. L'intérieur et l'extérieur de nos vies sont toujours solidaires ». C'est dans ce mouvement que va s'inscrire la pratique sacramentelle. « Dans le christianisme la référence cosmique et naturelle n'est jamais gommée mais elle reçoit une détermination nouvelle, celle de la référence historique à la vie, la mort, la résurrection du Christ[2]. »

Les sacrements sont une aide puissante, indispensable sur une route parfois douloureuse : on vient s'y ressourcer, reprendre force.

Beaucoup de ceux qui ont parcouru un trajet d'évangélisation des profondeurs témoignent avoir redécouvert le sens profond, vital, des sacrements. Ils expriment qu'ils les vivent autrement, leur redonnent toute leur sève.

La prière commune, l'écoute de la lecture de la Parole, l'étude de la Bible se révèlent essentielles.

En outre, l'expérience montre combien un accompagnement sérieux et régulier est indispensable.

Différentes formes d'accompagnement sont offertes. Il appartient à chacun, chacune, de s'orienter vers ce qui lui convient, en fonction de ce qu'il peut trouver dans sa région.

---

1. Le lecteur pourra se reporter à la très intéressante étude de Bernard SESBOÜÉ sur les sacrements dans son livre *Croire*, Droguet-Ardant, 1999, p. 473-493. Il approfondit notamment la comparaison entre les rites présents en toute société et le sacrement chrétien.
2. *Ibid.*, p. 474-478.

L'accompagnement sur les chemins d'évangélisation des profondeurs est particulier. Il se situe dans la recherche de l'articulation entre la vie psychologique d'une personne, celle de son corps, sa foi. Il exige justesse, prudence, donc formation suivie sérieuse, ainsi que supervision. Cela aide beaucoup d'être accompagné par des personnes susceptibles non seulement d'écouter, mais de contribuer à faire émerger les émotions enfouies, de poser les bonnes questions qui vont éviter de rester en périphérie et permettre d'accueillir la vie nouvelle. Ce n'est pas toujours possible. Cependant, les quelques pistes qui sont données dans ce chapitre peuvent rendre possible l'éveil à ce problème des émotions et permettre de se mettre en route.

Dans cet ouvrage, j'insiste spécialement sur les passages qui vont permettre l'acheminement de l'être humain vers son unité intérieure, dans cette jonction justement située entre la psyché, le corps et le cœur profond, ce qui semble être la recherche de beaucoup. C'est pourquoi le nécessaire recours aux médiations n'est pas systématiquement rappelé lors de l'exploration de chaque émotion ; cela ne signifie pas pour autant que l'on pourrait s'en passer.

Certitudes.

Je ne vous laisserai pas orphelins, dit Jésus (Jn 14, 18).

Le compatissant.

Dans chacune de ses rencontres le Christ est toujours extrêmement attentif à la parole d'un être humain, à sa plainte exprimée ou non, à ce qu'il vit dans sa fragilité, sa vulnérabilité, ce qu'il est devenu au travers de ses erreurs d'orientation.

Presque tous ceux qui se mettent en marche sur cette route d'évangélisation des profondeurs sont d'abord des souffrants, qu'ils s'expriment avec violence ou dans une sorte d'anesthésie des sentiments, qu'ils manifestent ou non leur angoisse, leur profonde insécurité. Il y a, la plupart du temps, derrière les paroles qui racontent leur histoire, une immense souffrance. La première étape est sans aucun doute la libération de la plainte.

Le Christ a osé exprimer toute sa douleur à Gethsémani, il a demandé de l'aide, il a pleuré, il a eu une sueur de sang. Il s'est plaint à son Père, douloureusement (Mt 27, 46) : *Jésus clama en un grand cri : « Éli, Éli, lema sabachtani ? (Mon Dieu, mon Dieu, pourquoi m'as-tu abandonné ?). »*

Découvrir que le Christ nous invite à déposer notre plainte dans son cœur est une profonde libération. On comprend alors que l'on est autorisé à se plaindre, à avoir un regard bienveillant et tendre sur l'enfant que l'on a été. Se donner le droit de s'exprimer à soi-même ce que l'on a vécu, le dire à un ou une autre dont la qualité d'écoute est déjà guérison, mettre en mots ce que l'on a ressenti est un important passage de vérité ; on ne saurait le laisser de côté.

On s'exprime, on nomme, on prend conscience que l'on a été victime, on a souffert, on a été innocent, ce n'est pas pour rien que l'on est violent : il y a des raisons. Ce n'est pas non plus pour rien que l'on est empli de peurs, on a pu vivre une véritable forme d'abandon incompréhensible aux yeux des autres. On ne prend plus à la légère ce que l'on a vécu, on donne du poids à son histoire, on s'accorde le droit d'avoir tous ces sentiments en soi, de les mettre en mots, de les crier. Tout cela va se vivre en Dieu.

Le mouvement n'est pas de se lamenter – ce qui est une façon de tourner en rond – ni de se plaindre de Dieu, mais de se plaindre à Dieu : on le peut si les fausses notions de Dieu se sont estompées, si on a compris que ni le mal ni la souffrance ne viennent de Dieu. On reste relié au Père au cœur même de sa plainte, comme Jésus l'a fait au moment de sa mort.

Qui me voit voit le Père, dit Jésus (Jn 14, 9). C'est donc au Dieu de toute miséricorde que l'on s'adresse, Celui qui, en la personne de Jésus, a accueilli la prostituée en larmes (Lc 7,

36-50), qui a baissé les yeux devant la femme adultère exposée aux regards de tous, pour lui signifier qu'elle avait une dignité (Jn 4, 1-11), qui a été remué jusque dans ses entrailles par le chagrin de la veuve de Naïm qui enterrait son fils unique (Lc 7, 11-17), qui a pleuré avec Marie et Marthe lors de la mort de leur frère Lazare (Jn 11, 35).

Chacun va pouvoir se laisser accueillir, consoler, rassurer par le Christ.

On se présente enfin à lui dans la réalité de ce que l'on vit, dans sa vérité, sans chercher à paraître autre que l'on est. C'est une forme de prière très simple, enfin vraie, c'est le psaume personnel, spécifique de chaque enfant de Dieu. S'exposer ainsi à la miséricorde et à la tendresse du compatissant est comme être baigné d'une rosée qui va faire refleurir la terre desséchée.

Je transformerai le désert en étang et la terre aride en fontaines (Is 41, 18).

Passant par le val du Pleureur, ils en feront un lieu de source (Ps 83, 7).

Nous pouvons commencer à nous apaiser à la pensée d'effectuer cette traversée de nos émotions en étant enveloppés d'amour et de lumière ; nous nous tenons prêts à participer au voyage de retour vers la vie et, si cela nous est impossible, n'oublions pas qu'il prend sur ses épaules la brebis qui s'était perdue, qu'il est allé chercher et a retrouvée dans la joie (Lc 15, 4-8).

Dieu vit en nous et nous en lui.

Dieu est cosmique, transcendant, Il remplit tout, la terre est pleine de sa gloire (Is 6, 3), et en même temps, il est infiniment proche. « Tu étais dedans et c'est moi qui étais dehors » (saint Augustin).

Si quelqu'un m'aime, il gardera ma parole et mon Père l'aimera, et nous viendrons à lui,
et nous ferons chez lui notre demeure (Jn 14, 23).

Ne savez-vous pas que vous êtes un temple de Dieu et que l'Esprit de Dieu habite en vous ? [...] Le temple de Dieu est sacré et ce temple c'est vous (1 Co 3, 16-17).

Ainsi, l'être humain n'est pas simplement créé : il est enfant de Dieu, fils ou fille de Dieu, mais en outre, il est un « être visité », habité par la présence, la vie même du Dieu trinitaire Père, Fils, Esprit, qui demeure en lui [1].

« L'homme est l'amour de Dieu, Il n'en a pas d'autre [2]. »

C'est une merveilleuse révélation, une découverte qui change radicalement notre relation à Dieu, qui ouvre la porte à d'infinies possibilités.

Prendre le temps d'intégrer cette réalité, la garder dans le cœur comme la perle précieuse (Mt 13, 45-46), le trésor caché (Mt 13, 44), l'unique nécessaire au travers de tant d'inquiétudes et d'agitation (Lc 10, 41), la nourrir en la méditant, laisser l'Esprit Saint nous enseigner le sens vital de cette annonce, l'influence qu'elle a sur notre trajet, nos passages, notre vie entière, va nous emplir de force, de paix, de joie.

En effet, il nous est signifié là que *Dieu n'est pas seulement aux côtés de l'être humain, à distance, mais qu'il demeure véritablement en lui.* L'homme, la femme sont des êtres habités par le plus grand amour qui soit. « Il leur advient quelque chose », ils reçoivent, boivent à la source des eaux vives et cette réceptivité va les construire et les enrichir, tout autant que l'exercice de leurs décisions [3].

C'est alors que la conscience s'éveille. Dieu sait la vulnérabilité de l'être humain, mais il l'aime et il l'estime capable d'accueillir et de partager sa vie. Il lui a donné statut de capacité divine. C'est pourquoi il l'a béni (Gn 1, 22) et pas seulement créé. Il dit du bien des humains *(bene dicere)*, et ainsi

---

1. Voir *Le Catéchisme de l'Église catholique*, n° 260, p. 75-76, ainsi que la prière d'ÉLISABETH DE LA TRINITÉ (Paris, Éd. du Cerf, 1999) citée dans ce paragraphe.

2. Adolphe GESCHÉ, *Dieu pour penser*, VI, *Le Christ*, Paris, Éd. du Cerf, 2001, p. 35.

3. Adolphe GESCHÉ, *Dieu pour penser*, II, *L'Homme*, p. 122-123.

par, avec et en Christ, il les a constitués fils, filles, enfants de Dieu [1]. Nous ne sommes pas jetés anonymement dans l'univers ; nous sommes connus par notre nom spécifique, souhaités, voulus, aimés, attendus. En nous faisant confiance, Dieu nous redonne confiance en nous-mêmes, il nous remet en quelque sorte dans notre destinée. Désormais, nous ne pourrons plus nous mépriser, ne plus croire en nous, ne pas aimer les autres... Nous retrouvons notre véritable mode d'être, notre entièreté, le sens de notre existence.

Cette inhabitation de Dieu au cœur de l'être humain n'est pas une présence statique, elle porte en elle le dynamisme même de la vie, puisqu'elle est source de vie. En elle se trouve la grâce du Ressuscité. C'est ainsi que nous découvrons que l'amour consolateur – l'amour qui ne nous laisse pas seuls –, l'amour sauveur, guérissant, lumineux, celui qui nous éveille à notre réalité, à notre véritable liberté, est à l'œuvre dans la plus grande profondeur, le centre le plus intime, de chaque homme, chaque femme. Quiconque le laisse œuvrer au-dedans de lui-même dans toutes les dimensions de son être devient un vivant.

Cependant ceux qui s'engagent sur un chemin d'évangélisation des profondeurs savent qu'il est fréquent d'être attiré par une autre dynamique, celle d'une forme de mort, souvent sans en avoir véritablement conscience. C'est pour cette raison que nous avons peut-être à prendre le temps de regarder en face la façon dont nous répondons à l'invite qui nous est faite de devenir consciemment, véritablement temple du Dieu vivant.

La présence de Dieu dans le cœur de l'être humain est réelle, vivante, vitale. Mais n'oublions pas que c'est une notion spirituelle. Beaucoup ne peuvent envisager de vivre la présence de Dieu en eux-mêmes par peur d'être envahis, de ne plus exister : « Si Dieu vit en moi, où est-ce que je suis,

1. *Ibid.*, p. 116.

qu'est-ce que je deviens ? » N'imaginons pas deux forces se faisant face, susceptibles de se concurrencer, de s'opposer, l'une cherchant à prendre la place de l'autre : la vie de Dieu fonde notre propre vie.

Il n'y a pas de mots pour expliquer ce qu'est la présence de Dieu qui habite l'être humain ; seul celui ou celle qui le vit sait de quoi il parle. Il se sait créé libre, conscient, autonome, mais il va boire à la source des eaux vives ; il n'est plus, ne sera jamais plus orphelin ; il se laisse inspirer, enseigner, guider, insuffler ; sans cette présence vivante en lui, il se vivrait incomplet, sans racine, sans lien réel entre Dieu et lui, le ciel et la terre ; l'intégralité de son être est vivifié par la présence.

Dieu habite ses fils et ses filles pour les faire exister, pour qu'ils soient transformés en demeurant pleinement eux-mêmes. Jésus nous parle clairement et simplement de cette notion spirituelle de la présence : *Je vous dis la vérité : il vaut mieux pour vous que je parte ; car si je ne pars pas le Paraclet [l'Esprit Saint) ne viendra pas à vous ; mais si je pars, je vous l'enverrai... (Jn 16, 7). Je prierai le Père et il vous donnera un autre défenseur qui sera pour toujours avec vous, c'est l'Esprit de vérité* (Jn 14, 16-17). Tant que Jésus est avec ses disciples « il est à côté d'eux. Il ne peut pas être en eux. Aussi faut-il qu'il s'arrache physiquement à leur affection dans la mort et la Résurrection, pour qu'ils connaissent le bonheur nouveau de sa présence vivante et réelle en leur cœur par le don de l'Esprit, après son retour définitif au Père [1] ».

Nous retrouvons ici la notion de liberté : Dieu croit en l'homme et crée les conditions de sa liberté [2]. « La liberté de l'homme, de la femme, est voulue par Dieu et non pas à lui arrachée... Entendons une liberté de plein droit, une liberté

1. Henri CALDELARI, *L'Homme au cœur de Dieu*, Éd. Saint-Augustin, 1995, p. 86.
2. Adolphe GESCHÉ, *Dieu pour penser*, VI, *Le Christ*, p. 40.

de naissance. » La liberté est un devoir, « son exercice relève de la vocation même de l'être humain, qui est une personne, un sujet [1] ». Dieu habite l'être humain mais ne va en aucun cas prendre sa place et l'empêcher d'exister. Reconnaître en soi la Présence trinitaire n'amène jamais à renoncer à sa propre identité, à sa liberté authentique, mais au contraire à les déployer dans l'ordonnancement de Dieu. La vie de Dieu vient dynamiser les propres forces de l'homme, de la femme, son amour, son désir, sa créativité. Le vrai don n'écrase jamais. Il mène l'autre à donner à son tour, est source d'échange, de partage.

Pour que l'homme soit libre et ne se sente plus menacé, il faut qu'il sache que son Dieu n'est pas un Dieu menaçant, mais un Dieu pacifié... un Dieu qui vient planter sa tente parmi les hommes, qui n'a pas peur de dire qu'en se trouvant chez nous il se trouve chez lui (Jn 1, 11), qui souhaite demeurer en nos cœurs [2].

« Eh Seigneur, dit encore saint Augustin, je suis Augustin et vous êtes Dieu [3] », c'est-à-dire : je veux rester moi-même. La présence de Dieu dans le cœur de l'homme, de la femme, n'entraîne aucun rapport fusionnel dans lequel Dieu et l'homme seraient mélangés, mais un rapport personnel où divinité et humanité demeurent ce qu'elles sont [4]. « Dieu est celui qui en disant "Je suis" dit par là même et dans le même mouvement "Tu es" [5]. »

Le véritable amour se vit sans confusion ni division, c'est un amour de communion et non de fusion. En nous recevant du Père, dans la grâce du Christ ressuscité, par l'Esprit, nous devenons des créatures renouvelées, mais nous serons toujours des créatures, nous ne sommes pas Dieu et ne le serons jamais.

1. Adolphe GESCHÉ, *Dieu pour penser*, III, *Dieu*, Paris, Éd. du Cerf, 1994, p. 92.
2. Adolphe GESCHÉ, *Dieu pour penser*, VI, *Le Christ*, p. 50.
3. Adolphe GESCHÉ, *Dieu pour penser*, II, *L'Homme*, p. 118.
4. Adolphe GESCHÉ, *Dieu pour penser*, VI, *Le Christ*, p. 72.
5. *Ibid.*, p. 42.

Le temple de Dieu est chacun de nous individuellement. Mais nous sommes reliés à cet autre temple de Dieu qu'est une communauté de croyants qui vit sa foi dans le partage et l'amour fraternel. Si nous vivons en Dieu et qu'il vit en nous, nous deviendrons au cœur du monde les témoins aimants et vivants de sa présence d'amour en chacun.

Il vit en nous, mais nous vivons aussi en lui.

Cette vérité-là nous ouvre encore à une autre dimension, elle nous introduit dans une merveilleuse expérience de sécurité, elle nous permet de nous établir dans une totale confiance : nous ne pourrions trouver de lieu plus sûr, plus stable, plus profondément rassurant. Lorsque nous vivons que Dieu habite en nous, nous nous sentons parfois vaciller, nous connaissons bien notre fragilité ; mais quand nous faisons l'expérience d'habiter en lui, nous sommes enracinés sur un roc. Le psaume 90 nous transmet cette révélation :

> *Qui demeure à l'abri du Très Haut*
> *et loge à l'ombre de Shaddaï,*
> *dit à l'Éternel :*
> *Mon abri, ma forteresse,*
> *mon Dieu sur qui je compte !*
>
> *C'est lui qui t'arrache au filet de l'oiseleur,*
> *à la peste destructrice ; [...]*
>
> *Tu ne craindras ni les terreurs de la nuit,*
> *ni la flèche qui vole de jour,*
> *ni la peste qui marche en la ténèbre,*
> *ni le fléau qui dévaste à midi.*
>
> [Ps 90, 1-3, 5-6.]

C'est en laissant l'Esprit lui apprendre comment vivre en Dieu que l'être humain, qui est englouti dans la peur, la honte, le sentiment d'insécurité, le chagrin..., va pouvoir se poser, s'apaiser peu à peu, retrouver force car il a découvert son véritable enracinement.

Il dresse mes pas sur le roc.

> *J'espérais l'Éternel d'un grand espoir,*
> *il s'est penché vers moi,*
> *il écouta mon cri,*
> *il me tira de la fosse fatale,*
> *de la vase du bourbier,*
> *il dressa mes pas sur le roc,*
> *affermissant mes pas.*
>
> [Ps 39, 1-2.]

Reprendre contact avec le cœur profond.
En libérer les forces vives [1].

C'est dans le cœur profond que l'homme et la femme sont enseignés sur cette réalité de la vie de Dieu en eux, de cette possibilité pour eux de vivre en Dieu. Il est donc essentiel de reprendre contact avec le cœur. En effet, une des caractéristiques des émotions est qu'elles inondent fréquemment l'être entier, le corps, la psyché et le seuil du cœur. Il est donc urgent d'habiter le cœur profond de façon consciente. C'est le moment de se rappeler que la fine pointe du cœur, le cœur du cœur, le noyau de l'être, notre plus grande profondeur, ce lieu paisible, stable et fort où est inscrite à tout jamais l'image de Dieu, n'est jamais touchée par l'intensité et la violence de l'émotion.

Cependant, il ne s'agit en aucune façon de se précipiter dans ce mouvement dès l'irruption de l'émotion. Il importe de veiller à ce qu'il ne soit pas un repli, un refuge, permettant

---

1. Voir *L'Évangélisation des profondeurs*, t. I, « Le cœur profond », p. 60-63, et t. II, *Reviens à la vie !*, « Déployer la vie du cœur profond », p. 189-205.

d'éviter la traversée de l'émotion, de l'enfouir très rapidement, de la dénier en cherchant à se persuader de sa propre invulnérabilité, à se protéger à tout prix de la perturbation.

Dans le cœur se trouvent les ressources profondes, les forces vives de tout humain ; elles lui sont données pour qu'il puisse affronter les difficultés de la vie et donc les remous émotionnels qui l'habitent quelle qu'en soit la nature. Elles sont transdynamisées par la force même de Dieu, elles vont apporter énergie, courage, créativité au cœur même de la déstabilisation. Les reconnaître, les libérer, pour pouvoir aller à la rencontre de ses émotions est un acte de vie. C'est aussi une forme de combat spirituel car beaucoup oublient la fonction du cœur profond lorsqu'ils se trouvent encerclés par l'émotion. Mais la grâce ne manque jamais lorsqu'il s'agit de vivre un passage de cette nature.

S'ancrer dans la certitude d'une issue de vie.

C'est le moment de s'assurer que l'on est bien ancré dans la certitude d'une issue possible, d'un passage dont l'aboutissement est le retour à la vie, la sortie du chaos intérieur qu'induit souvent l'émotion. Un passage a un début mais aussi une fin ; il mène à autre chose. Si la traversée de l'émotion est si douloureuse, c'est souvent parce que l'on se sent encerclé, sans possibilité d'en sortir. La première des grandes lois qui fondent la vie : *choisis la vie, non la mort* (Dt 30, 15-20), est ici une aide puissante. Avant tout, il s'agit de vivre envers et contre tout, de sauvegarder la vie, sa vie, dans le moment présent, de ne pas se laisser engloutir. L'ordre donné est d'une force étonnante dans le quotidien, il mène à une véritable volte-face, un changement de direction de l'énergie. Il remet en route l'élan vital, le dynamisme de vie : on allait vers la mort, on choisit de repartir vers la vie. On ne sait pas comment cela va se passer mais on reprend courage, la direction est donnée.

Dévoilement des émotions enfouies : étapes.

La lumière luit dans les ténèbres.

La présence de Dieu est amour et vérité, lumière. Il importe donc d'apprendre à vivre ce mouvement intérieur qui consiste à laisser la lumière de l'Esprit éclairer la réalité émotionnelle, enfouie ou virulente. Le Christ guérit l'être humain de ses aveuglements, il lui apprend à avoir un œil sain sur lui-même (Mt 6, 22-23). Il dévoile peu à peu ce qui demeure caché, mais qui s'est peut-être infecté et doit être assaini, soigné, sous peine de devenir dévastateur. Nul ne saurait avoir peur du regard de Dieu : il est réconfortant, assure chacun, d'une possible issue de vie, n'est scandalisé par aucune des directions de mort qui ont pu être prises, vient à l'aide de celui qui peine là où il en est.

La lumière qu'apporte le Christ est chaleureuse, douce, elle ne détruit pas. Elle luit dans les ténèbres et les ténèbres ne peuvent l'atteindre (Jn 1, 5). Le Christ, le Verbe, est la lumière véritable qui éclaire tout homme, toute femme (Jn 1, 9).

Dès que la lumière entre dans cette zone d'ombre qui caractérise les émotions enfouies, elle l'éclaire comme un rayon de soleil bienfaisant qui pénétrerait dans une grotte obscure. Dans cette présence lumineuse et aimante, chacun va peu à peu, sans rien forcer, amener au dévoilement ce qui demeurait inconnu de soi. L'émotion va pouvoir émerger, être mise en mots.

Quiconque prend le temps d'expérimenter ainsi ce premier temps du dévoilement des émotions pose un acte de vie qui va permettre d'entrer dans une respiration, une circulation vivifiantes, de sortir du verrouillage, de l'ignorance de ce qui se passe en soi.

Nommer l'émotion, en préciser l'objet, en découvrir la racine.

C'est alors le moment de demander avec force et détermination à l'Esprit non la libération immédiate, mais un éclairage sur la route à suivre, les questions à se poser au cours de cette exploration. Nous pouvons compter sur son aide, il va nous apprendre comment collaborer de façon juste avec lui. L'Esprit nous mène à la vérité tout entière (Jn 16, 13). Fions-nous à lui. Il nous donne l'intelligence du cœur et va mettre sur notre route ce dont nous avons besoin pour y voir clair.

Mettre en mots ce que l'on ressent.

La première étape consiste essentiellement à sortir du flou, à prendre conscience de la réalité de ce qui se vit en soi, au lieu de demeurer dans l'ignorance, l'illusion.

Peu à peu l'éclairage arrive. Dans la lumière de l'Esprit on devient capable de nommer ce que l'on ressent, la nature de l'émotion : colère, haine, chagrin, souffrance, humiliation, peur, honte…

Il peut exister en soi une grande confusion ; il arrive qu'une émotion en cache une autre : on pleure pour camoufler sa violence, on est violent pour ne pas pleurer, la peur peut se manifester par une activité débordante, le sentiment de honte peut être très vivace et pas du tout conscient, la souffrance se vit parfois dans un état dépressif latent… C'est ce que je ressens aujourd'hui que je nomme, que l'émotion soit enfouie ou bien au contraire, intense, virulente, tenace, parfaitement déterminée, m'empêchant littéralement de vivre.

Descendre jusqu'à *la racine de l'émotion.*

Il s'agit ici de mettre au jour à partir de quelle blessure l'émotion qui est maintenant reconnue, mise en mots, s'est installée en soi. Qu'ai-je ressenti lors de tel événement, telle situation, telle partie de ma vie ? Comment, quand, pourquoi la violence, peut-être la haine, se sont-elles plantées en moi ? J'ai des explosions de colère tout à fait inattendues et déstabilisantes : d'où cela vient-il ? Contre qui est réellement dirigée ma colère ? J'ai peut-être été victime d'une injustice, de la préférence de l'un de mes parents pour mon frère ou ma sœur ? Il est possible que je sois encore soumis à un interdit d'exister, de penser, de désirer, de suivre ma propre trajectoire, et que j'en sois révolté ? Quand et pourquoi les sentiments de peur, d'insécurité, de non-confiance dans l'existence m'ont-ils envahi ? Je vis dans la crainte de l'emprise de l'autre sur moi, sous la menace permanente que l'on me prenne ma place. Que s'est-il passé pour que cette peur m'habite encore aujourd'hui ? À quel moment de ma vie ai-je enfoui une intense souffrance qui ne se dit pas ?

Descendre jusqu'au lieu et au temps de la blessure est une étape indispensable sur le trajet de transformation des émotions négatives.

Quelles émotions auraient normalement dû être vécues et ont été anesthésiées.

C'est une question qui va aider à se mettre au clair, à nommer l'émotion, la dévoiler. Bien souvent, l'événement ou la situation qui sont à l'origine de la blessure reviennent rapidement à la mémoire. Mais l'émotion qui l'accompagne toujours est la plupart du temps déniée, passée sous silence. Comment a-t-on vécu ce qui a fait mal, la blessure ? Comment a-t-on réagi ? « En fait, ce n'était rien, dit Marc ; finalement je n'étais pas si malheureux que cela ; après tout, j'avais de quoi manger. »

C'est vrai, mais il est aussi vrai que c'est ainsi que l'on camoufle d'intenses émotions. Très souvent on minimise l'influence d'un événement sur soi ; on est habitué à son histoire, on ne se rend pas compte de la perturbation que l'on a subie ; parfois un regard, une parole, un abandon ponctuel suffisent à marquer un enfant.

Il est impensable que l'on croie n'avoir rien ressenti lors d'une hospitalisation brutale dans la petite enfance, de la naissance d'un nouvel enfant alors que l'on a été enfant unique pendant plusieurs années, de l'obligation d'aller chercher le père alcoolique au café, avec mission de le ramener à la maison, de l'annonce par le père ou la mère qu'il ou elle quitte le foyer pour aller vivre avec quelqu'un d'autre, de l'humiliation d'avoir subi des coups, des violences répétées... C'est alors le rôle de celui ou de celle qui aide, de permettre d'aller plus loin, d'ouvrir des pistes, de questionner sans rien forcer, de faire prendre conscience de l'effet possible de l'événement, du poids de l'histoire.

Adrien vient exposer son problème en entretien : « J'ai conscience d'être attentif aux autres, d'aider, de répondre dans toute la mesure du possible aux demandes qui me sont faites ; mon problème est que dès que je rentre à la maison, je ne supporte plus aucune intrusion. Nous avons une bonne relation familiale, une vraie communication, mais ma femme et mes enfants me reprochent mon comportement : je ne supporte pas que l'on vienne nous déranger, c'est comme si une pancarte était suspendue à l'entrée : domaine privé, interdit de pénétrer. »

Lors de la relecture de son histoire, Adrien dit avoir eu une enfance dorée. Quand il lui est demandé d'évoquer le souvenir le plus marquant qui lui vient à l'esprit, il raconte qu'à chaque fin de semaine, son père passait la soirée au café, la plupart du temps il rentrait ivre et poursuivait sa mère à coups de carabine. Adrien et son petit frère, terrorisés, se cachaient sous leur lit et tremblaient de peur que le père monte et les découvre. « C'était une affreuse insécurité, on ne savait jamais ce qui allait arriver », dit Adrien.

Et tu appelles ça une jeunesse dorée ? Aujourd'hui, Adrien ferme la porte de sa maison ; pas d'imprévu, pas de danger. Les sentiments d'insécurité, de peur sont toujours en lui. Il décide alors d'entreprendre le trajet qui va permettre de les amener à la lumière ; il se donne le droit de mettre en mots ce qu'il a vécu, il laisse remonter les souvenirs, les ouvre à la présence du Christ, prend conscience un peu plus clairement chaque jour de cette terreur qui est au fond de lui. Ce n'est qu'après cette longue traversée qu'il pourra ouvrir la porte de sa maison, dans la sécurité retrouvée, dans l'assurance qui est maintenant la sienne car la pierre qui faisait barrage a été enlevée.

Comment a-t-on réagi à l'émotion qui trouve son origine dans la blessure ?

On retrouve ici une question essentielle du parcours d'évangélisation des profondeurs. Il arrive que, pour contourner la souffrance de la blessure, on prenne une direction qui, au fil des années, se révèle plus destructrice que constructive : c'est ce que l'on appelle une fausse route [1]. Sans le savoir, sans le vouloir, on a pris une mauvaise orientation. L'émotion en elle-même n'est pas une fausse route ; elle accompagne toujours la blessure ; elle est inévitable. La fausse route va se découvrir dans la façon dont on a réagi à l'émotion, pour éviter la douleur de la blessure. Le fait d'enfouir ses émotions est en soi une fausse route ; elle va avoir des conséquences dommageables sur l'organisme entier, les comportements, la relation, car l'émotion non reconnue continue à vivre sous des formes ambiguës sur lesquelles on n'a pas prise, tant qu'on n'en a pas trouvé la racine.

Nous n'avons pas à nous culpabiliser d'avoir pris une fausse route, car cela a été, dans la plupart des cas, involontaire. Elle est apparue comme un chemin de vie, et il est probable qu'elle a commencé par nous aider à vivre ; c'est au fil des années qu'apparaît son caractère mortifère. Mais, nous avons à la découvrir, la nommer, car c'est cette mise au jour qui amorce le mouvement de remontée, la nouvelle issue de

1. Voir L'approfondissement de la fausse route, dans « La prise de conscience de la transgression à la loi de vie », Ire partie de cet ouvrage, p. 185-193.

vie qui va permettre de traverser l'émotion sans s'effondrer, de ne pas la laisser s'installer en soi comme un état habituel.

« Si quelqu'un ouvre la porte… » Comment ouvrir ?

Voici que je me tiens à la porte et je frappe. Si quelqu'un entend ma voix et ouvre la porte, j'entrerai chez lui pour souper, moi près de lui et lui près de moi (Ap 3, 20).

Quelle porte ouvrir ?

Il s'agit d'ouvrir à la présence du Christ les lieux qui en soi ont besoin du salut qu'apporte son amour et donc l'émotion qui vient d'être amenée au jour, quelle qu'en soit la nature. La racine, la souffrance de la blessure ont été découvertes, mises en mots. Il est alors essentiel de permettre au Christ de l'habiter pour la transformer, la mettre au service de la vie. Comment le laisser exercer sa fonction ? Et en même temps, comme toujours, comment adhérer à cette œuvre de libération ? Si l'émotion n'a pu être mise en mots, si la confusion demeure, c'est cette confusion même, cette zone d'ombre que l'on n'ose ni nommer, ni explorer, que l'on va ouvrir à la présence du Christ.

Le premier acte proposé est celui d'ouvrir la porte. C'est un mouvement que ceux et celles qui ont entrepris un trajet d'évangélisation des profondeurs connaissent bien ; il est expérimenté dès le début du parcours, mais ici il est plus précis, plus centré. Il s'agit d'ouvrir des portes tout à fait spécifiques, celles-là mêmes derrière lesquelles se cachent ces grands remous qui n'ont jamais été reconnus, ni mis en mots, qui envahissent l'être entier, y répandent leurs toxines, l'emprisonnent littéralement. La Bonne Nouvelle n'a jamais été accueillie dans ces lieux-là. C'est comme si l'enfant perdu, solitaire, s'était caché derrière ces portes fermées et était toujours là. Un autre enfant est né, Emmanuel, « Dieu avec nous » (Is 7, 14 ; 8, 10 ; Mt 1, 23), et la vie même de Dieu, la présence du Christ va venir visiter ces lieux souffrants si nous lui permettons d'y entrer.

Le Christ frappe à la porte comme un ami. Il vient rassurer, éclairer, libérer celui qui est emprisonné, oppressé, par l'intensité de ses émotions. Il va l'aider à réorienter vers la vie ce qui s'est fermé, verrouillé, en lui, mais seulement « si tu veux, si tu peux, si c'est le temps pour toi, si tu entends l'invitation, si elle ne te fait pas peur, si tu souhaites devenir un vivant en ton entièreté ». Je n'ai personne, dit l'infirme de Bethasda à Jésus. Courage lui répond Jésus en substance, tu n'es pas seul, ne te ferme pas, accueille le salut ; avec moi tu peux, si tu veux : *Lève-toi, prends ton grabat et marche* (Jn 5, 1-18).

Celui qui pose le choix de vivre ce mouvement d'ouverture, même s'il ne peut qu'entrebailler la porte, va expérimenter qu'il est aimé au cœur même de ses peurs, de ses difficultés apparemment insolubles ; l'aide lui est donnée au temps de la détresse ; il est soutenu, secouru, fortifié. Dieu veille. Nous l'appelons mais il est déjà là. Nous ne sommes pas laissés à nos seules forces pour traverser ces passages qui nous effraient. Nous n'allons pas continuer à ignorer ce qui se vit en nous, ni rester au fond du trou dans lequel nous sommes tombés. Nous ne sommes ni oubliés, ni rejetés, ni condamnés : sa grâce va œuvrer en nous pour nous délivrer, nous permettre de retrouver nos forces vives.

Il est venu chez lui et les siens ne l'ont pas reçu (Jn 1, 11).

C'est par ignorance ou par peur de Dieu que nous ne savons comment réceptionner la vie même de Dieu dans toutes les dimensions de notre être. Demandons la grâce de mettre au jour les fausses notions de Dieu que nous pouvons entretenir pour pouvoir en être définitivement libérés et ouvrir notre cœur à la révélation du Dieu de Jésus Christ. Soyons de ceux et celles qui le reçoivent et deviennent par là même enfants de Dieu, emplis de sa plénitude (Jn 1, 12).

Comment vivre ce mouvement d'ouvrir ?
Que veut dire ouvrir la porte ?

L'expérience montre que beaucoup se trouvent à ce moment totalement démunis devant cet acte pourtant si simple : ouvrir.

Nombreux sont ceux et celles qui mettent des mois et des mois avant de comprendre ce que signifie cet acte intérieur d'ouvrir la porte d'une émotion précise à la présence du Christ, que ce soit la révolte, la jalousie, la rivalité, la haine, la peur de la solitude, de l'abandon, la menace d'être dévoré, de ne plus exister... C'est pourquoi il paraît nécessaire de reprendre ce thème de façon spécifique.

Bien des croyants n'ont jamais vécu cet acte. Ils ont l'habitude d'offrir, de s'offrir, de déposer, de demander la guérison, d'attendre un fruit, ou encore d'ouvrir leur part de lumière, le cœur profond, mais non leurs parts d'ombre.

Bien souvent ils présentent à Dieu l'émotion qu'ils ont mise en mots, la violence, la peur... et demandent à en être libérés, sans aller plus loin, sans poser l'acte spécifique d'ouvrir la porte de leur difficulté à la vie du Christ. D'autres vivent un mouvement exactement inverse de celui que la Parole propose : ils déposent leur émotion devant Dieu, c'est-à-dire qu'ils mettent hors d'eux-mêmes ce qui est malade, ce qui a besoin d'être soigné, assaini, alors que le Christ cherche au contraire à entrer dans ces lieux qui aspirent au salut. Fréquemment ils « renoncent » aux émotions reconnues, à la violence, à la révolte par exemple, ce qui est un acte mal situé, totalement inefficace ; ils s'en débarrassent en quelque sorte, pensant que l'amour de Dieu les en délivrera comme par magie. Ils occultent ainsi le patient travail en profondeur, la lente traversée des émotions que le Christ va vivre en eux et avec eux, pour réorienter vers la vie ce qui s'est fixé dans une forme de mort.

Ouvrir la porte est un acte tout à fait particulier, simple mais précis, conscient. Il suppose un choix. C'est exactement le même acte que l'on pose lorsque le soleil brille : on ouvre les portes et fenêtres de sa maison pour permettre à la chaleur de pénétrer dans toutes les pièces, les moindres recoins, de les réchauffer, de les débarrasser de l'humidité, des moisissures. On ne supplie pas le soleil d'entrer en continuant à fermer sa maison. Il est là pour donner la vie, c'est sa fonction : mais on fait ce qu'il faut pour qu'il puisse pénétrer ce qui a été longtemps fermé à la vie.

Comme tous les passages de vie proposés par la Parole de Dieu, cet acte d'ouverture est simple, à la portée de chacun (Dt 30, 11-14). Il n'est pas réservé à une élite, il n'est pas nécessaire pour pouvoir l'expérimenter d'être capable de passer de longues heures en oraison. Il suffit de répondre à l'invite, de poser son choix comme on le peut, puis de « se lancer » : de commencer à entrebâiller la porte, de faire un pas, si minime soit-il, et surtout de ne pas se tromper de mouvement, de ne pas mettre l'émotion hors de soi. Il s'agira ensuite d'être vigilant et fidèle, de se replonger chaque jour dans cette merveilleuse forme de prière, confiants en celui qui vient nous chercher. Un trajet s'ouvre alors, on sort peu à peu de l'aveuglement, on a moins peur, un germe de vie apparaît.

Lorsqu'on permet au Christ de s'établir au cœur de son émotion, la vie même de Dieu entre en soi, elle va « transdynamiser » sa propre vie, apporter un souffle nouveau, faire bouger d'une façon ou d'une autre, aider à déplier. C'est une visitation qui apporte consolation, apaisement et lumière, qui remet la vie en route.

Ceux et celles qui déposent leurs émotions hors d'eux-mêmes, au cours d'une prière, ne répondent pas à cette demande particulière du Christ, à cette proposition de visitation de leur terre ; ils ne laissent pas entrer la vie de Dieu qui leur apporte le salut, le retour à la vie, au cœur même de leurs perturbations.

Il importe de ne pas osciller, ni hésiter, ni même de demander quoi que ce soit, mais de demeurer dans ce mouvement jusqu'à ce que l'on soit absolument sûr qu'il est là, au cœur de l'émotion, « sur le terrain ».

Ce mouvement permet de sortir du morcellement intérieur ainsi que du mental qui protège des émotions, et du raisonnement qui établit dans l'attente. On reçoit alors une présence vivante au cœur même de ce que l'on n'ose nommer. On se détend dans l'assurance, la certitude absolue, que l'on ne sera jamais plus seul devant les difficultés de la vie, que le temps où on les vivait comme un orphelin (Jn 14, 18) malheureux et révolté, le temps où l'on était enfermé en soi, sans trouver l'issue, sans comprendre ce qui se passait, ce temps-là est définitivement terminé. *Le Verbe s'est fait chair* (Jn 1, 14), c'est la Bonne Nouvelle de Noël. Le Verbe est entré dans la chair. Le Verbe, la Parole, le pain de vie, la vie de Dieu va pénétrer dans les profondeurs de l'organisme en son entier.

Cette descente se vivra au rythme et au temps de chacun. Certains auront besoin d'un long temps pour traverser leurs émotions, pour d'autres ce sera plus rapide.

Il ne faut cependant pas s'imaginer que, parce que le Christ visite les grandes émotions, elles vont disparaître comme par enchantement et que l'on va être rapidement débarrassés de la violence, de la peur... C'est un trajet à accomplir, une véritable traversée. C'est le temps de prendre son grabat et non de le jeter (Jn 5, 8).

Nous savons que, si notre désir est clair, aucune porte ne peut résister à l'amour du Christ (Is 45, 2 : *Je briserai les vantaux de bronze, je ferai céder les verrous de fer*). Il peut même entrer par les portes fermées (Jn 20, 19-20 : *Le soir, ce même jour, le premier de la semaine, et les portes étant closes, là où se trouvaient les disciples, par peur des Juifs, Jésus vint et se tint au milieu d'eux...* ; mais seulement si nous le souhaitons. Nous ne sommes soumis dans ce domaine à aucune contrainte, ni force.

Vouloir faire l'économie de cette visitation du Christ au cœur de ses émotions, sous prétexte que c'est une perte de temps, est une erreur qui risque de peser lourdement sur la suite du trajet car il se vit là un mouvement incarnationnel qui permet au Christ d'exercer sa fonction première : apporter le salut, la lumière, la vie dans les zones d'ombre de tout homme, toute femme, pour en faire des créatures nouvelles. L'être humain a toujours sa part de liberté sur cette route. L'expérience montre que cette étape est fondamentale et rend possible la traversée des passages nécessaires.

Ce mouvement d'ouverture ne supprime évidemment pas le chemin de vérité sur soi-même, toujours indispensable. Il le précède, l'accompagne, le mène jusqu'à la forme de résurrection qui attend celui qui se met en marche ; il en est le soubassement indispensable.

Beaucoup disent : le passé est le passé, n'en parlons plus, il faut vivre. Si c'est dit trop tôt, trop vite, on risque d'arrêter le mouvement qui mène à la vie. On se demande souvent pourquoi on piétine ; il est toujours utile d'aller regarder si cette étape de désenfouissement des émotions a bien été vécue, si l'on n'est pas allé trop vite, si l'on a réellement ouvert la porte.

Les émotions négatives reconnues et cependant persistantes.

Lorsque les émotions négatives sont clairement reconnues mais demeurent virulentes, il est utile d'aller regarder si l'on n'a pas manqué une étape. L'émotion est bien nommée mais en a-t-on mis clairement au jour la racine, l'événement, la situation qui l'a déclenchée ?

Bien souvent l'émotion ne peut s'apaiser parce que l'on n'a pas profondément et activement accepté son histoire. C'est le travail de deuil qui permet de consentir à la réalité de son passé. Et ce trajet peut être bloqué et avorter si l'on a en soi un but précis que l'on poursuit : désir de vengeance d'obtenir réparation du mal subi, de faire entendre sa plainte à ceux et celles dont le comportement a été traumatisant, poursuite de l'illusion que les parents vont changer... Il est nécessaire de renoncer à cette revendication si l'on ne veut pas stagner.

Il est bon également de regarder comment a été vécue cette première étape d'ouverture de sa terre au Christ. Elle est souvent occultée au motif que l'histoire entière a été mise en mots, que l'on aurait tout vu. Mais dans les chemins d'évangélisation des profondeurs, le trajet d'exploration de ses émotions n'est pas un simple travail psychologique. L'expression, la parole, l'émergence du souvenir, souvent la décharge émotionnelle, gardent leur rôle essentiel, mais cette traversée se fait avec une autre référence : celle de la présence vivante du Christ, de cette présence intérieure qui atteint le cœur même de la difficulté. C'est peut-être parce que cette dimension a été ignorée que la charge de venin persiste.

Il y a un monde de différences entre vivre de violentes émotions mises en mots, reconnues, tenaces, persistantes, dans la solitude intérieure, dans une forme de désespérance, de résignation amère ou de simple constat, et les laisser habiter par le Christ. Peut-être a-t-on si souvent essayé de s'en sortir sans résultat que l'on n'y croit plus. Peut-être aussi a-t-on multiplié les prières de demande de guérison et n'a-t-on pas été exaucés ? Il est possible que l'on ait tout simplement oublié d'ouvrir la porte.

DEUX ÉTAPES SOUVENT NÉGLIGÉES :
LA CONSOLATION [1]
LE DON DE FORCE

La consolation.

Beaucoup ne peuvent retrouver la vie parce qu'ils n'ont pas été consolés et, bien souvent, ils ne pensent même

---

1. L'importance de l'étape de consolation dans le trajet d'évangélisation des profondeurs a été mise en lumière grâce à une accompagnatrice de Bethasda, Margalida Reus, lors de la session de formation des accompagnateurs et accompagnatrices de Bethasda de janvier 2000.

pas qu'ils auraient besoin de consolation. Cependant, peut-être ne peut-on « laisser aller » ce dont on n'a pas été consolé.

L'être humain a besoin d'être réconforté dans la tristesse, la maladie, la trahison, l'abandon, la non-reconnaissance... Cependant, beaucoup ont une forte résistance à vivre le temps pacifiant de la consolation alors qu'il serait essentiel au cœur de la lourdeur de leur histoire. C'est comme une idée neuve qui ne leur est jamais venue à l'esprit. On méconnaît fréquemment ce besoin, cet appel de tout humain à la compassion de l'autre, cette fraternité essentielle, cette nécessité d'être entendu, de partager sa douleur avec quelqu'un qui écoute et prend en compte.

Consoler veut dire être avec celui qui est seul, et aussi réconforter, fortifier.

L'enfant vit fréquemment les différentes blessures de son existence dans une grande solitude intérieure, dans l'impuissance. La consolation essentielle est de retrouver en soi cet enfant perdu et de l'assurer, lui faire vivre qu'il n'est plus seul pour affronter les difficultés de la vie.

La consolation vient d'abord de la présence écoutante, compatissante, totalement disponible de ceux qui savent entourer celui ou celle qui est dans la peine : Tu n'es pas seul, pas isolé, je suis là ; un être humain comprend, partage, fait ce qu'il peut près de toi. « La compassion est de la trempe de l'amour : elle n'existe pas à l'état sauvage, c'est comme une délicatesse au désert qui oriente vers l'oasis[1]. »

Il est essentiel de veiller à ne pas s'engouffrer dans une consolation illusoire qui ferait croire que l'on peut retrouver, remplacer l'amour qui a manqué. La consolation ne remplace pas ; elle adoucit, pacifie et permet de se remettre en route en assumant le manque.

La consolation est un passage bienfaisant dans tous les cas

---

1. Marie-Jo THIEL, « Souffrance et compassion », *Revue d'éthique et de théologie morale*, n° 196, Paris, Éd. du Cerf, 1996, p. 157-183.

où une émotion intense a été vécue ou enfouie dans la solitude, que ce soit la souffrance, la violence, la peur, la honte...

Mais la véritable consolation vient du Christ.

Je prierai le Père et il vous donnera un autre paraclet[1] *pour qu'il soit avec vous à jamais, l'Esprit de vérité...* (Jn 14, 16), ce qui signifie que le Christ est le premier consolateur.

Je ne vous laisserai pas orphelins. Je viendrai vers vous (Jn 14, 18). Dieu est là et accompagne dans l'épreuve celui qui est en souffrance. Ce que la personne vit n'est pas indifférent, elle compte aux yeux du Père qui la connaît par son nom et entend sa plainte : *J'ai vu, j'ai vu la misère de mon peuple qui est en Égypte, j'ai entendu son cri devant ses oppresseurs ; oui, je connais ses angoisses. Je suis descendu pour le délivrer de la main des Égyptiens...* (Ex 3, 7-8).

Heureux ceux qui pleurent, dit Jésus, *ils seront consolés.* Heureux ceux qui accomplissent le véritable trajet du deuil, qui vont au bout de leur deuil, car ils seront consolés. « Jésus ne dit pas que l'affliction est un bonheur, il n'est pas en train d'appeler bien ce qui est mal. Ceux et celles qui sont dans la peine sont effectivement malheureux, mais il ouvre pour eux, les exclus du bonheur, un chemin vers le bonheur. Ils seront consolés. C'est la consolation qui est le contenu de la béatitude, ce n'est pas leur affliction... Il vient apporter la lumière de l'issue au creux du tunnel[2]... »

Consolez, consolez mon peuple, dit votre Dieu (Is 40, 1).

On ne peut mettre la main sur la consolation qui nous vient du Christ, de la miséricorde du Père, on ne peut évidemment décider du moment où l'on va être consolé. Car c'est un don, une visite miséricordieuse et tendre du Christ chez ceux qui peinent. En revanche, on peut se disposer à recevoir

---

1. « Paraclet » est un terme grec qui signifie « intercesseur », « défenseur ». Il est possible de le traduire par « consolateur ».
2. Extrait d'une homélie du 3 février 2002 d'Aline Lasserre, pasteur à Yverdon (Suisse) et accompagnatrice à Bethasda.

la consolation, ouvrir la porte à ce besoin que l'on découvre, être prêt à demander et accueillir cette grâce.

Le Christ a eu besoin de consolation dans la nuit à Gethsémani. Il a demandé de l'aide aux siens qui l'ont abandonné. Le Père aussi semble l'avoir abandonné ; il a vécu cette désolation sans rupture, adressant sa plainte à celui qu'il appelle toujours son Père ; c'est alors qu'un ange vint le fortifier : *Alors lui apparut, venant du ciel, un ange qui le réconfortait* (Lc 22, 43).

Quelques-uns sont restés là tout près : sa mère, la sœur de sa mère, et Marie de Magdala. Jean, aussi. Ils sont impuissants devant ce drame mais ils sont là, intensément présents dans leur douleur. *Voyant sa mère et près d'elle le disciple qu'il aimait, Jésus dit à sa mère : « Femme, voici ton fils. Puis il dit au disciple : Voici ta mère. » À partir de cette heure, le disciple la prit chez lui* (Jn 19, 25-27). Moment de tendresse, de confiance au cœur des ténèbres.

Une consolation inattendue lui vient aussi du larron crucifié à ses côtés. *Lui*, dit-il à un autre compagnon de misère, *n'a rien fait de mal. Jésus souviens-toi de moi lorsque tu viendras dans ton Royaume. « En vérité, je te le dis, dès aujourd'hui tu seras avec moi dans le paradis »* (Lc 23, 39-43). Reconnaissance d'un « paumé » qui met un peu de baume au cœur de Jésus.

Le Christ console l'être humain en lui redonnant la signification de ce qu'il vit. Il redonne sens à tout ce qui est humain. Il fortifie et réconforte en réorientant vers la compréhension des chemins du Royaume, c'est-à-dire la façon dont un enfant de Dieu peut vivre son humanité. L'Esprit apprend aux hommes, aux femmes affrontés au mal, à la souffrance, à la violence, à la peur, à entrer vitalement dans l'intelligence de ce passage, de cette expérience de la Pâque qui va de la mort à la vie.

Le sens ne va pas se trouver dans le pourquoi, mais dans le

comment. Il n'y a pas de réponse claire au pourquoi, nous avons simplement la certitude que ni le mal ni la souffrance ne viennent de Dieu, qu'ils ont toujours été un adversaire pour Jésus, qu'il en a été lui-même victime. On peut s'épuiser à chercher le sens dans le pourquoi. En revanche le comment, comment vivre souffrance et mal, nous ramène à ce grand passage, cette Pâque, où l'on meurt à quelque chose mais c'est pour naître à autre chose. On n'est pas définitivement englouti dans la mort, dans l'événement. Dans la grâce de la Pâque, en ne gommant rien de ce que l'on a à vivre dans son humanité, on va découvrir comment retrouver la direction de vie, la remettre en route.

Le sens qui émerge doucement ne se découvre pas d'emblée, il est comme une huile bienfaisante qui apaise, fortifie et finalement cicatrise la blessure.

Lorsque l'on demeure englouti dans des émotions clairement mises en mots, dans sa souffrance, sa révolte, sa honte, que l'on n'arrive pas à les apaiser, on peut se poser la question de savoir si l'on n'a pas un intense besoin de consolation qui n'est jamais venu à la conscience ; peut-être est-ce là le chaînon qui manque et permettrait le retour à la vie ?

« *La consolation est une force* et cette force vient de la certitude que l'on n'est pas seuls, qu'on ne le sera jamais plus... Je peux vivre avec ce qui m'est arrivé, l'amour me donne la force de vivre. Il vient de Dieu et va passer à travers des hommes, des femmes, qui vont le transmettre. Ceux et celles qui se laissent consoler ne sont plus coupés de l'enfant blessé en eux et vont pouvoir se réunifier [1]. »

Le refus de la consolation.

Il est venu chez lui, et les siens ne l'ont pas accueilli (Jn 1, 11).

Il arrive que, sans en avoir conscience, on refuse d'être

---

1. Margalida Reus, accompagnatrice à Bethasda.

consolé. Ceux et celles qui ont vécu un manque d'amour cherchent fréquemment, et la plupart du temps à leur insu, à retrouver l'amour du père ou de la mère qui leur a manqué : l'ensemble de leurs relations est alors marqué par cette ambiguïté. Ils sont inconsolables. Mais en fait, ils ferment la porte à la consolation : ils ne cherchent pas à être consolés mais à remplacer ce qui leur a manqué ; toute leur énergie est inconsciemment tendue vers ce but qui est une illusion, car on ne peut changer le passé.

D'autres attendent en vain en s'enfermant dans le malheur du passé, en se répandant en reproches, en refusant de guérir, ou en criant leur révolte… que leur plainte soit entendue, reconnue par ceux qui leur ont fait du mal : cela seul pourrait les consoler ; ils tournent en rond et se détruisent. Il est essentiel que leur plainte soit accueillie par quelqu'un qui a une véritable écoute ou par le Christ, mais il importe qu'ils comprennent qu'ils paralysent leur présent en entretenant une illusion, un rêve, en refusant la réalité.

Des sentiments de vengeance, de rancune tenace, peuvent barrer la route à la consolation.

Dans tous ces cas, il y a non-acceptation de son histoire, avec d'autant plus de difficultés à en sortir que la revendication semble légitime.

D'autres encore s'interdisent de recevoir ce qui leur ferait du bien, recherchent inconsciemment la souffrance, se punissent ou deviennent dépendants de leurs symptômes, ils s'en nourrissent en quelque sorte.

Il arrive aussi que l'on s'établisse dans ce que l'on nomme les bénéfices secondaires. On s'installe alors dans ce que l'on pourrait nommer « le victimisme » ; il est bon de s'interroger : qu'est-ce que je perdrais si j'arrêtais de me plaindre ? Je ne serais plus le centre du monde, je serais obligé de m'engager, de prendre des responsabilités, de bouger… Aurais-je pris l'habitude d'être malheureux ?

Le don de force.

Beaucoup ont besoin avant tout du don de force : apprendre à affronter la réalité d'une relation, appeler les choses par leur nom, refuser de se laisser manipuler sans pour autant casser la relation, sortir du non-dit, de la résignation mortifère, est un trajet d'amour et de vérité. Qui se laisse manipuler, baisse les bras devant un pouvoir abusif, une emprise, quelle qu'en soit la forme, nourrit le mal de l'autre, l'entretient en quelque sorte.

Autant il est indispensable de descendre au fond de l'émotion qui naît de l'événement, autant il importe d'avoir un discernement sûr de façon à pouvoir faire le tri, éclairer sa propre part de responsabilité dans la relation, mais aussi à ne pas se culpabiliser à tort, ne pas s'effondrer devant un mal, reprendre courage, demeurer dans la certitude que l'élan de vie est toujours là, prêt à se remettre en route.

La douceur est le fruit de la force de l'Esprit. N'oublions pas de demander le don de force qui se trouve au point de jonction de ces deux directions de vie, l'amour et la vérité.

L'histoire de Josué est exemplaire : c'est lui qui va remplacer Moïse au moment de sa mort. Il va donc affronter l'entrée en Terre promise avec la célèbre prise de Jéricho, forteresse réputée imprenable. Cette forteresse imprenable, elle est bien souvent en nous et le Seigneur nous assure qu'il est temps d'agir et de reprendre possession de la terre qu'il nous donne, notre propre terre intérieure.

Je serai avec toi comme j'ai été avec Moïse ; je ne t'abandonnerai point ni ne te délaisserai... Sois donc sans crainte ni frayeur car l'Éternel ton Dieu est avec toi partout où tu iras (Jos 1, 5-9).

LE PASSAGE DE LA LIBÉRATION DE LA PLAINTE
À LA FIN DE LA PLAINTE

Le travail de deuil.
L'acceptation profonde et active de son histoire.

La reconnaissance de l'émotion, la mise au jour de sa racine vont permettre d'entreprendre le travail de deuil qui est long et comprend plusieurs étapes. Le deuil est un trajet qui mène à la vie. Il permet à l'être humain d'accepter activement la réalité d'une perte ou d'un manque de quelque ordre qu'il soit. Le premier fruit est l'apaisement de l'émotion, l'acceptation profonde de son histoire, de soi-même, de l'autre, de l'événement [1]. Pour certains, certaines, ce consentement est un déchirement qui ne peut se vivre qu'après un douloureux parcours.

Accepter activement son histoire
pour en faire quelque chose, construire de la vie.

Faut-il rappeler que l'acceptation active de son histoire n'a rien de commun avec la résignation, véritable chemin de mort ? Elle est en fait un consentement profond, total à ce qui a été : c'est vrai qu'il m'est arrivé telle ou telle chose dans mon histoire ; j'ai réellement eu ce père-là, cette mère-là avec leur poids d'ombre et de lumière ; je peux en être écrasé, je peux aussi arrêter de me battre contre un mur, de vivre dans l'illusion ; je reprends ma propre trajectoire : comment construire de la vie à partir de la réalité de mon passé, des séquelles, des fragilités qu'il m'a laissées ? C'est au cœur de ce terreau-là, de cette vérité-là que, dans la grâce de Dieu, je choisis la vie.

---

1. Simone PACOT, *L'Évangélisation des profondeurs*, t. II, *Reviens à la vie !*, p. 95-103.

C'est le temps où il devient possible d'abandonner la vengeance, les ruminations, les rancœurs, les regrets, également la colère et la tristesse souvent déposées en soi en couches successives, profondément enfouies ; on se détache des espérances illusoires, on cesse de rêver à ce qui aurait pu être, on renonce à vouloir changer le passé.

Consentir à la réalité de son histoire va de pair avec l'acceptation de la vie en son entièreté, dans la lumière aussi bien que dans les ombres.

La plainte ne peut véritablement prendre fin que si l'on a la certitude d'une issue possible, que l'on commence à sortir de l'impuissance, à se mettre debout. Tant que l'on demeure, par exemple, encerclé dans la fusion, en pensant qu'on n'arrivera jamais à en sortir, courbé devant l'emprise, aliéné dans une dépendance affective excessive, dans la dépréciation de soi-même, dans la comparaison permanente avec l'autre, on ne peut accepter son histoire.

Mais lorsque l'Esprit nous fait découvrir un chemin de vie, tout change. On sait alors avec certitude que l'on ne va pas mourir de la négativité, du manque, de la perte ; l'élan de vie est remis en route : redécouvrir les lois de vie, mettre en mots les chemins de mort que l'on a pu prendre, recevoir du Christ la potentialité d'y renoncer, s'enraciner dans l'assurance que Dieu appelle à la vie, adhérer de tout son être à la promesse du Christ qui annonce et vient délivrer les captifs, libérer les opprimés, conduit à l'acceptation active de la réalité de son histoire, à la fin de la plainte.

Quel que soit le poids du passé, la vie va pouvoir se frayer un chemin. Ce ne sera peut-être pas l'issue dont on rêvait, mais il est sûr que ce sera un chemin de vie.

L'acceptation de soi-même.

L'acceptation de soi-même est à l'évidence essentielle dans ce passage de la fin de la plainte. Se donner le droit d'avoir eu et d'avoir encore des peurs, de la tristesse, de la colère, de la jalousie… en sachant qu'il est possible d'orienter peu à peu ces émotions vers la vie, va permettre de développer ses émotions authentiques et positives. L'acceptation de soi ne saurait aller sans l'accueil total et définitif du pardon de Dieu pour soi, son passé, ce que l'on n'a pas pu ou su vivre de façon juste.

L'acceptation de l'autre.

L'accueil de l'autre tel qu'il est conduit au lâcher-prise, à la potentialité de le laisser aller librement son chemin, dans la bénédiction de Dieu, sans tomber dans l'indifférence ; cet accueil ne supprime pas la vérité de la relation, la nécessité d'une bonne distance, condition d'un amour vrai, l'impérieuse nécessité de ne pas se laisser détruire. Il permet de ne pas s'immobiliser dans une attente illusoire et épuisante, prépare l'acte de pardon dont il est l'une des étapes.

L'acceptation de l'événement.

Elle nous mène à la responsabilité, à la nécessité de nous situer face à des circonstances difficiles, d'apprendre à les vivre, quelles qu'elles soient, comme des enfants de lumière, des serviteurs de la vie, mais dans le respect de ce trajet de traversée des émotions.

Trajet.

Patrice perd sa maman à trois ans. Jean, son père, fait alors venir sa mère chez lui pour s'occuper de ses deux enfants. Peu après, la petite sœur de Patrice tombe gravement malade et est hospitalisée. Jean se rend chaque jour à l'hôpital après son travail pour entourer l'enfant. À l'adolescence, Patrice se plaint amèrement et avec violence à son père de l'avoir abandonné : « Tu ne t'es occupé que de ma sœur et moi tu m'as abandonné. » Il revoit toute son histoire dans cette interprétation. Jean se justifie : il a fait ce qu'il a pu : la mort de la maman, la maladie de l'enfant, Patrice n'est jamais resté seul, la grand-mère était toujours là. Mais les reproches s'amplifient et l'atmosphère devient pesante.

Jean n'entend pas la plainte de Patrice. Elle est dirigée à tort contre lui. Il se vit accusé, ce qui l'empêche d'entendre ce que son garçon exprime. Un petit enfant qui perd l'un de ses parents se vit quasi obligatoirement abandonné par lui, et comme, immédiatement après cet événement, l'autre enfant a eu besoin de soins constants, il est impossible que Patrice ne se soit pas senti abandonné. Aucune justification n'arrêtera sa plainte car il est nécessaire que soit entendu ce que lui a réellement vécu. Jean finit par comprendre ce processus ; il rétablit très rapidement la situation : « J'entends ce que tu dis, je comprends ta plainte, je sais que tu as vécu un véritable abandon. » Le simple fait de dire que la plainte est entendue et comprise a rétabli la situation.

Patrice n'a plus eu besoin de l'exprimer et de se répandre en reproches amers contre son père.

Le temps de la fin de la plainte suppose un discernement très sûr. La tentation est grande d'arrêter la plainte trop tôt pour avancer plus vite. L'expérience montre que, si cette étape de libération de la plainte est manquée ou raccourcie, on risque ensuite de piétiner. D'un autre côté, à un moment donné, il faut bien arrêter de se plaindre et réorienter les forces vives pour construire de la vie.

C'est finalement à soi-même qu'il appartient de discerner où l'on en est, d'apprendre à écouter ce qui se passe en soi, d'essayer d'être vrai, de sentir quand le moment est venu d'arrêter la plainte ou d'aller plus loin dans l'expression.

Adhérer, consentir à la réalité est une façon d'arriver au port après avoir beaucoup ramé, essuyé de nombreuses tempêtes. C'est un moment charnière : on est arrivé au fond de la descente et on se pose là, longuement, dans ce temps de pacification, de repos du cœur. On peut alors à ce moment déposer la lourdeur du passé dans le cœur du Christ : *Venez à moi vous tous qui peinez et ployez sous le fardeau et moi je vous soulagerai. Chargez-vous de mon joug et mettez-vous à mon école, car je suis doux et humble de cœur, et vous trouverez soulagement pour vos âmes. Oui mon joug est aisé et mon fardeau léger* (Mt 11, 25-30).

L'accueil de la vie du Ressuscité.

Le travail de deuil n'est pas complet s'il s'arrête à l'acceptation de son histoire, à la fin de la plainte. Il doit se poursuivre par l'accueil de la vie du Ressuscité, de la forme de résurrection qui est proposée à chacun.

Il nous appartient de permettre au Dieu vivant de faire en nous et avec nous le travail de la Pâque, ce passage du chemin de mort au retour à la vie. Il devient alors possible de choisir de repartir de ce qui est, de faire produire de la vie à ce qui est arrivé [1].

C'est ainsi que nous sommes sans cesse appelés au trajet de la Pâque. Dans la grâce de Dieu nous pourrons le vivre.

QUE DEVIENNENT LES ÉMOTIONS
AU COURS DE CE PARCOURS ?

**La transformation des émotions.
La réorientation des forces vives.**

À la fin du trajet, les émotions vont être transformées. La Pâque est transformation : ce qui était mort revient à la vie.

1. Voir « Dimanche de Pâques, La résurrection du Christ », IIIe partie de cet ouvrage, p. 345-371.

Les forces vives étaient en grand désordre, emprisonnées en quelque sorte dans les émotions, sans direction. Après ce parcours, elles sont libérées, un espace s'est ouvert, elles vont pouvoir être réorientées pour créer de la vie. La confusion, la lourdeur, la tristesse dans laquelle on vit lorsqu'on a enfoui ses émotions vont s'estomper et l'énergie revient. Les émotions qui étaient reconnues et demeuraient virulentes sont apaisées. On n'éprouve plus le besoin de se battre « contre », on ne tourne plus en rond dans la révolte, la rancœur destructrice.

L'énergie va pouvoir être utilisée pour construire sa liberté, son identité, découvrir sa véritable tâche. On va pouvoir, dans la grâce, dans la force du Christ, goûter enfin la joie de se savoir aimé tel que l'on est, d'aimer à son tour, de devenir artisan de vie.

Mon cœur et ma chair crient de joie vers le Dieu vivant (Ps 83, 3).

L'Éternel m'a oint pour consoler les affligés et leur donner l'huile de joie à la place d'un vêtement de deuil, la louange au lieu du désespoir (Is 61, 1-3).

On pourrait dire qu'au début du trajet on ouvre la porte au Christ compatissant ; arrivés à ce point du trajet, on l'ouvre à la visitation du Ressuscité qui remet tout en vie. On peut alors laisser aller le poison qui s'était infiltré dans les émotions enfouies ou tenaces.

TRAJETS DE TRANSFORMATION
PEUR – SOUFFRANCE – VIOLENCE – HONTE

LA PEUR

La peur informe l'organisme d'un danger. Elle est liée à une menace, une situation, un conflit. Elle peut être de durée et d'intensité différentes. Elle a une fonction positive mais également négative.

Dans son aspect positif, elle avertit l'être humain de la présence d'un danger réel. Elle agit comme un signal d'alarme, elle éveille l'attention, active la volonté pour éloigner la menace, elle nous permet de prendre les mesures propres à nous protéger. Elle est alors précieuse et indispensable à la vie.

Elle est négative lorsqu'elle surgit à la suite d'une réactivation d'une peur du passé qui n'a été ni éclairée, ni assainie. Elle va entraîner les mêmes réactions que celles déjà vécues, même si le danger n'est pas réel ; dans ce cas elle réduit considérablement les forces de vie.

Beaucoup ne savent que faire de leur peur, ils ne l'affrontent pas véritablement, ne la questionnent pas, ils la vivent comme ils le peuvent, souvent en l'enfouissant. D'autres, au contraire, dénient le danger, ne reconnaissent pas leurs fragilités et foncent, tête baissée, dans des situations qui les dépassent et risquent d'entraîner une forme de destruction.

La parole de Dieu.

La Bible, le message de Jésus abondent en paroles d'encouragement qui invitent les enfants de Dieu à s'apaiser, à traverser leur peur en faisant confiance à la Présence de Dieu qui ne manque jamais, à cesser de trembler : *Rassurez-vous*, dit Jésus qui marche sur la mer déchaînée, *c'est moi, n'ayez pas peur* (Mt 14, 27). Il a lui-même connu la peur, la veille de sa mort, dans un état de grande détresse. C'est en traversant cette épreuve jusqu'au bout, dans la présence silencieuse du Père, qu'il libère les êtres humains, de leur peur, de leurs terreurs.

L'Esprit du Seigneur est sur moi
parce qu'il m'a consacré par l'onction...
Il m'a envoyé rendre la liberté aux opprimés dit Jésus.
[Lc 4, 18.]

Ce ne sont pas là des paroles quelconques que l'on pourrait lire ou écouter superficiellement, sans prendre le temps de s'y arrêter, d'en intégrer le sens vital. À l'évidence, la peur est une forme d'oppression. Savoir que le Christ vient à notre rencontre, au creux de notre peur, pour nous en libérer, nous aider à la traverser, à retrouver le courant de la vie, est un profond réconfort.

Dieu est fidèle en sa promesse. C'est la raison pour laquelle nous ne saurions rester totalement démunis, en désarroi devant ce problème de nos peurs. L'Esprit Saint va nous ouvrir un trajet, une issue de vie ; éclairés par sa lumière, fortifiés par la présence du Christ, nous allons cheminer à la rencontre de notre peur, l'apprivoiser, au lieu de nous laisser inonder par la panique.

Il importe de savoir que chez beaucoup, la peur est très ancienne. Elle s'est plantée très tôt en eux et se trouve réactivée par un événement du présent. Mettre en mots l'objet de sa peur d'aujourd'hui, tenter, dans toute la mesure du possible, d'éclairer ce terrain-là, mettre au jour la cause, la racine de sa peur, prendre conscience de la façon dont une peur du présent trouve en réalité son origine dans une peur du passé non reconnue ni nommée est certainement un grand pas sur le chemin de la libération.

Ce sont là les questions habituelles qui jalonnent un trajet d'évangélisation des profondeurs et cette exploration qui va se faire dans la lumière de l'Esprit du Dieu vivant est souvent beaucoup moins difficile qu'on ne le croit.

Dans les périodes de peur on appréhende le pire, on occulte souvent le raisonnement, le simple bon sens. L'écoute active et réconfortante d'un ou d'une autre, d'un accompagnateur, d'une accompagnatrice, dans certains cas d'un professionnel compétent (psychothérapeute ou parfois notaire, conseiller financier...) peut permettre de remettre les choses à leur place.

S'assurer dans ses profondeurs.
Les premières démarches intérieures.

Notre âme comme un oiseau s'est échappée du filet de l'oiseleur,
Voici le filet s'est rompu et nous avons échappé.
Notre secours est dans le nom du Seigneur qui a fait ciel et terre.

[Ps 123, 7-8.]

Celui ou celle qui est encerclé par la peur perd pied ; c'est alors qu'il peut oublier de poser les actes intérieurs qui vont cependant l'assurer dans ses profondeurs :

– reprendre contact avec le cœur profond, se rappeler que les forces vives sont toujours là, prêtes à se mettre à l'œuvre, transdynamisées par la force du Christ ;

– préserver en soi cet îlot intact, profondément sécurisant ;

– s'ancrer dans la certitude d'une issue de vie ; choisir de continuer à vivre, quoi qu'il arrive ;

– ouvrir sa terre à la présence réconfortante de l'amour du Christ qui vient le libérer de l'oppression, l'assurer qu'il n'est pas seul dans l'épreuve, l'aider de toute sa grâce à sortir de la confusion ;

– collaborer avec l'Esprit, lui demander dans une totale confiance d'être éclairé sur la façon de traverser la peur, d'être guidé dans les différentes étapes à vivre.

Regarder autrement sa peur.

Tout absolument tout ce que nous vivons peut être soit occasion d'éveil, de grandissement de notre liberté intérieure, d'entrée dans une foi vitale, soit réduction de vie.

Nous avons à nous ancrer dans la certitude que nous sommes aimés alors même que nous vivons dans la peur : nous ne sommes ni condamnés, ni méprisés, ni rejetés. Nous allons être aidés. La grâce du Christ va peu à peu nous amener à ne plus avoir peur de nos peurs et à en accepter la réalité.

Regarder en face ce qui nous paralyse, nous empêche de déployer la vie, nous renferme sur nous-mêmes, ce qui nous fait du mal, est un acte essentiel : Dieu l'a demandé aux Hébreux dans le désert alors qu'ils étaient terrorisés par la présence de serpents dont la morsure était mortelle [1]. Celui ou celle qui était mordu devait, en Dieu et avec Dieu, regarder en face un serpent d'airain (symbole du mal) élevé par Moïse : *Quiconque aura été mordu et le regardera restera en vie* (Nb 21, 4-9). Dans la force que le Christ lui communique, l'être humain doit ainsi regarder en face ce qui lui fait peur.

---

1. Voir le commentaire du serpent d'airain au chapitre « Guérison et salut », IIe partie de cet ouvrage, p. 298-300.

Mettre en mots l'objet de sa peur.

L'Esprit est là et va nous éclairer de sa lumière. Cette première exploration va permettre de mettre au jour le contenu, l'objet de sa peur : de quoi a-t-on peur aujourd'hui ? Le fait de se poser la question est un éveil ; il va permettre de prendre une certaine distance avec sa peur, de commencer à l'assumer. Mettre des mots sur la réalité de ce que l'on vit va aider à sortir du mélange, de la confusion, du flottement, de l'envahissement, de l'impuissance. L'énergie est mobilisée pour y voir clair.

Si le danger est réel, il va falloir prendre les mesures nécessaires pour se protéger.

Si la peur du présent est une réaction d'une peur du passé, le trajet va être autre : il devient alors essentiel de mettre au jour quand et pourquoi, à suite de quels événements, la peur s'est plantée en soi. Beaucoup prennent alors conscience de l'existence en eux de peurs bien réelles et jamais nommées.

Il ne sera question ici que de la peur qui s'est « installée » chez une personne, qui en est une constante en quelque sorte, et qui resurgit chaque fois qu'un événement du présent vient réactiver une blessure du passé.

Notons que la peur entraîne des réactions physiques. Elle touche le corps en même temps qu'elle atteint la psyché. Elle peut rester fixée dans les mémoires du corps et devient alors un véritable poison. Bien souvent, ce sont les réactions physiques qui signalent à une personne les peurs qui l'habitent.

La peur peut se manifester par une forte agressivité, de la colère, mais aussi par des comportements apparemment paisibles et cependant porteurs d'une grande violence : un individualisme farouche, la volonté délibérée de ne dépendre de personne, de se passer des autres. Elle peut se nicher derrière une suractivité permanente, une générosité débordante…

D'une façon très simple, il est possible de commencer par explorer ses peurs à partir des grands repères fondamentaux que sont les Lois de vie. Elles offrent un cadre clair, rassurant, vital, elles touchent tous les grands secteurs de la vie.

Quelles sont ses peurs face à la vie, au choix de la vie ?

Choisir la vie implique le goût, l'amour de la vie, l'acceptation de risques, la prise de décisions, d'engagements. On trouve dans ce domaine la peur du nouveau, de l'inconnu, de l'avenir, la peur d'être heureux, de réussir.

La vie peut apparaître menaçante ou sans intérêt (pourquoi la vie puisque personne ne m'a vraiment désiré(e) ?) La peur de s'impliquer dans la tendresse, l'amitié, l'amour, de s'engager de façon durable, la peur du choix (mieux vaut réduire sa vie que connaître à nouveau les douleurs du passé, l'expérience si douloureuse de l'abandon quelle qu'en soit la forme, de la non-reconnaissance, de la rupture – derrière la peur de vivre se profile la peur de souffrir) ; la peur de la mort (qui n'a pas véritablement vécu, rempli sa tâche, a souvent peur de la mort).

*La peur de la condition humaine, des limites
de toute créature.*

L'existence de l'être humain est jalonnée de manques, de pertes ; il ne peut éviter la confrontation permanente avec ses limites. C'est ainsi que se découvrent ici quatre grandes peurs de l'être humain : la peur de manquer, la peur de perdre, la peur de n'être pas à la hauteur, la peur de ses émotions.

 • *La peur de manquer* et de façon précise de manquer de quoi ? dans quels domaines ?
 – le plan affectif : peur de n'être pas aimé, reconnu, honoré, peur de la solitude ;
 – le plan de la sécurité matérielle, financière ;

– le plan professionnel : manque de diplôme, de compétence, de stabilité...

• *La peur de perdre.* Elle peut être intense, entraîner une sorte de terreur : peur de perdre ceux et celles que l'on aime ; l'amour du père, de la mère, de l'autre, la santé, la jeunesse, l'autonomie, sa réputation, sa place...

• Beaucoup vivent dans la peur constante de *ne pas être à la hauteur,* de décevoir, de ne pas atteindre l'image idéalisée que l'on poursuit, de ne pas être parfait en tous points, d'échouer, d'être humilié, de voir ses limites dévoilées... La peur de son insuffisance, de sa nullité, de sa non-valeur.

• *La peur des troubles, des remous émotionnels* que l'on enfouit, de sa violence, la peur de se présenter à Dieu dans sa réalité, d'être condamné, jamais totalement pardonné.

La peur de devenir soi-même en Dieu,
dans une juste relation à l'autre.

On rencontre ici toutes les peurs qui touchent l'identité, la liberté, la façon de se situer dans la relation à l'autre, la peur de la séparation – dans le sens de la juste distance qui n'est ni division, ni rupture – de sa propre autonomie, du rejet, de l'exclusion, de la désapprobation (dans le cas où l'on ose devenir soi-même, penser, parler, ne pas se soumettre aux mauvais interdits qui ne sont pas de Dieu) la peur d'être dévoré, de ne pouvoir être soi-même, d'être inexistant, écrasé par un autre...

La peur de ce qui se vit dans son corps, sa psyché,
son cœur profond.

Où se situe sa peur dans ce domaine ? A-t-on peur de l'affectivité, de ressentir, d'exprimer des émotions, de son identité sexuée, de la vie de son corps, de la relation au Dieu vivant qui demeure dans le cœur profond ?

La peur de l'abondance de vie, de la fécondité, du don.

Y aurait-il en soi une peur de découvrir et de développer ses talents spécifiques, d'oser faire ce que l'on sait faire, de donner, de « transmettre » ?

Appeler sa peur par son nom lui fait perdre ses toxines, diminue sérieusement l'emprise qu'elle a sur soi. On commence à dialoguer avec elle, on la questionne, on n'est plus sous une menace paralysante, enfermante. Cette démarche permet en outre de discerner si le danger est du présent ou si la peur du présent est en fait une réactivation d'une peur du passé.

Que faire de sa peur ?

Mettre en mots l'objet de sa peur est un grand pas, mais ne suffit pas. À ce moment nous pouvons entendre l'invite du Christ : *Avance en eau profonde* (Lc 5, 4). Demeurer en périphérie, ne s'occuper que des symptômes (la mise en mots de sa peur d'aujourd'hui), ne permettra pas de résoudre le problème de la peur. Il va s'agir de descendre jusqu'au lieu où elle a pris naissance, jusqu'à la racine de la blessure. Le symptôme alerte sur l'existence en soi d'une blessure qui a été mal vécue, s'est infectée, n'a pas été assainie.

On retrouve ici les étapes habituelles du trajet d'évangélisation des profondeurs :

– *La reconnaissance de la blessure* : les racines de la peur.

Ce n'est pas pour rien que la peur est toujours vivace en soi. Il est arrivé quelque chose. Quand la peur s'est-elle enracinée en soi ? À quels moments ? Pourquoi ?

– *La réaction à la blessure.*

Il importe alors de se poser la question qui va permettre la remontée, l'issue : comment a-t-on réagi à la menace qu'étaient pour soi une situation, une relation, une parole mensongère, le manque ou la perte de l'amour, un événement dramatique… ? Qu'a-t-on mis en place pour contourner, éviter la peur ? A-t-on pris une bonne issue qui va vers la vie ? Si ce n'est pas le cas, il va être nécessaire de repartir en arrière et de prendre le temps de parcourir le trajet de descente pour découvrir quand, comment et pourquoi la peur s'est nouée, installée en soi, et le trajet de la remontée qui permettra peu à peu d'être fortifié.

Les racines de la peur – la reconnaissance de la (ou des) blessure(s) qui a induit la peur.

Il existe des racines de la peur communes à tous, et des racines personnelles, spécifiques, qui vont générer toutes sortes de peurs, et qui proviennent généralement des blessures du passé qui n'ont pas été assainies et se sont infectées.

Les racines communes à tous les humains : la perte des repères fondamentaux.

L'être humain qui s'est coupé de sa source de vie, qui n'accepte pas sa condition humaine, perd sa sécurité fondamentale ; il connaît la solitude intérieure, prend des chemins qui vont dans toutes les directions ; il est désorienté et fréquemment habité par une peur qui ne dit pas son nom. Cependant, cette peur ouvre une quête, une recherche du sens de la vie, de sa vie : *Cherchez et vous trouverez* dit Jésus, *frappez et l'on vous ouvrira… qui cherche trouve, et à qui frappe on ouvrira* (Mt 7, 7-8).

Par ailleurs, les transgressions, même tout à fait involontaires, aux lois de vie sont autant de chemins qui mènent à une forme de mort : l'être humain qui méconnaît une loi de vie ressent alors confusément un désordre profond, existentiel, et cela peut générer une forme de peur cachée mais bien active.

Dans cette exploration des racines de la peur, il est

certainement essentiel de se poser la question : ma peur serait-elle due au fait que, sans en avoir clairement conscience, je transgresserai une loi de vie ? La transgression d'une loi de vie a des répercussions sur l'être entier puisqu'elle est chemin de mort.

Ainsi, la méconnaissance, la non-acceptation des limites de la condition humaine peuvent être à l'origine d'une peur très profonde. L'impossibilité d'atteindre son image idéalisée, de correspondre à ses désirs de perfection, d'infaillibilité, le fait de s'être établi dans une forme de toute-puissance, déséquilibre l'être humain. Il n'est plus à sa juste place et est nécessairement en état d'insécurité.

Celui ou celle qui dénie son fonctionnement psychologique, laisse en sommeil la vie du cœur profond, a une vie stérile où le don n'a pas sa place, est en désordre profond de quelque façon que ce soit, vivra sans aucun doute une forme de peur.

Les racines spécifiques de la peur.

Elles sont multiples, personnelles à chacun. Le fait d'avoir nommé l'objet de sa peur d'aujourd'hui va faciliter cette exploration.

La plupart des personnes savent bien ce qu'elles ont vécu et parviennent sans trop de difficulté à nommer la racine de leur peur dans le passé, à partir du moment où elles se questionnent à ce sujet. En revanche, elles n'ont pas toujours conscience de l'impact du passé sur leur présent et ne savent pas comment être libérées de cet état de peur dans lequel elles sont toujours enfermées.

Parmi tant de causes de la peur, peut-être peut-on donner un bref éclairage sur l'état d'insécurité vécu par de nombreux enfants.

L'insécurité vécue par l'enfant.

La peur a très fréquemment son origine dans une insécurité vécue par l'enfant. Un enfant a essentiellement besoin de vivre, dès sa naissance et dans les premiers mois de sa vie, une expérience de confiance originelle qui va déterminer son rapport paisible et ouvert à la vie ou, au contraire, angoissé : la vie va lui apparaître bonne ou menaçante selon qu'il a ou non vécu cette étape de confiance. Beaucoup d'hommes et de femmes ont connu un climat d'insécurité dès leur naissance pour des raisons très diverses. Fréquemment aussi la confiance a été brisée en cours d'existence.

La vie apparaît menaçante à ces enfants. Ils partent dans l'existence avec une sorte de terreur, de peur latente au fond d'eux, un manque de confiance dans la vie, en l'autre, en eux-mêmes. Bien souvent, ils n'ont pas conscience de leurs propres ressources. Beaucoup assument ce départ difficile, d'autres gardent inscrites au fond d'eux-mêmes les conséquences de cette première blessure.

Ici encore, il importe de mettre au jour, en mots, la forme de l'insécurité que l'on a connue : enfant non désiré, non accueilli à la naissance – une conception vécue dans la violence, une tentative ou un projet d'avortement, un accouchement difficile, un accident survenu à la naissance, une mère exagérément anxieuse, parfois en dépression larvée non reconnue – un père fragile et faible, la guerre, un foyer désuni… Un enfant qui a vécu dans une insécurité financière permanente peut être envahi par la peur du manque, qui va se traduire par le besoin irrépressible d'amasser, de se constituer des réserves : « On n'est jamais assez prévoyant. »

L'insécurité, et donc la peur qui en résulte, est très souvent liée au deuil, à la façon dont on a vécu les séparations – notamment la première séparation, le moment où l'enfant prend conscience que la mère n'est pas son tout –, les absences, même très brèves. Si elles sont brutales, ni préparées, ni expliquées, elles risquent de créer chez l'enfant une rupture d'équilibre, une terreur de l'abandon.

Il arrive aussi que les parents n'aient pas assez pris en compte un événement qui a été traumatisant pour l'enfant. « La peur a besoin de se dire, d'être reconnue, accueillie, avant même que l'enfant soit rassuré : qu'as-tu vécu ? »

Le manque d'amour, de reconnaissance, la préférence d'un parent pour un autre enfant, entraînent fréquemment la peur de se croire non aimable, indigne d'être aimé, incapable d'intéresser qui que ce soit : un enfant non aimé, d'une façon ou d'une autre, n'est pas à sa place, n'a pas sa place.

Ceux qui ont été aimés d'une façon désordonnée, par exemple dans un état de fusion dont ils ne parviennent pas à se dégager, dans la confusion des places (les parents copains qui prennent leur enfant pour confident), dans l'emprise et, notamment, l'emprise perverse, risquent de connaître une forme de peur très profonde : celle d'être dévorés, privés de leur liberté, du droit de devenir eux-mêmes, de trouver leur juste fonction, de suivre leur trajectoire personnelle. Le fait d'entrer dans une fausse culpabilité, de vivre sous la chape d'un interdit de se plaindre, de l'obligation de refouler une révolte latente, va conforter la peur.

Un enfant élevé sans le respect des limites qui vont cadrer la véritable vie, dans un évitement systématique des bons interdits qui le protégeraient des chemins de destruction, peut vivre une très grande insécurité.

Les fausses notions de Dieu.

La peur peut être suscitée par les fausses notions de Dieu, la culpabilité mal située que l'on entretient, et dont les conséquences sont désastreuses. Y a-t-il plus grande insécurité que celle-là ?

La peur est très souvent générée par le fait d'imaginer, par anticipation, ce qui pourrait arriver, en général sous la forme de scénarios catastrophiques. Les forces vives de la personne sont essentiellement occupées à se battre contre la panique envahissante, alors que l'événement prédit ne se produira peut-être jamais. La personne ne vit pas son présent, ne crée pas de la vie dans la situation concrète qui est la sienne : c'est le lieu d'un véritable combat spirituel.

Les racines de la peur sont multiples. Il appartient à chacun, chacune, d'aller jusqu'où il le peut dans son histoire. Mais tous ceux qui entreprennent ce trajet en se laissant guider par l'Esprit sont surpris des découvertes qu'ils font en cours de route. C'est comme si leur histoire se remettait en ordre, les choses reprennent leur place. On ne voit pas tout, mais la plupart retrouvent sans trop de difficulté le fil de leur histoire, les situations, les événements qui ont été marquants.

Comment a-t-on réagi à la peur ?
A-t-on ou non pris une issue de vie ?

Certains ont découvert une bonne et saine issue, ont mis en place des mécanismes de défense, toujours nécessaires qui ne se sont pas endurcis au fil des années, se sont assouplis [1].

D'autres sont encore encerclés, envahis par la peur de l'enfant ; elle n'a rien perdu de son intensité. Le Christ leur ouvre alors un chemin au cours duquel il va les libérer de l'esclavage, de l'oppression dans lesquels la peur les maintient. Il ne supprimera pas la peur, car elle fait partie de la vulnérabilité de la condition humaine, mais il délivre l'être humain de l'emprise mortifère qu'elle exerce sur lui.

Nous avons ici encore besoin de toute la lumière de l'Esprit pour approcher de notre vérité, *la vérité vous fera libres*, dit Jésus (Jn 8, 32), la vérité sur nous-mêmes et la vérité sur l'œuvre et la fonction du Christ en nous.

Pour contourner la peur, aurions-nous pris une fausse route, une direction de vie qui nous mène non à la vie mais à une forme de destruction ?

« J'ai découvert ma fausse route, dit Julien, c'est la peur ; elle a été présente dans toute ma vie, depuis ma naissance. »

---

1. Voir Les mécanismes de défense, dans « L'acte de renoncement », IIe partie de cet ouvrage, p. 226-228.

Julien est né en pleine guerre, sous les bombardements ; il a été victime de l'extrême violence de son père alcoolique. Mais la peur n'est pas une fausse-route ! La peur est l'émotion qui accompagne une blessure. Ce qu'il importe d'éclairer c'est ce que l'on a fait de sa peur, car c'est là que tout s'est noué.

C'est ainsi que chacun, chacune, va peu à peu, après avoir fait la relecture de son histoire dans la présence du Christ et dans la lumière de l'Esprit, laisser émerger comment il a réagi à sa peur : « J'ai peur de l'emprise de l'autre sur moi, alors c'est moi qui prends les devants, je prends emprise sur l'autre. » – « J'ai peur d'être humilié, je me protège en étant ironique, en ayant l'air d'être toujours parfaitement sûr de moi. » – « Mon père est violent, les hommes sont tous violents, dit Muriel à sept ans, je ne marierai jamais. » – Jérôme a fait à dix-huit mois un séjour brutal à l'hôpital. Depuis il vit dans la terreur d'être abandonné : « Après tout je n'ai pas besoin de mes parents, dit-il très jeune, je peux parfaitement me débrouiller seul, je n'ai besoin de personne pour vivre. »

Toutes ces fausses routes vont être creusées, explorées, assainies à partir de la parole de Dieu qui nous montre l'issue de vie, nous fortifie, nous réconforte, nous nourrit. Dans la grâce du Christ nous allons pouvoir renoncer à ces chemins de mort.

Beaucoup ont par peur laissé réduire leur identité, leur liberté, n'osent pas devenir eux-mêmes, sont entrés dans une fausse culpabilité ou des dépendances mal situées qui brouillent la relation. Dans ce cas, la première démarche est de retrouver les repères essentiels de la vie, de se remettre en ordre. C'est un acte qui prend du temps et qui est exploré tout au long du trajet d'évangélisation des profondeurs.

Ainsi, la personne qui est emprisonnée dans un état de fusion, ou encerclée par l'emprise, et qui découvre la troisième loi de vie qui enjoint de devenir soi-même dans une juste relation à l'autre, va peu à peu, par différentes démarches, retrouver son identité spécifique, ses désirs les plus authentiques. La peur de ne plus exister, d'être dévoré, va peu à peu disparaître.

Au cours de ces passages qui mènent à la remise en ordre de l'être en son entier, et se vivent dans une foi vivante, le moi sain est peu à peu consolidé, reconstitué, la personne devient capable de se laisser enseigner, de penser juste, de poser des choix responsables, d'adhérer aux lois de vie. Cela va être un support, une aide très puissante pour être libéré de la peur qui va fondre d'elle-même au fur et à mesure du parcours.

Les lois de vie nous établissent dans une sécurité très profonde. Elle nous sont données par la fonction paternelle de l'amour de Dieu. Qui les découvre en lui-même et dans la parole de Dieu, les explore, en comprend le sens vital, y adhère, n'est plus un errant, reprend confiance en lui, sait comment se remettre intérieurement en ordre selon l'ordonnancement de Dieu, il connaît les conditions de la vie féconde, il sait ce qui est chemin de mort et ce qui est chemin de vie. C'est une très profonde source de paix qui va faire fondre bien des peurs en ouvrant un chemin de restructuration.

Trajet.

Guy a vécu avec son frère jumeau en état de fusion. Il a entrepris un chemin de guérison intérieure au cours duquel il a mis au clair sa relation à son frère, retrouvé son identité propre, sa direction de vie. Il a ensuite créé avec un associé une petite entreprise. Au bout de quelques années, il apparaît très clairement que les deux associés ont des projets différents, se gênent mutuellement dans leur créativité et qu'une séparation s'impose. Guy vit alors une très grande perturbation. Il ne peut parvenir à prendre position, tergiverse, change d'avis chaque mois, vit un très fort sentiment de culpabilité. Il ne comprend absolument pas ce qui se passe en lui et se demande s'il est « normal ». Au cours d'un entretien, il prend conscience qu'en fait il vit avec son associé le même lien fusionnel qu'avec son frère et que c'est là que s'origine sa peur actuelle. Guy prend conscience que pour celui ou celle qui a vécu un lien fusionnel, toute séparation présente un aspect menaçant, dramatique, source de mort, alors qu'une vraie et juste séparation intérieure est source de vie. Prendre sa liberté entraîne fréquemment une forte culpabilité par rapport à l'autre que l'on abandonne, trahit. En outre, se lancer seul dans sa direction spécifique est souvent difficile, il faut toujours être deux, s'appuyer sur quelqu'un. Cette découverte pacifie profondément Guy ; il comprend ce qu'il est en train de vivre.

Lors de ses premières démarches sur le plan de la dé-fusion d'avec son frère, la peur de la séparation n'était pas apparue clairement. Il avait en lui une forte et violente reven-dication d'autonomie, de liberté, avec le sentiment d'avoir été écrasé. Mais la peur était bien là et resurgit aujourd'hui d'une façon tangible, physique en quelque sorte, insuppor-table. Guy a maintenant la certitude que l'événement qu'il est en train de vivre a un sens et va être l'occasion d'un approfondissement de la première libération qu'il a vécue. Il sait sur quoi va porter son travail intérieur ; c'est un immense soulagement. Il découvre que son véritable appui est l'Esprit Saint qui demeure en lui ; il peut alors quitter une dépen-dance mal située et entrer dans sa véritable autonomie.

Au bout de quelques mois – il a derrière lui plusieurs années de trajet d'évangélisation des profondeurs –, il devient capable de préparer paisiblement la séparation en se laissant guider et inspirer par l'Esprit, pour que chacun reprenne sa trajectoire propre, dans la bénédiction, dans le respect d'autrui, pour que le fruit de ce passage soit fécond pour les deux parties.

L'issue : les chemins de la paix, de la confiance.

Sortir de la peur devient plus facile si sa nature, ses racines ont pu être mises au jour, en mots. Un grand pas a été fait :

l'énergie qui était totalement paralysée est maintenant mobilisée, occupée à cette quête de vérité donc de vie. L'Esprit qui a éclairé cette exploration va peu à peu donner la force de renaître à la vie, rendre capable d'accueillir l'amour du ressuscité, de participer à son œuvre de libération.

C'est dans la rencontre avec le Père que la guérison
de la peur va se réaliser.

À partir de là l'être humain retrouve sa racine, son axe, s'établit dans sa sécurité la plus essentielle, dans l'assurance qu'il n'est pas jeté dans l'univers comme un errant, oublié, anonyme : il est créé, aimé et connu par son nom. Il découvre sa véritable filiation : la nature de sa parenté avec Dieu en quelque sorte. Il retrouve sa source de vie. Il n'est plus suspendu dans le vide, livré à sa seule sagesse, ses seules forces. Il était comme une branche détachée de l'arbre, il est à nouveau greffé à sa place sur l'arbre de vie. Le Père ne le laisse pas seul : après le départ du Christ, il lui donne un guide intérieur, l'Esprit Saint, qui va l'aider à traverser les passages difficiles, et le remettre en vie. La grâce de Dieu précède chacun, chacune dans ce trajet de retour à la source de vie.

Jésus nous révèle celui qu'il appelle Père. Il a avec Dieu une relation spécifique, personnelle, inhabituelle. Il nous la transmet par sa vie, ses actes, son enseignement, sa façon de prier. Il nous assure que chaque être humain peut à son tour, entrer dans cette relation nouvelle profondément sécurisante, emplie de confiance paisible.

C'est la fonction du Christ de ramener au Père ses enfants dispersés, craintifs, encerclés par leur peur, repliés sur eux-mêmes, pour les aider à se déplier, à s'ouvrir à ce grand flux de vie qu'apporte la découverte de leur filiation d'origine, la révélation du sens véritable de la paternité de Dieu. C'est là que se trouve la guérison profonde de la peur qui habite tant d'êtres humains. Nous imaginons souvent la paternité de Dieu à l'image de celle que nous avons connue, ce qui est une façon de sculpter de nos propres mains une image de Dieu (Dt 5, 8) et donc une forme d'idolâtrie. La lumière de l'Esprit va nous introduire dans la compréhension de cette réalité vitale.

C'est par grâce que l'on est ainsi attiré vers cette quête ; c'est également par grâce que l'on reçoit au plus profond de son être, la révélation de sa véritable filiation. Cela peut être très soudain ou, au contraire, prendre beaucoup de temps. Peu importe, il s'agit là d'une réalité vivante que chacun peut expérimenter. Comme toujours l'être humain va avoir à disposer son cœur à accueillir cette révélation : répondre à l'invite, accepter de se laisser guider sur ce trajet, devenir enseignable, extrêmement attentif aux moindres indications de l'Esprit, ouvrir la porte, ne pas la verrouiller par ses fausses croyances, accueillir l'inconnu, le nouveau, lorsqu'il se présente parfois sous une forme inattendue.

Encore est-il nécessaire d'entendre l'invite, de la reconnaître au travers de cette autre voix en nous qui nous enferme, nous oppresse, nous maintient en prison, d'y répondre, de se mettre en route dans une foi vivante, dans la certitude du retour à la vie. Nous savons alors sur Qui nous appuyer, à Qui nous fier.

L'Éternel est ma force et mon bouclier,
en lui mon cœur a foi,
j'ai reçu aide, ma chair a refleuri,
de tout cœur, je rends grâce.

[Ps 27, 7.]

Vivre en Dieu.

La source de la confiance est là. Qui apprend de l'Esprit comment vivre, en Dieu retrouve la sécurité la plus profonde, la plus essentielle. Le cœur profond est enraciné dans la terre de Dieu, s'il est permis de s'exprimer ainsi. C'est là que celui dont la vie se trouve réduite depuis longtemps par la peur va pouvoir faire l'expérience de la confiance vitale, durable, qui va réparer ce qui lui a manqué ; son terrain, si fragile va se fortifier de jour en jour. Sa part va être de méditer quotidiennement sur cette réalité qu'il vient peut-être de découvrir : il vit en Dieu.

C'est une tâche heureuse, féconde, paisible.

Apprendre à traverser à nouveau en Christ la peur, l'effondrement, la terreur qui sont du passé, et les laisser aller.

L'Esprit nous fait découvrir que lorsque la peur est liée à un événement ou à un effondrement qui sont du passé, elle n'a plus lieu d'être dans le présent. Dans la grâce du Christ, il va devenir possible de les traverser à nouveau puis de les laisser aller. Chacun va vivre ce temps-là à sa façon : certains vont le retraverser dans une intense douleur.

D'autres vont laisser le Christ visiter l'événement, le vivre avec lui. Il nous assure que nous ne sommes plus seuls, que la miséricorde, la grâce de Dieu sont là, que nous pouvons compter sur sa présence de compassion ; il ne nous abandonnera jamais quels que soient le ravin, le torrent, le feu que nous traversons (Is 43, 2).

Ouvrir la porte de l'événement, de la situation, à la présence du Christ.

C'est un acte intérieur qui porte un fruit étonnant : on cherche souvent des solutions compliquées alors que c'est la première démarche à faire, une des plus essentielles.

Ainsi parle l'Éternel à son oint, à Cyrus qu'il a pris par la main droite [...] pour forcer devant lui les battants de sorte que les portes ne soient plus fermées. Moi je marcherai devant toi en nivelant les hauteurs, je fracasserai les battants de bronze, je briserai les barres de fer... Sans que tu me connaisses, je te fais prendre les armes pour que l'on sache du levant jusqu'au couchant que tout est néant sauf Moi » (Is 45, 1-6).

Nous apprenons ainsi que nous sommes envoyés devant l'Éternel pour lui ouvrir les portes d'un événement, d'une situation difficile, qui nous emplit de peur, et permettre à sa présence de s'y établir, d'y œuvrer. L'expérience montre que cet acte est d'une grande puissance. C'est certainement le premier et le meilleur acte que nous puissions poser. La présence de Dieu se met immédiatement à l'œuvre. Le serviteur – qu'est Cyrus et que nous sommes – ne doit jamais oublier que c'est Dieu lui-même qui ouvre les portes, qu'elles soit fermées par des battants de bronze ou des barres de fer. Il lui est cependant demandé un acte très spécifique, celui d'« ouvrir », avec un cœur purifié, en se tenant à sa juste place, sans oublier qu'il n'est pas et ne sera jamais Dieu.

Cet acte demande à être posé avec une grande détermination, et cela peut prendre un certain temps jusqu'à ce que l'on soit tout à fait assuré que « maintenant le Christ est sur le terrain, c'est lui qui prend les rênes ». La part du serviteur est d'entrer et de demeurer dans cette certitude. S'interdire pendant une période – une heure, une demi-journée, trois jours, une semaine – toute pensée, réflexion, inquiétude par rapport à la situation, laisser sa terre en jachère, si l'on peut s'exprimer ainsi, va donner une chance à l'Esprit de la féconder, de nous inspirer, de nous enseigner comment nous situer de façon juste. Il va pouvoir exercer sa fonction en liberté.

C'est une belle prière d'intercession dans laquelle se vivent en même temps un acte spécifique, précis, conscient, et un profond lâcher-prise dans la confiance en la sagesse de Dieu.

Ce sont là des actes intérieurs simples que ceux et celles qui ont entrepris un trajet d'évangélisation des profondeurs connaissent bien. Ils sont à la portée de chacun, chacune quelle que soit sa difficulté. Ils sont le lieu d'un combat spirituel, car beaucoup les oublient lorsqu'ils sont pris par la peur ; mais cela ne devrait pas nous effrayer car le combat spirituel fait normalement partie du trajet de tout chercheur de vérité, de tout fils ou fille de Dieu. Il nous permet de sortir d'une forme de mort, il mène toujours à plus de vie : il est acte de vie. Accepter de le traverser est une des façons de choisir la vie. Et il est clair que ce sont ces premières démarches intérieures qui permettent de commencer à sortir de l'accablement, de l'impuissance, à redevenir responsable, acteur de sa vie, à prendre courage.

En fait, il s'agit de ne pas se laisser sombrer dans la peur, de ne pas tomber au fond du trou et si l'on y est, de penser à se situer dans cette foi vivante. Ne croyons pas trop vite qu'il est impossible de poser un acte vigoureux lorsqu'on est encerclé par la peur. Jésus donne toujours des paroles de réconfort, de courage, d'espérance. Il arrive que l'on vive un acte intérieur dans la nuit la plus totale, dans une foi désertique, pour s'apercevoir quelques temps après qu'une évolution s'est faite, à son insu, quelque chose à bougé, s'est mis en route.

Éclairer la disposition de son cœur.

Permettre au Christ d'entrer au cœur de sa peur, va conduire à éclairer la disposition de son cœur, à la condition toutefois d'être souple, de ne pas camper sur ses positions, de demander cette grâce. Bien souvent la peur provient du fait que l'on est mal situé, que l'on se cramponne, s'agrippe à ce que l'on devrait lâcher pour être libéré. Il importe alors d'être attentif aux moindres indications de l'Esprit, de saisir cette brise légère dont parle le prophète qui signale le passage du Seigneur et que l'on n'entend pas toujours (1 R 19, 12-13).

Trajets.

Bruno travaille en exercice libéral depuis quelques années. Sous prétexte que l'État gaspille les deniers publics, il n'a jamais souscrit de déclaration d'impôts. Au fur et à mesure que les années passent il est envahi par une panique qui finit par l'empêcher littéralement de vivre : il tourne en rond, ne sait comment sortir de cette situation, se voit découvert, ruiné, emprisonné. Dans son inconscience, sa naïveté, il demande au Seigneur de le libérer de ce tourment. Il n'est évidemment pas exaucé. Mais la prière d'un être humain en difficulté est toujours entendue et l'Esprit va orienter Bruno vers une issue, un retour à la vie. Bruno sombre de plus en plus. En désespoir de cause il se décide à aller exposer son problème à un avocat. Il lui est conseillé d'aller affronter directement l'inspecteur des impôts en lui présentant un plan de remboursement de sa dette. Au jour dit, Bruno se rend avec son avocat à ce rendez-vous qui le terrifie. Un accord intervient, son plan est accepté, Bruno pourra y faire face, il est totalement libéré de son tourment. Nul doute que l'Esprit a œuvré avec puissance dans ce trajet de vérité et l'issue en est bonne pour les deux parties.

Édith a soixante ans, elle est en pleine santé. Elle est propriétaire d'une petite maison à laquelle elle est très attachée mais qui est assez isolée. Elle n'a aucune famille, vit dans la terreur de vieillir, de tomber malade, de devenir invalide, d'avoir un accident chez elle sans que personne s'en aperçoive, de mourir seule. Elle se décide à ouvrir sa peur à l'Esprit. Elle prend conscience qu'elle gâche totalement son présent, le sclérose, le pétrifie en quelque sorte, le rend stérile. Dans la grâce de Dieu, au bout de quelques semaines, elle consent à lâcher prise, à quitter sa maison, seul moyen pour elle de retrouver la paix, la fécondité de sa vie. Elle choisit d'habiter dans un foyer-logement sympathique où elle se sentira en sécurité. Elle est heureuse d'avoir pu prendre une décision qui l'apaise complètement.

Catherine a la peur du manque. Enfant, elle a vécu la guerre dans des conditions difficiles ; elle a gardé la terreur de manquer. Elle ne jette rien, « cela peut servir ». Elle accumule trop de tout : de nourriture, de conserves qui finissent par être périmées et dont elle ne parvient pas à se débarrasser, de vêtements, de cassettes qu'elle n'écoutera jamais... Les objets finissent par la posséder, son appartement est totalement encombré : aucune place pour du nouveau mais seulement pour de l'ancien qui ne sert plus.

Elle décide d'entreprendre un trajet d'évangélisation des profondeurs par rapport à ce problème du manque. Au bout de quelques mois, la peur s'estompe, elle se sent apaisée, mais elle remarque que son comportement n'a pas changé. Elle continue à accumuler et en est désespérée. Elle demande alors avec une grande détermination à l'Esprit de l'aider et de ne jamais l'abandonner sur ce trajet qui est pour elle si difficile. Elle est certaine que ce mur qui est en elle va finir par sauter. Elle choisit de faire ce que l'Esprit lui indiquera. La première inspiration qui lui vient est : « Donne simplement ce que tu peux donner, aujourd'hui, ce que tu peux donner sans avoir peur de t'appauvrir. » Elle suit cette piste et commence à distribuer immédiatement quelques vêtements usagés, des vieux tissus inutilisés, des cassettes qui ne l'intéressent plus. Pour que le mouvement ne s'arrête pas, chaque jour elle réfléchit à ce qu'elle pourrait donner, que ce soit quelques prunes de son jardin à un voisin, un ou deux livres qui ont compté pour elle autrefois, mais qui sont dépassés, à la bibliothèque du quartier...

Elle est remplie de courage et de joie : « Il y avait un frein en moi et le barrage a cédé. Il a suffi que je laisse couler quelques gouttes de don ; je sais maintenant que je peux entrer dans ce mouvement ; je ne suis plus enfermée dans cette peur qui me paralysait, qui avait pris pouvoir sur moi. Je commence à réaliser dans ma vie la Parole qui a été mon viatique sur le trajet : *Le Seigneur est mon berger ; rien ne saurait me manquer. Passerais-je un ravin de ténèbres, je ne crains aucun mal* (Ps 22, 1.4).

Apprendre à décharger le corps des toxines de peur, qui l'ont envahi.

La peur habite toujours le corps aussi bien que la psyché, et il est important d'apprendre comment ne pas garder en nous ce poison, comment nous en décharger, le mettre hors de nous, par exemple par des exercices de respiration que chacun vivra selon son rythme : comment se détendre, se réoxygéner.

C'est à chacun de découvrir ce qui lui convient, la forme de travail sur le corps, d'occupation, d'activité qui l'aidera à sortir de la peur. Il n'y a pas de recette. Ce qui est bon pour l'un ne correspondra pas au besoin de l'autre.

L'intervention de Dieu sur la route.

Dès que l'on répond à l'invite de se mettre en route, même si le départ est hésitant et difficile, si le pas est minime, l'aide est donnée sur le chemin. C'est ce que nous raconte la merveilleuse histoire de Tobie.

Le père de Tobie – Tobit – est aveugle et pauvre. Il charge son fils d'aller chercher une somme d'argent qu'il a laissée en dépôt chez un nommé Gabaël en Médie. « Comment faire, dit Tobie ? Gabaël ne me connaît pas et moi je ne le connais pas non plus… De plus je ne sais pas les routes à prendre pour ce voyage en Médie. » C'est alors que Tobit, le père, va chercher un guide et rencontre Raphaël, l'ange du Seigneur, qui se présente comme quelqu'un qui demande du travail. Il sait comment aller en Médie. *Je ferai le voyage avec ton fils, ne crains rien. Notre départ se passera bien et notre retour aussi parce que la route est sûre* (Tb 5, 1-22).

En effet, à la suite de multiples péripéties, la vie, le bonheur, la guérison reviennent dans cette famille. Tobie a trouvé une épouse en la personne de Sarra, fille d'un de ses parents, Ragouël, qui était elle-même engloutie dans une forme de mort et la semait autour d'elle. Elle a été libérée grâce au cœur et au foie d'un poisson que Raphaël a fait attraper par Tobie. Tobit, le père, est guéri de sa cécité grâce au fiel du même poisson. Tobie a rapporté la somme d'argent qu'il était allé chercher, outre la moitié des biens de Ragouël si heureux de voir sa fille délivrée.

Raphaël dévoile alors sa véritable nature : *Ne craignez point, la paix soit avec vous. Bénissez Dieu à jamais. Pour moi quand j'étais avec vous, ce n'est pas à moi que vous deviez ma présence, mais à la volonté de Dieu ; c'est lui qu'il faut bénir au long des jours, lui qu'il faut chanter* (Tb 12, 17).

Dieu intervient dans notre quotidien et bien souvent nous n'en avons pas conscience.

Cécile vit avec ses frères en milieu agricole dans une indivision immobilière insupportable. Elle exprime qu'elle ne sait même plus qui elle est, n'a aucune place, aucune liberté : elle vit dans une peur permanente de ne pas exister, ne voit aucune issue à cet enfermement. Elle entreprend cependant un trajet d'évangélisation des profondeurs, retrouve peu à peu la conscience de son identité, de sa liberté intérieure, mais son désespoir demeure car elle ne voit pas du tout comment mettre en œuvre ce qu'elle a découvert.

Elle habite une région isolée, un coin perdu, et n'a personne pour l'aider. « Si tu allais voir le notaire de ta région, lui suggère son accompagnatrice. – Je n'oserai pas, dit Cécile, je suis tout à fait incapable de lui exprimer mon désir ; je ne parviendrai pas à ouvrir la bouche. – Essaie tout de même, on ne sait jamais ! »

Cécile choisit comme pas à faire sur le chemin de vie, d'aller voir ce notaire, et elle met ce projet à exécution. Le notaire a la patience de lui permettre de s'exprimer, lui pose des questions précises : « que souhaitez-vous au fond de vous-même ? Quel est votre désir ? – Je voudrais ma part d'indivision pour m'acheter un studio et aller travailler en ville ; mais c'est aberrant d'imaginer que je puisse obtenir cela. – Laissez-moi faire, lui répond le notaire. » Il convoque alors les frères de Cécile et après plusieurs rendez-vous la situation est réglée. Cécile recevra sa part et pourra suivre sa propre route.

Comment ne pas voir la main de Dieu dans l'intervention de ce notaire qui a saisi la détresse de Cécile, à travers ses pauvres explications et a pris en charge son histoire sans ménager sa peine et son temps ?

La transformation de la peur.

Je vous laisse la paix, dit Jésus, *je vous donne ma paix, je ne vous la donne pas comme le monde la donne, que votre cœur cesse de se troubler et de craindre* (Jn 14, 27).

Nous pouvons demander la grâce d'entendre cette parole magnifique de Jésus dans toute sa vigueur, sa force, sa puisance, son énergie. La parole de Dieu est vivante, elle descend dans l'entièreté de notre être, et le renouvelle ; elle nous féconde d'une graine nouvelle qui va remplacer la graine empoisonnée à partir de laquelle nous avons pu nous construire.

Quelle est cette paix qui n'est pas celle que le monde donne ?

La paix du monde est la paix qui s'installe lorsque tout va bien ; elle est souvent calme plat, paix trompeuse au creux de laquelle la guerre peut couver silencieusement. Nous avons souvent une conception statique de la paix, l'essentiel étant d'être le moins possible perturbés.

La paix que donne le Christ est mouvement, elle se vit au travers des risques de la vie, de l'accueil de l'inconnu, de la confrontation, de la relation. La paix que va recevoir celui ou celle qui vit dans la peur se construit au fur et à mesure de sa marche, de cette exploration de ses peurs, de ce va-et-vient pas toujours facile entre son passé et son présent, de cette descente souvent douloureuse dans son histoire ; ces étapes sont les conditions de la vraie paix, qui est donnée dans la vérité, la réalité de son être et de sa vie.

En contemplant la vie de Jésus, nous voyons qu'il fait fondre la peur par sa seule présence : s'il est là, cela signifie que le Père aussi est là, et le Père veille très personnellement sur chacun de ses enfants. Le Christ sait combien les êtres humains sont habités par la peur ; c'est pourquoi il leur transmet la paix dès qu'il paraît : *La paix soit avec vous* (Jn 20, 19-24) dit-il aux disciples craintifs qui se sont enfermés dans une pièce par crainte des Juifs, après sa résurrection. Il leur redonne une seconde fois la paix avant de les envoyer en mission dans la force de l'Esprit.

Il donne souvent la paix au cœur de la tempête (Mt 8, 23-27) : *Au secours, nous périssons* crient les disciples à Jésus qui dormait paisiblement dans la barque. *Pourquoi avez-vous douté, gens de peu de foi ? Alors se dressant il menaça les vents et la mer et il se fit un grand calme*. On retrouve ce même questionnement dans l'épisode relaté dans Mathieu (14, 28) où Jésus marche sur les eaux : *Rassurez-vous, c'est moi, n'ayez pas peur*, dit-il aux disciples. Pierre va à sa rencontre mais tout à coup, terrifié sur la mer déchaînée, il commence à sombrer ; *alors Jésus lui tendit la main et le saisit* en lui posant la même question : *homme de peu de foi pourquoi as-tu douté ? Et quand ils furent montés dans la barque, le vent tomba*.

Il va être essentiel de prendre le temps de nous arrêter à ce questionnement de Jésus et de tenter d'y répondre : il n'y a de sa part ni condamnation, ni mépris, on le sent bien, mais étonnement devant ce qui pour lui est une évidence, une réalité vivante : le Père est là. À chaque seconde de notre existence, il nous fortifie, nous accompagne dans l'événement, il veille sur nous, n'oublie aucun de ses fils et filles.

La croyance mensongère.

Comment se fait-il que nous accordions tant de crédit, de pouvoir à des paroles mensongères qui se sont plantées en nous comme un absolu, aux désordres qui nous ont atteints dans notre passé, qui nous ont fondés en quelque sorte, et que nous dénions tout pouvoir sur nous-mêmes à la parole de Dieu ? Pourquoi nous agrippons-nous à des croyances erronées, des certitudes mortifères, à des comportements dans lesquels nous avons pris l'habitude de vivre, même si nous en souffrons ? Pourquoi avons-nous tant de mal à quitter ce que nous savons être chemins de mort ? Que se passe-t-il ?

Sans nul doute, si nous désirons y voir clair, l'Esprit nous aidera de toute sa lumière. Chacun, chacune, va peu à peu être éclairé sur les causes de cette difficulté.

On trouve chez beaucoup une croyance à une sorte de déterminisme, comme s'ils étaient condamnés à vivre toute leur existence dans la peur ou l'état d'insécurité qu'ils ont connu dans le passé. Il est vrai que des expériences traumatisantes de quelque ordre qu'elles soient laissent des traces, mais il est vrai aussi que le Christ vient nous renouveler, nous sortir des prisons dans lesquelles on nous a enfermés ou dans lesquelles nous nous enfermons nous-mêmes. Il arrive que l'on oppose à l'œuvre de libération du Christ, la certitude farouche, profondément ancrée en soi, même si l'on exprime son désir d'être libéré de l'emprise, de la peur, que l'on « n'en sortira pas ». C'est comme si un pouvoir absolu était attribué aux désordres dont on a été victime dans le passé. Bien souvent, le Christ ouvre la porte et l'on reste cependant enfermé dans sa prison.

C'est le moment d'entrer dans une foi vivante, d'opposer à cette fausse croyance la parole du Christ. Ce n'est pas très facile, cela touche plusieurs plans de vie, et il y a de telles souffrances, de telles peurs, chez tant d'êtres humains ; cependant nous sommes invités là à un acte de foi vital, essentiel, spécifique. Nous savons bien comment les peurs vécues dans l'enfance peuvent être transposées dans la relation à Dieu. Mais *ce qui est impossible à l'homme est possible à Dieu* (Lc 18, 27) ; la grâce est là : « Seigneur, mets ton possible dans ma vie qui voudrait et ne peut pas, […] donne-moi de mourir à ce dont je voudrais me défaire et donne-moi de naître à ce qu'il y a encore à faire [1]. »

La peur de l'inconnu est très forte. On sait ce que l'on quitte, on ne sait pas comment il est possible de vivre autrement.

Il est bon ici de retrouver la notion de salut ; en Dieu, rien n'est irrémédiable, rien n'est définitivement perdu. L'Esprit mène tout humain vers une re-naissance, un nouveau, un autre commencement, qui l'aide à ne pas se fixer dans l'ancien. Il est donc toujours possible de vivre en Dieu l'expérience de cette confiance fondamentale qui a manqué ou a été perdue, et cela quel que soit son état ou son âge.

Ceux et celles dont l'angoisse provient de l'insécurité qu'ils ont vécue vont être réconfortés, réchauffés par la tendresse et la miséricorde du Dieu vivant. Il va apaiser leurs blessures par l'huile de son amour, les consoler, les assurer qu'ils sont dignes d'être aimés, qu'ils comptent pour Lui. Et, peu à peu, l'angoisse de mourir du manque, d'être abandonnés, non reconnus, va fondre. L'amour de Dieu dans sa fonction maternelle les sortira de l'abîme, leur permettra de faire l'expérience vitale de ce rapport de confiance dont ils étaient privés.

Se profile souvent également une fausse notion de la Providence. L'amour du Père veille sur chacun de ses enfants mais il ne supprimera pas la réalité, les risques et périls de la vie, il nous fortifiera pour nous permettre de les traverser en

---

1. Prière inspirée de *Cent prières possibles* d'André DUMAS, Cana, 1997, p. 56-57.

enfants de Dieu. Il ne nous laissera jamais seuls, c'est cela la confiance.

Alors ceux et celles qui ont traversé leurs peurs dans l'accompagnement du Père, dans la présence vivifiante du Christ, vont devenir à leur tour artisans de paix ; ils vont non seulement être dans la paix, au cœur des peurs qu'ils auront toujours à traverser, mais ils vont recevoir la force de l'Esprit pour faire la paix autour d'eux dans le ministère de réconciliation et d'unité qui est confié à chacun des fils et filles de Dieu. Ils deviendront porteurs de cette paix qui n'a rien à voir avec la résignation, les non-dits, l'évitement systématique des conflits, qui exige vérité, courage.

Ma force, pour toi je joue,
oui c'est Dieu ma citadelle, le Dieu de mon amour.

[Ps 58, 18.]

« Salut, vaillant guerrier ».

L'histoire de Gédéon (Jg 6, 1-40) est magnifique. Gédéon ressemble à ces hommes et ces femmes qui sont inquiets, ne croient pas en la vie ni en eux-mêmes. Il fait partie du clan le plus pauvre de Manassé, et se vit comme le dernier de la maison de son père ; on pourrait dire que c'est quelqu'un qui se sent « minable ». Il est en train de dépiquer du blé lorsque l'envoyé de l'Éternel s'approche de lui et lui adresse une salutation : *L'Éternel avec toi, vaillant guerrier.* Il est abasourdi de s'entendre interpeller comme vaillant guerrier ! Le message de l'envoyé est très clair : *Va avec la force qui t'anime, et tu sauveras Israël de la main de Madiân... Je serai avec toi et tu battras Madiân comme un seul homme.* Gédéon est tellement secoué par ces paroles qu'il demande un signe pour être sûr que celui qui lui parle est bien l'envoyé de Dieu. Le signe lui est donné. Il réunit alors une troupe de trente-deux mille hommes et demande encore d'autres signes au Seigneur pour avoir la certitude que Dieu veut vraiment délivrer Israël par sa main. Ce sont les fameux signes de « la toison » qui lui sont alors donnés (Jg 6, 36-40). Après différentes épreuves, Dieu va réduire la troupe de combattants à trois cents pour que Gédéon ne s'imagine pas qu'il peut vaincre avec ses seules forces, et pour qu'il soit convaincu que Dieu est là à ses côtés dans le combat. L'invite est claire : n'aie pas peur, je suis avec toi. Cependant dans sa tendresse, le Seigneur ajoute : *Mais si tu crains d'attaquer Madiân, descends d'abord au camp et écoute ce que disent les hommes, tu en seras réconforté.* Dieu connaît la faiblesse de Gédéon ; il en tient compte. Gédéon descend au camp et entend un homme raconter à un camarade un rêve qu'il vient de faire ; il sait alors que la victoire lui est acquise (Jg 6, 1-25).

En découvrant l'histoire de Gédéon, nous comprenons tout à coup que Dieu nous aime tels que nous sommes, ce que nous n'aurions jamais pu imaginer auparavant. Cette prise de conscience est un incroyable moteur de vie ; elle nous rétablit en force intérieure.

Ce ne sont là que quelques pistes d'une grande simplicité. Elles ne vont certes pas tout résoudre, apporter une solution immédiate, mais l'expérience montre qu'elles permettent de se mettre en route, de sortir de l'affolement, de l'accablement, de faire au moins un bout de chemin.

LA SOUFFRANCE

Nous n'avons aucune explication de l'origine de la souffrance. La Bible ne nous renseigne pas sur ce point. Tout humain va la rencontrer sur sa route. Jésus, le Fils de Dieu, n'y a pas échappé.

On ne peut aborder ce thème qu'avec une grande compassion ; tant d'hommes et de femmes vivent douleurs et détresse. Il est cependant nécessaire de retrouver quelques repères pour se situer face à la souffrance [1].

Repères.

Nous savons avec certitude que la souffrance ne vient pas de Dieu. Elle fait partie du mal du monde et le mal ne vient pas de Dieu. « Pour le Christ, la souffrance n'est pas une alliée mais un adversaire, il n'a jamais eu aucune connivence avec elle [2]. »

Le Dieu de Jésus Christ ne se résigne pas à la souffrance humaine. Comme lui, en lui, les hommes doivent se battre de toutes leurs forces contre le mal [3]. Ils ne sauraient donc entrer dans un dolorisme malsain, ce que l'on appelle une « dérive sacrificielle », vivre sur des croyances erronées, des idées fausses. La souffrance en elle-même n'a pas de sens, elle n'est pas rédemptrice. C'est l'amour qui continue à fonder la vie malgré les démentis infligés par la souffrance, qui la rend constructive. « Ce n'est pas la souffrance du Christ, mais la foi, l'espérance et l'amour qu'il a gardés au cœur de ses souffrances qui nous sauve [4]. »

C'est la façon dont on va assumer la souffrance qui peut redonner un sens à sa vie, malgré le non-sens qu'y a introduit cette souffrance. C'est là une des clés essentielles pour comprendre comment se situer face à la souffrance.

---

1. Xavier THÉVENOT, *Souffrance, bonheur, éthique*, Salvator, 1992.
2. *Ibid.*
3. Adolphe GESCHÉ, *Dieu pour penser*, I, *Le Mal*, Paris, Éd. du Cerf, 1996.
4. Xavier THÉVENOT, article paru dans *La Croix* du 19 octobre 1996, « La souffrance écrase, c'est l'amour qui sauve ».

Différentes formes de souffrance : mise au jour, en mots, de sa souffrance spécifique.

Chacun va rencontrer une forme spécifique de souffrance et avoir sa propre route. Il peut y avoir une souffrance
– d'origine physique, due à une maladie, un accident, un handicap... ;
– d'origine psychique, liée à une situation douloureuse qui dure (vivre une relation de couple difficile, ne pas assumer la solitude, avoir une mère violente, un enfant dépendant de la drogue...) ou à l'angoisse, la dépression... ;
– d'origine sociale (isolement, chômage)... ;
– d'origine spirituelle (révolte envers Dieu, doute, difficulté dans la prière, crise dans la mission)...
Chacune de ces dimensions risque d'interférer sur les autres. Les souffrances peuvent venir du mal du monde, de l'événement, d'autrui. Il y a des souffrances qui sont de véritables tremblements de terre et peuvent écraser au moins pour un temps.

La souffrance vécue lors d'une blessure ancienne peut être dévoilée ou réactivée par les événements du présent qui sont en eux-mêmes douloureux.

La souffrance peut provenir de la compassion que l'on éprouve devant le mal du monde ou pour celui ou celle qui souffre et qui est proche [1]. Cette souffrance-là n'est pas aliénante, elle est une forme de partage du cœur. Elle peut être passive : on souffre avec l'autre, « on l'accompagne dans sa douleur, c'est un partage du pain, c'est-à-dire quelque chose qui se vit à deux [...] l'accompagnement est de l'ordre d'un repas où les deux convives mangent ensemble le même pain de

1. On pourra avec profit approfondir cette question de la compassion dans le chapitre VI : « La compassion, une réponse au mal » du livre de Xavier THÉVENOT, *Compter sur Dieu*, Paris, Éd. du Cerf, 1992, et dans l'article de Marie-Jo THIEL, médecin, théologienne, moraliste, « Souffrance et compassion » *Revue d'éthique et de théologie morale*, *Le Supplément* 196, mars 1996, Éd. du Cerf, p. 121-140, p. 157 et 183.

douleur [1] ». Il convient cependant de veiller à ne pas se laisser engloutir, détruire, par la souffrance de l'autre, de ne pas non plus devenir complice d'un mal par fausse compassion.

Elle peut être active : on cherche alors dans la lumière de l'Esprit des moyens de la soulager.

Bien des souffrances viennent de nous-mêmes, de notre désordre intérieur, de notre façon d'aimer sans repères, de notre relation mal située, de ce que nous attendons des autres, de nos blocages, des conséquences de tous ces chemins de mort que nous avons pu prendre à la suite de blessures mal vécues. Sur ces souffrances-là, nous avons une influence directe car nous pouvons alors nous engager dans un processus de vie.

Au cours du trajet d'évangélisation des profondeurs, se découvrent des souffrances qui n'ont jamais été mises au jour ni en mots, qui ont été enfouies au plus profond de l'être, qui sont devenues des lieux de mort. Elles peuvent entraîner des états dépressifs, une tristesse latente, un sentiment d'accablement, un non-désir de vivre... Ces souffrances du passé pèsent sur les personnes comme un poids présent. Elles n'ont pas été mises en mots, vécues comme elles auraient pu l'être et demeurent profondément destructrices. Il va y avoir une façon de les traverser, et donc d'assumer la douleur, dans la présence consolatrice et lumineuse du Christ qui va ouvrir un chemin de vie.

On découvre aussi des souffrances du passé qui ont été mises en mots, mais dont on n'arrive pas à sortir. Il importe d'aller mettre au jour ce qui se passe, ce qui a été mal vécu, les revendications que l'on entretient, la raison pour laquelle on demeure enfermé comme emprisonné, encerclé par le passé.

Ce qui était lieu de mort va devenir lieu de vie dans lequel une graine de fécondité va pouvoir être plantée et pousser doucement, à son rythme. Dans deux de ses livres, *Guérir du*

---

1. Marie-Jo THIEL, article cité.

malheur et *Le Pouvoir de pardonner*[1], Lytta Basset, professeur de théologie et pasteure, nous invite à explorer le moi
souffrant, à aller au fond du mal subi. En mettant à nu la blessure, en regardant vraiment ce qui s'est passé, il va être possible de laisser aller peu à peu la souffrance et de découvrir la
potentialité de pardonner dont tout être humain est investi.

Quel cheminement possible ?

Une fois que la souffrance a été mise au jour, la plainte
libérée, qu'en faire ? Comment la traverser pour que la vie
reprenne sens et vigueur, comment lutter contre l'aliénation
que représente la souffrance, comment découvrir un nouveau
mode d'être ?

La meilleure façon de lutter contre le mal est de créer de
la vie. Mais comment retrouver la vie au cœur de ce mal
qu'est la souffrance ? C'est en vivant le processus de deuil
que tout homme, toute femme, y parviendra.

Que la souffrance soit du passé ou du présent, qu'elle
commence à être mise en mots, ou soit pleinement reconnue,
il est indispensable de se poser à son sujet la question du
deuil : lors d'une séparation, d'une rupture, d'une perte,
d'un manque, d'un grand chagrin, ai-je pris le temps de vivre
un véritable deuil ? Comment l'ai-je vécu ? Suis-je resté en
cours de route ? Le mouvement a-t-il avorté ? Pourquoi ? Un
grand chagrin peut cacher une profonde révolte et vice versa.
Serais-je, sans me l'avouer, en révolte contre Dieu comme
s'il était la source du mal ? Ai-je traversé les étapes du deuil
dans la solitude, dans un désert intérieur ou dans la présence
miséricordieuse du Christ ? De quoi ai-je à faire le deuil ? En
ai-je précisé l'objet ?

Beaucoup n'ont pas vécu les étapes du deuil lors d'une

---

1. Lytta BASSET, *Guérir du malheur*, Paris, Albin Michel, 2000, et *Le
Pouvoir de pardonner*, Paris, Albin Michel, 2000.

souffrance du passé ; c'est pourquoi les conséquences de la souffrance sont encore destructrices. Si elle a été enfouie, le deuil n'a évidemment pas pu être vécu. Et même lorsqu'elle a été mise en mots, il arrive souvent que l'on ne sache pas comment la traverser, que l'on n'ait pas pris conscience de ce lent processus nécessaire, de ce profond labour qu'est un travail de deuil. Beaucoup de croyants pensent pouvoir s'en dispenser sous prétexte qu'ils ont la foi, ce qui est une erreur, une méconnaissance de l'incarnation.

Certains deuils se vivent paisiblement, d'autres sont beaucoup plus difficiles, notamment là où la révolte couve, ou la culpabilité apparaît.

Le premier fruit du travail de deuil est l'acceptation profonde du manque, de la perte, le consentement actif à la réalité. Il n'est complet que s'il se poursuit par l'accueil en soi de la vie du Ressuscité, de la forme de résurrection qui va être la sienne.

Le travail de deuil n'est pas une recette pour sortir de son chagrin, c'est un chemin de la Pâque qui va d'une forme de mort au retour à la vie. Chacun va voir son propre trajet ; l'essentiel est de ne pas passer à côté de cette étape de vie.

Il est bon de savoir que, bien souvent, la souffrance demeure mais elle est devenue paisible, elle ne détruit plus, n'empêche plus de vivre. Elle est apaisée par la découverte de la tendresse du Père au cœur de l'épreuve ; la source de la compassion a été touchée, dévoilée, illuminée de paix, de compréhension pour l'autre. Après le temps de la douleur, beaucoup accueillent le beau ministère de compassion qui leur est donné pour réconforter, accompagner dans leur chagrin, ceux et celles qui peinent sur la route.

Trajets.

Christophe exprime son mal-être : « Je suis raide, j'ai l'impression d'être enfermé dans une carapace, encerclé par une muraille. J'ai un grand désir de don, mais mon entourage me dit que je suis rigidifié. J'ai beau essayer de m'assouplir, je ne peux pas. – Que t'est-il arrivé, peux-tu retourner dans le passé ? Qu'est-ce qui te vient à l'esprit comme cela, sans chercher ? – La mort de mon père. J'avais sept ans. C'était pendant l'Occupation. Dans notre quartier un officier allemand a été abattu. Trente otages ont été pris et fusillés, mon père se trouvait parmi eux. J'étais à l'école quand cela est arrivé. En rentrant de classe j'ai trouvé le prêtre de la paroisse à la maison. Il annonçait la mort de mon père et disait à ma mère que les corps se trouvaient sur le trottoir mais qu'on allait les y laisser un certain temps pour servir d'exemple. – Comment as-tu réagi ? – Tout ce que je sais, c'est que je n'ai pas pleuré. Je ne me souviens pas de la suite. Je ne sais même plus si j'ai été à l'enterrement. La vie a ensuite été dure pour nous ; nous étions une famille nombreuse et ma mère avait peu d'argent, cela je m'en souviens. »

Christophe a enfoui cet événement dramatique dans sa mémoire. Il n'a vécu aucun deuil et les émotions intenses qui auraient dû se vivre ont été ensevelies dans le fond de son être : comment toucher à un tel drame ?

« Tu as un deuil à vivre. Peux-tu essayer de revivre ces événements dans la présence, dans la grâce du Christ – qui lui aussi a été exécuté –, dans la miséricorde du Père qui accompagne ses enfants dans tous les dangers de la vie ? » Christophe, sans plus attendre, entreprend le travail de deuil. Il raconte par la suite qu'il a commencé par visualiser toute la scène, l'annonce de la mort, il a touché le cercueil ; pour la première fois de sa vie il a pleuré pendant des jours et des jours, il n'arrêtait pas de pleurer et finissait par en être humilié : « Je me trouve lamentable. Est-ce normal de pleurer autant, de ne pouvoir contenir ses larmes ? – Tu vis là une véritable guérison, surtout n'arrête pas le mouvement, laisse-le se déployer, n'y mets aucun frein, pleure tant que les larmes viennent. » Après ce temps des larmes, Christophe pensait avoir terminé le travail de deuil. C'est alors que monte en lui la haine, une haine farouche contre ceux qui avaient fusillé son père : « Pourquoi lui, qui n'avait rien fait ? » Il est effrayé de cette irruption de violence et demande à éclairer ce qui se passe en lui. Il avait oublié que la colère fait partie des étapes du deuil : « Tu as à la vivre jusqu'au bout, mais vis-la dans la présence, ne te coupe pas de Dieu, ne la barre surtout pas, tu peux crier ta révolte, hurler ta haine devant Dieu, invente ton propre psaume, celui qui correspond à ton histoire. »

À la fin de ce trajet qui a duré près d'un an, Christophe a accompli, parachevé son parcours en posant un acte de pardon pour l'officier allemand qui avait donné l'ordre de fusiller des otages. « Au cours d'une eucharistie, dit-il, ce pardon est entré en moi comme un signe visible de la présence de Dieu, de sa compassion pour tout humain. Ce pardon est tombé comme un fruit mûr ; c'est à ce moment qu'il pouvait être posé. »

Après cela Christophe a été pacifié : une paix incroyable s'est installée en lui. « Quelque chose a fondu, dit-il, comme si tout en moi devenait souple. Je me sens encore un peu fragile, mais je sais que le parcours est fait, j'ai traversé ce que j'avais à vivre. Je me rends compte maintenant que je vivais dans une insécurité permanente, sous la menace d'une catastrophe impossible à prévoir qui pouvait m'anéantir à n'importe quel moment de ma vie. Mais je n'ai plus peur de la souffrance, je sais maintenant que, si je tombe dans un trou, Dieu sera là, avec moi. »

Le manque total d'amour. Oui, le deuil de l'amour parental est possible. Témoignage de Manon.

Manon a participé à un cycle de sessions d'évangélisation des profondeurs. C'est volontairement, pour respecter la vérité de son trajet, qu'est laissée ici la chronologie des passages qu'elle a parcourus. Ce témoignage rappelle combien l'acceptation de la réalité peut être douloureuse, prendre du temps, se vivre par étapes.

« Ah, le rêve d'avoir une mère qui m'écouterait, me consolerait, m'embrasserait, me choierait ! En apparence toujours contente et dotée d'une joie de vivre incroyable, j'ai avancé dans la vie pendant cinquante-six ans en spectatrice de la vie des autres, suffisamment mal dans ma peau cependant pour, sans cesse, rechercher l'amour, la tendresse qui m'ont tant manqué.

« C'est à cinquante-quatre ans que j'entreprends de suivre les sessions d'évangélisation des profondeurs où je reçois : *Tu es créée et aimée depuis toujours et pour toujours.* C'est la découverte extraordinaire qu'avant ma mère, Quelqu'un m'a désirée ! C'est un baume ! Une joie formidable m'envahit ! Maintenant je sais que quelqu'un m'aime ! Et, forte de ma foi, je vais petit à petit m'enraciner dans ma vie, et découvrir à quel point j'ai survolé toutes ces années.

« En fin de première session, je pose l'acte de foi suivant : "Le Royaume c'est maintenant ; Dieu m'accueille à chaque instant là où j'en suis, il n'y aura jamais de rejet. Dorénavant je peux tout accueillir dans la sécurité". Et je repars avec l'envie de guérir, de ne plus être seulement spectatrice de ma vie ! Enthousiaste, impatiente, sans savoir quoi faire, comment faire, pour être moi.

« Lors de la deuxième session, je m'aperçois que je n'arrive toujours pas à nommer avec exactitude ma blessure et ce, malgré cinq années de psychanalyse vingt-cinq ans plus tôt ! Quant à ouvrir au Christ ce qui a été vécu afin qu'il puisse transformer toutes les émotions : je comprends ce qui est demandé mais rien de plus. J'enregistre également que nous devons sans cesse faire des deuils. Qu'est-ce que cela veut dire ? Quels deuils ai-je à faire ? Je ne vois pas du tout ce qui m'est demandé. Je comprends que je me suis beaucoup protégée en vivant "au bord" des gens, des choses, essayant d'éviter tous risques.

« J'apprends que le manque fait partie de la vie et que

l'issue n'est pas de combler le manque mais de le vivre en Dieu et de ne pas s'immobiliser dans un événement de notre histoire ! Un événement ? Mais pour moi c'est *toute* ma vie ! Vont s'ensuivre beaucoup de tâtonnements, je n'arrive même pas à définir quelle est ma réelle souffrance, ma réelle blessure : l'abandon, le rejet ? Nouvel acte de foi : ma vie est ma vie. Je ne peux pas la changer. J'ouvre à l'Esprit la porte de mes peurs et je lui demande de venir combler les manques ! Je n'ai pas encore compris que Dieu ne fait pas notre chemin pour nous ! Il nous veut libres !

« Lors de la troisième session je m'aperçois que j'éprouve toujours la peur de Dieu, d'être punie, de n'être pas à la hauteur ! Je ne me fais pas accompagner et je perds un temps précieux. »

Un an après les sessions.

« Huit mois après les trois sessions, je me fais enfin accompagner et suis éclairée sur ma blessure, que je reçois cette fois comme une évidence : Oui j'ai été NIÉE. Sur moi plane depuis le début "l'interdit d'être" mis par ma mère. Cependant, c'est seulement un an plus tard que cette notion prendra tout son poids pour moi ; je me rendrai compte alors de la gravité du vide qui m'a entourée. J'ai donc à faire le deuil d'une mère aimante et mon accompagnatrice va me proposer d'ouvrir mes souffrances à la présence du Christ. J'hésite. J'ai trouvé une sorte d'équilibre et je redoute d'être bousculée ! En effet, je n'ai pas l'impression d'avoir souffert puisque je n'avais pas d'autres références ! Je demande à l'Esprit Saint de m'éclairer. »

Deux ans après les sessions.

« Lors d'une retraite, il m'est donné de ressentir à quel point il faut laisser le Seigneur agir en nous quelles que soient les circonstances ; être à l'écoute : cela revient à réfléchir et à s'impliquer dans chaque moment de notre vie, donc à se respecter, à ne pas se nier ! Car, c'est bien joli d'être presque toujours contente, mais où est le vrai choix dans une telle attitude, la vraie implication de soi, la vraie incarnation ? Ce n'est pas être présente à ma vie, à mon désir profond ! Finalement il faut… *choisir la vie !* Quel choc : je n'avais jamais pris conscience avant ce jour à quel point je n'ai encore jamais choisi de vivre ! Je choisis de vivre avec le Seigneur ! Je savoure ce palier avant de poursuivre ma route le cœur un peu plus ouvert. Je m'épuisais à tourner en rond ! »

Quatrième session, avril 2002.
Approfondissement des trois premières sessions.

« J'ai bien nommé ma blessure. Ma fausse route principale est la toute-puissance : je n'obéis qu'à moi-même depuis fort longtemps, ce qui m'empêche de déployer mes talents car j'exerce cette toute-puissance pour me surprotéger, pour combler mes manques, sans discernement en ce qui concerne la nourriture par exemple. Et toujours les reculades : Ai-je vraiment à choisir de vivre, j'ai bien dû faire ce choix un jour ! Quatre mois après je discutais encore le besoin de faire ce choix !

« Le Seigneur va soudain me secouer : lors d'un entretien, mon accompagnatrice me dira tout à coup et d'une manière très ferme : "Avec ce que tu as vécu, tu ne peux pas continuer à dire : Tout va très bien madame la Marquise ! Ce n'est pas possible ! Finalement pourquoi fais-tu ce chemin ? Qu'est-ce que tu cherches ? Il y a une souffrance en toi. Le fait de tout le temps dire 'Je suis contente' : est-ce un masque ou est-ce vrai ? Si tu le peux et si tu le veux tu vas poser un acte très simple, celui d'accepter de retraverser ta souffrance inconnue avec le Christ." Ah, le choc ! Après quelques minutes, pas très à l'aise, j'accepte cependant de poser cet acte : le oui à la traversée de mes souffrances… Mais comment oser cet acte ? Après cet entretien, je me sens perdue, découragée, choquée, emplie de douleur ; la Parole de Dieu qui me donne envie de franchir un pas est : *Si tu savais le don de Dieu !* et *J'ai placé devant toi une porte ouverte que nul ne peut fermer* (Ap 3, 8). Elle m'invite à adhérer à la loi de l'unité de l'être humain afin de réveiller en moi la partie anesthésiée. Le pas est posé, j'accepte le travail de deuil, je consens à retraverser ma souffrance avec le Christ et je m'engage à redire ce oui jusqu'à la libération de cette part de moi-même. J'emporte avec moi la certitude que la traversée de mes souffrances va se faire avec Jésus et j'ai toute confiance. »

Quatre mois après avoir fait ma démarche.

« Quelques jours après, mon corps s'est totalement verrouillé, le plexus est très douloureux, tout est coincé. Les jours passent, je fais et refais ma démarche chaque jour, disant oui au Seigneur pour qu'il m'accompagne dans cette retraversée, qui est en même temps une découverte de ce que j'ai vécu bébé. Je ressens une grande confusion, je ne sais plus quoi faire, quoi demander, comment prier, je me sens submergée : par quoi commencer ? Un sentiment de désordre m'envahit et je recommence à douter : quelle est ma blessure réelle ? quelle est ma peur, quelle est ma fausse route, quelle est ma forme de toute-puissance ? J'ai l'impression de régresser. Je ressens un grand sentiment d'injustice à mon égard, un grand dommage, irrattrapable. Je commence à comprendre l'inconscience de ma mère vis-à-vis de l'enfant que j'étais et à revivre la peur suscitée par la solitude et le manque d'amour qui a entouré le bébé que j'ai été. Les larmes coulent et, grâce à elles, les crampons se desserrent. Le deuil commencerait-il ?

« Je ne l'ai pas eu, je ne l'aurai jamais cet amour maternel. Le pincement au cœur, les sanglots, les larmes coulent, coulent, c'est vraiment dur ! Je ne pourrai jamais dire "je t'aime" à ma mère ni l'entendre de sa part, cela me déchire et je me surprends à dire au Christ : même toi, tu n'as pas eu à vivre ça ! Et cela dure… mais il m'est donné tout à coup de comprendre que je suis dans la revendication ! En effet, si ma mère était morte, je n'attendrai plus rien, cela serait plus facile. Si je me révolte tant, si ce deuil n'en finit pas c'est qu'elle vivante, j'ai encore espoir, non qu'elle change, mais de pouvoir lui faire ressentir ce que j'ai subi ! Eh bien… c'est inutile, cela ne sera pas, et mon deuil va devoir se faire, avec Jésus, dans un immense chagrin.

« Trois mois après la démarche, je suis encore dans le chagrin et la douleur. Le mot "confiance" me reste présent. J'ai cela à vivre. Je viens de comprendre que je suis en train de faire le deuil de la mère idéale. Je sais maintenant que je vais devoir aller jusqu'au bout de ma souffrance.

« Puis il m'est donné à penser que beaucoup de choses ont dû être dites au sujet de ce bébé qui arrivait au sein d'un couple non marié il y a cinquante-six ans ! Pensées pessimistes de la part de tous : peur du qu'en dira-t-on, crainte du futur… Et je comprends que ces peurs font partie de moi mais qu'étant fondées sur les pensées des autres, c'est cela qu'il faut mettre dehors ! Cela ne m'appartient pas. Je remets donc ces pensées au fleuve d'Ézéchiel afin que tout soit purifié. Place à mon moi positif qui a tant été canalisé, à l'espoir, à la confiance ! Mon Dieu, je ne sais pas ce qui va changer en moi, je ne sais pas où tu me conduis avec cette confiance mais je te dis oui ! En effet, la Parole de Dieu est qu'il m'aime depuis toujours, qu'il n'a pas de crainte pour moi, qu'il me fait confiance parce que pour lui j'existe avec mes désirs, en tant que créature humaine voulue par lui. Et finalement… à cinquante-six ans, j'ai assez de recul pour savoir à quel point il m'a protégée et je peux me laisser aller dans la confiance.

« Et je vais m'installer dans un temps de repos et de silence ; je me sens bien au puits de la Samaritaine. Je comprends que je me suis épuisée dans ma toute-puissance.

Il me vient : accepte tout simplement d'être, tranquillement, seulement ça pour le moment. C'est une sensation de soulagement.

« Chaque jour je revis un manque, quelque chose que je n'ai pas reçu, et ça fait mal car c'est pour toujours ! Je pleure sans cesse, mais pas de désespoir ; seule la sensation que mon rêve d'une mère aimante ne sera jamais qu'une illusion est responsable de ces larmes. La colère tombe rapidement pour laisser place à la souffrance à l'état pur. C'est ça le deuil ! Combien de temps encore ? Mais il est vrai que, plus cette douleur s'exprime, plus je me sens légère. C'est quand même un signe évident que l'Esprit est à l'œuvre que de découvrir et de vivre ma blessure inconnue ! Puis la douleur et les regrets s'estompent.

« Cette traversée difficile de la souffrance de mon histoire me permet alors, et seulement à ce moment, de renoncer à la toute-puissance que j'ai découverte en moi. Elle est seconde, elle s'origine dans la douleur d'avoir été niée par ma mère, et c'est bien par là qu'il fallait commencer. Je pose également un acte de déliance vis-à-vis de mes aïeux et de mes proches. J'ai un grand besoin de liberté et je désire me rendre disponible au travail de l'Esprit Saint à qui je demande instamment de m'apprendre à collaborer avec lui.

« Je me visualise bébé dans les bras du Christ, me laissant porter, et ce matin, le bébé s'est retourné vers le Christ se calant volontairement vers sa poitrine, plus seulement porté sur le dos, à bout de bras. C'est le "oui, je choisis la vie". Une nouvelle preuve m'est ainsi donnée que l'Esprit Saint était bien à l'œuvre car j'avais dit ce oui il y a quelques mois, et encore une fois, cela se fait "tout seul" ; nous n'avons qu'à nous laisser faire.

« Accepter définitivement ma mère telle qu'elle est équivaut à consentir à perdre la mère dont je rêvais, l'image idéale de la mère que je poursuivais avec tant d'acharnement. En fait, j'ai pris conscience que cela signifiait pour moi perdre définitivement ma mère et cela m'était insupportable, me terrifiait.

« Aujourd'hui je peux accepter de perdre définitivement cette mère idéale – qui n'existe que dans mon imaginaire –, d'accepter ma vraie mère dans sa réalité, sa blessure, son poids d'histoire, ses failles. Elle m'a transmis la vie qui vient de Dieu, elle a été passeur de vie, et je l'honore en ce sens. Je la confie avec soulagement à l'amour du Père, je n'exige plus qu'elle change, qu'elle m'aime comme je voudrais qu'elle m'aime.

« Depuis 1999, l'Esprit aura œuvré malgré mes tâtonnements, mes demandes maladroites. Il aura fallu trois longues années pour arriver à l'acceptation de la perte de l'image idéale de la mère car désormais, tournée vers Jésus, en confiance, reposant tranquillement dans ses bras, je peux dire oui à la vie et faire mon chemin.

« Le Seigneur m'a permis de "retisser" une partie de ma vie. Ce raccommodage permet de s'ancrer solidement en Dieu et de faire le joint avec le présent. La trame se retisse au fur et à mesure que l'on retraverse les souffrances enfouies. Pour que ce raccommodage devienne un pont de pierre solide, il est, sans aucun doute, enrobé de l'amour de Dieu. Cela est fait. Je ne ressens rien de particulier, mais puisque c'est déjà donné, je demande au Seigneur et à Marie de m'apprendre à accueillir ce don. Pour l'instant, intellectuellement et en toute foi, je sais que l'amour de Dieu m'est acquis.

« Une dernière image : jusqu'à maintenant j'ai été une sorte d'ectoplasme traversant la vie sans "être" réellement, avec dessous, bien tendus, les immenses bras de Jésus offrant une protection absolue en cas de chute. Aujourd'hui, j'ai un corps, je suis debout sur un chemin et derrière moi, sans me toucher, prêt à me soutenir, se trouve la main de Dieu.

« Pour vivre ce deuil, il m'aura fallu revivre les souffrances que j'avais si fortement anesthésiées dès ma naissance. C'est comme défricher un lopin de terre, il faut faire le travail en plusieurs fois avec des temps de repos au cours desquels les doutes vous assaillent : cela vaut-il la peine, vais-je un jour trouver la bonne terre où les graines que je désire semer vont enfin pouvoir produire du fruit ? Je pense qu'une fois appuyée sur le Christ, certaines mauvaises habitudes devraient "tomber" facilement puisque rien ne s'obtient dans la contrainte. Je le vérifie déjà quatre mois après ma démarche : je n'ai plus ces compulsions me poussant vers la nourriture. Avec Dieu tout est vraiment possible, et laisser son cœur profond ouvert, demander l'aide de l'Esprit Saint sont bien des actes à la portée de chacun. Dieu nous relève complètement. »

LA VIOLENCE [1]

Beaucoup croient n'être pas concernés par ce problème de la violence parce qu'ils n'en perçoivent aucune manifestation en eux-mêmes. Cependant la violence peut se vivre sous des formes déguisées et subtiles. Elle peut en effet se cacher derrière une façade de douceur, un oui extérieur et un non intérieur, un trop grand contrôle de soi, un comportement de silence, une revendication d'indépendance, d'individualisme ou au contraire une apparence de fragilité, une façon d'aider l'autre qui en fait l'emprisonne...

La violence cachée occasionne de graves dégâts ; si elle n'est pas reconnue, mise en mots, elle risque de se projeter sur l'autre de façon anarchique ou de se retourner contre soi.

---

1. Cet exposé doit beaucoup aux enseignements oraux de Marie-Madeleine Laurent et de Marie Ribereau-Gayon, psychologues, donnés lors de différentes rencontres avec les accompagnateurs et accompagnatrices de Bethasda.

De quoi est faite la violence ?

Il est indispensable de commencer par aborder la notion d'agressivité. L'agressivité est une énergie fondamentale de l'être humain. Elle lui est indispensable. « Elle désigne l'aptitude de l'individu à affronter, par la résistance et la lutte, les obstacles se dressant sur son chemin, elle est la capacité de s'adapter aux circonstances [1]. »

Sans elle nous ne pourrions pas vivre, ni défendre notre vie, ni la protéger de la destruction.

Il est de notre responsabilité de ne pas nier notre agressivité, de la gérer, de lui permettre d'exercer sa fonction dans notre vie.

« L'agressivité devient violence lorsqu'elle passe la mesure », qu'elle n'est plus orientée ni cadrée, qu'elle est « déréglée » : elle devient alors destructrice [2].

Et c'est ce point-là que nous avons maintenant à mettre en clarté : notre agressivité produit-elle de la vie, ou s'est-elle transformée en violence, en germe de mort ?

Apprivoiser sa violence.

Au lieu de la verrouiller, il va s'agir d'aller doucement à sa rencontre ; au lieu d'en avoir peur, de l'apprivoiser en la mettant en mots. Il est possible de commencer à sortir de la peur de sa violence en se posant quelques questions simples : que m'est-il arrivé ? Est-ce que j'aurais des raisons d'avoir en moi un sentiment de violence ? D'où viendrait-il ? À qui s'adresse cette violence, contre qui est-elle dirigée ?

Commencer à mettre des mots sur la violence va permettre de prendre une certaine distance avec elle au lieu de

1. Jean-Louis BRUGUÈS, *Dictionnaire de morale catholique*, Chambray, CLD, 1991, p. 454.
2. *Ibid.*

vivre sous la menace ; on va avoir le courage d'explorer cette part de soi que l'on n'ose affronter.

Lever l'interdit : s'autoriser à se reconnaître violent.

S'autoriser à se reconnaître violent ne signifie pas que l'on va se permettre d'agir sa violence contre un ou une autre : la réalité du sentiment de violence est mise au jour, sans peur d'une possible condamnation, ce qui est un grand pas sur le chemin de liberté intérieure.

La violence est seconde, elle est la conséquence de ce qui est arrivé dans l'histoire. Quiconque est violent est un être qui a été blessé, en général gravement. C'est un grand apaisement de comprendre cela. Sans s'en rendre compte on inverse le mouvement de guérison : on exclut de l'amour, de la miséricorde de Dieu, cette part de soi jugée indigne alors que précisément on devrait la laisser habiter de lumière et de tendresse. Ceux qui découvrent une zone de violence en eux-mêmes ont aussi besoin de consolation, ce sont d'abord des souffrants. Bien souvent d'ailleurs la violence cache la souffrance : on est violent parce qu'on ne se donne pas le droit de pleurer, et vice versa.

« Je suis venu sauver ce qui est perdu, dit le Christ (Lc 19, 10). C'est moi, n'aie pas peur. Il y a si longtemps que je frappe à la porte de cette haine qui couve en toi ; laisse-moi entrer et baigner de l'huile de l'amour ce qui a besoin d'être apaisé, soigné. »

À partir de cette liberté nouvelle il va être possible d'accepter un éclairage imprévu sur soi et de descendre peu à peu au fond de ce qui nous fait si peur. C'est l'invite qui est faite au fils aîné de la parabole du père et des deux fils (Lc 15, 25-32). Il crie à son père sa révolte, son refus de faire la fête pour le frère cadet, ce voyou qui a dilapidé l'héritage dans une inconscience totale et qui revient à la maison après son échec. Sa violence éclate : elle provient très probablement de sa rivalité cachée avec son cadet ; il est probable qu'il ne se connaissait pas violent ; apparemment il vivait le calme plat. Mais le père lui dit : « Toi, mon enfant, tu es toujours avec moi et tout ce qui est à moi est à toi » (Lc 25, 31).

C'est en gardant précieusement en soi la façon dont au cœur de sa vie on est toujours appelé « mon enfant », avec l'assurance donnée que le Père est toujours avec soi, quoiqu'il arrive, que l'on va explorer sa terre de violence.

Les racines de la violence.

Quand, comment, pourquoi la violence s'est plantée en soi ? À partir de quelles blessures ? Comment ai-je réagi à ce qui est arrivé ? Comment aurais-je dû réagir ?

La réponse à ces questions va permettre d'entreprendre le chemin de retour : on n'est plus dans le vague, on commence à comprendre ce qui s'est passé en soi, c'est de ce point-là que l'on va partir pour vivre ce qui aurait dû être vécu et a été enfoui. La mise au jour du point d'origine va désamorcer la peur de la violence aveugle et permettre de trouver l'issue.

La racine de la violence se trouve essentiellement dans *l'impuissance à gérer ses affects, à exprimer ses besoins, à en recevoir satisfaction.* La violence risque d'apparaître à partir de toutes les situations où on ne parvient pas à s'affirmer, ni à être entendu, ni à résoudre un problème, où l'on se ressent en mauvaise dépendance d'autrui [1].

Elle a pu notamment s'installer à partir de :

La peur.

À la racine de la violence on trouve fréquemment la peur. Là encore, il importe d'être précis. La peur de quoi :
– d'être abandonné, rejeté par le père ou la mère,

---

1. Isabelle FILLIOZAT, *L'Intelligence du cœur*, Paris, Éd. Marabout, 2001.

– de voir sa place prise par un autre (la naissance d'un autre enfant par exemple), de ne pas avoir de place dans la fratrie, de ne pas parvenir à trouver sa place spécifique,

– d'être inexistant,

– de n'être pas reconnu pour ce que l'on est, d'avoir déçu (un enfant qui naît avec un handicap même léger ; on attendait un garçon, c'est une fille)…

L'atteinte de son image, l'humiliation.

L'atteinte de sa dignité, sa réputation, sa valeur.

L'atteinte de sa liberté.

Déni du droit à une existence autonome : amour dévorant, menaçant, qui ne respecte pas les distances, caché sous le masque, l'apparence d'un amour vrai, frustration de n'avoir pas d'emprise sur sa propre vie, écrasement des désirs les plus authentiques.

La convoitise.

Vouloir avoir ou être ce qu'a ou est l'autre (affection, reconnaissance, beauté, intelligence…). La comparaison est à la base de la convoitise et va entraîner deux formes de violence :

– une violence passive, dirigée contre soi – la dépréciation de soi qui est une façon de refuser d'affronter la vie avec ce que l'on a, ce que l'on est [1].

– une violence active dirigée contre l'autre : la rivalité qui va consister à s'approprier ce que possède l'autre, ou à l'empêcher d'en jouir, à le « tuer » d'une façon ou d'une autre (en le niant, le culpabilisant…), à prouver par tous les moyens que l'on est le ou la meilleur(e) et donc digne d'amour…

---

1. La dépréciation peut avoir d'autres causes que la convoitise.

L'injustice subie.

L'impuissance devant l'injustice subie risque d'entraîner la révolte.

Les relations « gelées ».

N'être ni entendu, ni compris, avoir l'impression de se heurter à un mur, peut susciter un sentiment de violence. Ainsi, avoir fait un trajet de vérité sur soi, être sorti de l'aveuglement, s'être mis en route sur le chemin de retour et se trouver face à quelqu'un qui ne bouge pas, refuse toute remise en question, culpabilise celui ou celle qui essaie d'éclairer la relation, c'est une rude épreuve. On peut alors entrer dans une grande violence interne.

Il s'agit avant tout d'avoir du discernement, d'apprendre à ne pas s'épuiser en vain, à se situer pour préserver sa liberté intérieure, devenir soi-même, être capable de ne pas endosser des culpabilités qui ne sont pas les siennes.

Vivre la liberté intérieure dans la relation en respectant celle de l'autre fait partie de la Pentecôte de la relation [1]. Cette relation de vérité dans l'amour, vécu dans le couple, dans une équipe de travail ou une communauté, expose certes à des affrontements et des bousculades, mais il est certain que la violence va fondre peu à peu.

La révolte.

La révolte devant des conditions de vie trop dures, devant l'inacceptable, un lourd handicap physique, la mort d'un être cher, les ruptures, un environnement oppressant, honteux, menaçant ou totalement passif, peut être destructrice si elle s'installe, perdure.

---

1. Simone PACOT, *L'Évangélisation des profondeurs*, t. II, *Reviens à la vie !*, p. 157-175.

Les mauvais interdits.

Quatre comportements peuvent être à l'origine d'une intense violence cachée.

L'interdit de s'exprimer en vérité : se taire alors que l'on devrait parler, ne pas être autorisé à exprimer sa façon de voir ou de penser, son désaccord, garder tout par-devers soi…

L'interdit de conflit et d'affrontement : imposé de façon explicite ou tacite au nom d'une fausse conception de l'unité, de la paix, par peur du rejet, de la violence de l'autre, par souci de ne pas porter un contre-témoignage, alors que le conflit fait partie de la vie et que le témoignage d'un fils, d'une fille de Dieu est de savoir vivre un conflit en amour et en vérité avec les armes de la non-violence.

Le refus des différences : ne pas avoir le droit de développer sa différence, ne pas accueillir la différence de l'autre…

L'interdit d'exprimer ses émotions. Ainsi les anciennes colères qui n'ont pas été éclairées, assainies, sont toujours là, très actives et vont se projeter sur des personnes de substitution.

Il y a bien sûr de nombreuses autres causes de violence. Il est bon d'être clair avec soi-même, de connaître ses fragilités, ses peurs, ses façons de réagir à l'événement, les causes d'une agressivité qui déborde et devient destructrice, car bien souvent on découvre sa violence à partir d'un événement. À chacun d'aller explorer ce terrain, d'ouvrir à la lumière du Christ les deux bouts de la chaîne, les racines de la violence en soi, et les formes qu'elle prend pour se manifester sans se dire vraiment : c'est cette terre-là que le Christ va aller visiter. C'est là qu'il doit entrer, c'est ce qu'il doit toucher pour nous libérer car, sans le savoir, nous sommes esclaves de cette violence cachée.

Comment a-t-on réagi à la blessure ? Qu'a-t-on fait de la violence née de la blessure ?

Les formes extérieures de la violence non reconnue.

Ce n'est pas parce que l'on nie, verrouille sa violence qu'elle a disparu ; elle est là, bien vivante mais va s'exprimer sous des formes ambiguës que l'on ne rattache pas du tout à la violence, auxquelles on ne donne par leur vrai nom. La violence peut se vivre :
– dans le désir, qui devient la convoitise ;
– dans l'intelligence de celui ou celle qui impose sa pensée, est sûr de détenir la vérité ;
– dans l'affectif : on trouve là toutes les formes d'emprise, de possessivité de fusion, de chantage affectif ;
– dans la parole : sous prétexte de vérité, elle peut tuer, calomnier, devenir instrument de vengeance ;
– dans le silence aussi : il peut être enfermement, menace, source d'insécurité : ne jamais savoir ce que l'autre pense est une source d'angoisse ;
– dans le regard lorsqu'il nie l'autre, le juge, l'accuse, l'enferme dans une lucidité féroce ;
– dans un sens exacerbé de la justice qui cache un règlement de comptes permanent ;
– dans le retournement contre soi-même…
En effet, *la violence peut se retourner contre soi*. La violence contre l'autre que l'on ne s'avoue pas, va se retourner contre soi ; on risque alors de se mépriser, se déprécier, se laisser détruire ou s'autodétruire, en entretenant de fausses notions du sacrifice, de l'expiation, de la réparation, en induisant des accidents, en vivant des tendances suicidaires, en entrant dans toute la gamme des maladies psycho-somatiques…
La dépression peut avoir comme origine une violence contre l'autre, cachée et non reconnue, qui se transforme en haine de soi.

On retrouve la violence dans la plupart des formes de la toute-puissance – y compris dans un parti pris d'inertie.

Elle peut se cacher derrière une apparence de fragilité : c'est ce que l'on appelle le pouvoir des faibles, de ceux et celles qui profitent de leur état pour exercer une véritable domination sur leur entourage.

La violence peut aussi se nicher derrière une forme de sur-protection qui est en fait un emprisonnement de l'autre, dans une façon d'imposer sa conception du bonheur, de la vie, ce que l'on pense être un chemin de vérité, d'interférer dans la vie d'autrui pour l'aider selon ses propres vues, sans écouter sa demande réelle, dans une façon de revendiquer que l'autre change selon ses idées, de le culpabiliser.

La violence peut se glisser dans la vie spirituelle. Chercher à mettre la main sur Dieu, se lancer dans une ascèse insupportable pour vivre des expériences fortes, revendiquer, vouloir capter une guérison, conquérir l'amour de Dieu à coup de mérites, sont des formes de violence.

Reproduire contre l'autre la violence qui est en soi et que l'on n'a pas reconnue est un comportement fréquent. C'est ce qui arrive à des parents qui ont été battus et qui, à leur tour, battent leurs enfants. Il peut y avoir plusieurs raisons à cela :

– le seul modèle parental a été un père ou une mère violent ; beaucoup vont identifier ce modèle : c'est ainsi, croient-ils, que l'on exerce sa fonction de parents ;

– un enfant battu est passif, il subit : en reproduisant la violence sur un autre, on devient actif, on ne subit plus ;

– certains parents se vengent en quelque sorte sur leur enfant : pourquoi serait-il mieux traité que je ne l'ai été ?

Beaucoup de parents qui ont été des enfants battus sont désespérés de se rendre compte qu'ils battent leurs enfants : ils ne comprennent rien à ce qui se passe, ils n'ont pas été au fond de la violence accumulée en eux à leur insu et qui est toujours là, prête à se manifester.

Trajets.

Daniel a l'intention de divorcer et arrive en entretien pour essayer de clarifier ses motifs. « Je suis sûr qu'il est bon pour moi de me séparer de ma femme. C'est l'aboutissement de mon chemin de liberté. Je lui dis fréquemment : quand je déciderai, je partirai. Cependant je ne peux me décider à partir, je voudrais bien savoir ce qui se passe, je vis un réel tourment. »

Daniel n'a aucune conscience de la violence de la menace qu'il fait peser sur la famille en disant que, quand il l'aura décidé, il partira. Il entreprend la relecture de son histoire et commence par dire qu'il ne lui est rien arrivé de grave. « Cependant, dit-il, j'ai un souvenir précis mais je ne sais pas s'il est important. J'avais six ans, je partais à l'école. Maman était dans la salle de bains. Elle m'annonce qu'elle va partir le jour même pour aller vivre avec un autre homme que mon père, et qu'en rentrant de l'école nous devrions, ma petite sœur et moi, aller habiter chez grand-mère » – la grand-mère paternelle. – Comment as-tu réagi ? – Je n'ai eu aucune réaction, je suis allé à l'école et ensuite nous sommes partis habiter chez grand-mère où mon père nous a rejoints. »

Daniel croit avoir vécu sans problème cet événement. En fait, il a été sidéré par une annonce tout à fait inouïe, brutale, à laquelle il ne s'attendait absolument pas. Le choc a été si rude que l'émotion a été totalement « anesthésiée ». La vie chez la grand-mère est très difficile pour lui. Sa grand-mère le rejette – il ressemble beaucoup à sa maman – alors qu'elle gâte la petite sœur. Elle lui prédit sans arrêt qu'il prendra le même chemin que sa mère, qu'il ne fera jamais rien de bon : « Toi, tu es bien du côté de ta mère, tu ne vaux rien. » Daniel n'exprime aucun de ses sentiments bien que sa mère ne cherchera jamais à le revoir. À douze ans, le jour où l'on fête l'anniversaire de sa sœur, il lui lance de toutes ses forces un couteau à travers la table. Le couteau frôle le visage de l'enfant qui par miracle n'est pas touchée. Daniel est terrorisé par l'acte posé. Il va au sacrement de réconciliation, s'engage intérieurement à ne jamais plus être violent.

En laissant remonter ce souvenir traumatisant, il prend tout à coup conscience qu'il a toujours le couteau en main ; il le brandit comme une menace permanente dans son foyer : « Quand je voudrai, je partirai. » La violence est toujours là, bien entendu, et elle s'exprime de cette façon. Il l'a enfouie au fond de son être sans que personne lui explique combien il était normal qu'il ressente souffrance et révolte du fait du comportement de sa mère, de sa grand-mère, de son père qui ne l'a pas aidé à comprendre ce qui se vivait en lui, qui n'a jamais évoqué le brutal départ de sa femme.

Daniel découvre comment la violence s'est installée en lui au cours de son histoire ; il apprend que le fait de l'avoir verrouillée ne pouvait en aucune façon la faire disparaître ; il n'est donc pas étonnant qu'elle réapparaisse dans sa vie de couple. Il est alors pacifié car il sait maintenant ce qui se passe en lui, ce qu'il est en train de vivre et c'est un grand soulagement.

Il décide alors d'aller à la rencontre de son passé, de regarder en face ces intenses émotions qui se sont plantées en lui, de commencer au moins à les mettre en mots. Il apprend peu à peu comment laisser le Christ œuvrer au cœur des chocs émotionnels qui l'ont profondément atteint, des graves blessures qu'il a totalement occultées. Le trajet va durer plusieurs mois. « J'ai reçu un vrai cadeau dit-il, deux paroles du Seigneur : *Sion avait dit : "L'Éternel m'a abandonnée ; le Seigneur m'a oubliée." Une femme oublie-t-elle l'enfant qu'elle nourrit, cesse-t-elle de chérir le fils de ses entrailles ? Même s'il s'en trouvait une pour l'oublier, moi, je ne t'oublierai jamais* (Is 49, 15). *Tu comptes beaucoup à mes yeux* (Is 43, 4). Mais, malheureusement, elles restent dans mon mental, elles ne pénètrent pas, ne nourrissent pas mon cœur ; c'est comme si je ne pouvais y croire. Je sais qu'elles sont vraies et, en même temps, j'ai toujours plantés au fond de moi le regard et les paroles de ma grand-mère qui me disent : "Elles ne peuvent être pour toi, tu sais bien que tu ne vaux rien, tu ne feras jamais rien de bon de ta vie." »

En fait, Daniel a sa terre intérieure occupée par le regard négatif, les paroles dévalorisantes de sa grand-mère. Il n'a pas pensé à les mettre hors de lui. Il doit le faire car elles ne sont pas de Dieu, ce sont de mauvaises herbes qui ont envahi son terrain et empêchent la graine de vie de s'enraciner en lui. Le regard du Christ ne peut l'atteindre au centre de son être, là où il va renaître de l'amour spécifique du Père pour son enfant blessé. Il met alors vigoureusement dehors ce qui ne lui appartient pas et affronte le combat spirituel qui en résulte : dès que la tentation de s'approprier ces paroles revient, il la repousse ; il peut alors être restructuré par la Parole de Dieu qui va peu à peu retisser, reconstituer ce tissu psychique si malmené.

Il se rend compte des valeurs sûres qui sont à la base de son couple ; il renonce définitivement à son projet de divorce, à cette sorte de fantasme qu'il entretenait. Il témoignera par la suite que sa femme et lui-même ont vécu une véritable résurrection de leur couple.

Josiane se plaint de s'exprimer très peu, d'avoir une communication à l'autre très réduite. Nous l'aidons à se donner le droit d'exprimer ce qu'elle ressent. Elle prend alors conscience d'une énorme colère qui gronde en elle : son père battait sa mère, qui se laissait faire ; cela la mettait hors d'elle, elle essayait de s'interposer, mais se trouvait totalement impuissante et révoltée devant le comportement de l'un et de l'autre.

Parler, communiquer est dangereux pour elle ; qu'est-ce qui va en résulter ? Elle sait bien, sans pouvoir le nommer, ce qui couve dans ses profondeurs, et elle a tout barré, colère et tendresse, de façon à se protéger d'une possible explosion.

Les états intérieurs destructeurs.

L'être humain blessé, impuissant, frustré, humilié peut accumuler en lui des états destructeurs qui vont parfois occuper toute sa terre intérieure. Ainsi, notamment, la violence peut se vivre en lui sous ces formes très diverses : la rancune, le ressentiment, la rage, la détestation, la révolte, le désir de dominer autrui, de se venger, de se faire justice, de régler ses comptes (parfois sur une personne de substitution), la haine meurtrière... Ce sont là autant de chemins de mort, de fausses routes : l'énergie est mobilisée par un travail de destruction, orientée vers une mauvaise cible : elle se trompe de finalité.

Le trajet de remontée.

La violence trouvant son origine la plupart du temps dans une forme d'impuissance, il semble que le meilleur moyen de la transformer va être de choisir de créer de la vie à partir de ce qui est arrivé ou arrive aujourd'hui, d'affirmer son identité, de défendre l'intégrité de son être. L'amour du Christ nous précède et nous attend sur cette route. Sa grâce va nous fortifier pas à pas.

On pourrait commencer par se poser les bonnes questions qui vont mobiliser l'énergie vers un autre but que celui de se perdre dans la révolte douloureuse, ou la fausse route.

Comment redevenir acteur de sa vie ?

– Est-ce que je suis bien établi dans la conscience claire que « je suis », dans la réalité de mon nom, de ma valeur propre, de ma dignité de fils ou fille de Dieu ? Il s'agit de partir de « je » de soi.

– Quels sont mes désirs les plus authentiques ? Qu'est-ce que je veux ?

– Quels sont mes besoins essentiels ? Est-ce que je peux les exprimer à moi-même, à un ou une autre ?

Nous avons à avoir un discernement sûr, notamment, à faire la différence entre l'agressivité créatrice, ou défensive (qui protège la vie) et l'agressivité destructrice, la violence. La colère peut être intense, et cependant saine. Elle n'est pas forcément chargée de haine : elle est peut être le premier pas vers sa liberté, une saine prise de conscience. L'essentiel de la colère est de donner à la personne l'énergie nécessaire pour vaincre l'obstacle qui est devant elle. Encore faut-il qu'elle ait pour objet un plus de vie, qu'elle soit exprimée de façon appropriée, qu'elle soit orientée vers un chemin créatif.

La psychologie attire notre attention sur la nécessaire alternance de l'amour et de la haine dans la relation ; la reconnaître et l'accepter construit notre vie psychologique, « à la condition cependant que la haine soit bien arrimée à l'amour dans une perspective d'unification. Rien n'est pire qu'une violence qui poursuit son chemin inconsciemment dévastateur quand l'amour officiellement » [on pourrait ajouter la vérité, la justice] « tient le haut du pavé, parfois d'une manière envahissante [1]. »

Le renoncement – le deuil.

Choisir de créer de la vie au lieu d'entretenir de la violence en soi est la bonne issue. C'est par étapes que l'on va y parvenir.

Renoncer en bloc d'une façon immédiate et rapide à la violence est voué à l'échec ; le trajet de transformation de la violence en force créative est tout autre ; mais les notions de

1. Jacques ARÈNES, psychologue, « L'énigme de la violence », dans *Signes des temps*, p. 29-33.

deuil, de renoncement vont néanmoins se retrouver au cours de ce parcours.

On ne peut entreprendre le chemin de remontée qu'après être descendu dans ses profondeurs : c'est-à-dire après avoir pris conscience de l'existence en soi de la violence, reconnu et traversé jusqu'au fond la souffrance et la blessure dans lesquelles elle trouve son origine, mis au jour la façon dont on a réagi.

Une personne qui vit dans la violence interne va être pacifiée par l'acceptation active et définitive de la réalité de son passé, ou de sa situation présente : Ce qui va l'aider à accepter son histoire est sans nul doute la certitude qu'en Christ, par et avec lui, rien n'est définitivement fixé, qu'elle va pouvoir créer de la vie à partir de son passé, ou de son présent, quels qu'ils soient.

On est là en présence d'un travail de deuil qui peut être long et douloureux.

La lumière de l'Esprit va éclairer ce parcours. On n'est plus seul à cheminer, l'impuissance de l'enfant a disparu : je ne vous laisserai pas orphelins, dit Jésus (Jn 14, 18).

Le Christ est présent dans ce trajet. Il apporte avec lui la consolation la plus profonde qui soit. Jour après jour, passage après passage, il va pacifier celui de ses enfants qui a répondu à l'appel de quitter l'Égypte et qui se dirige avec et en lui vers la terre de la promesse, sa terre intérieure. Le trajet de deuil est terminé quand la personne s'est réconciliée avec son passé, a totalement consenti à la réalité de son histoire.

Le ressuscité vient alors à sa rencontre. Il est vivant. Il a vaincu la mort, les forces de destruction, l'oppression.

Paix à vous, dit Jésus à ses disciples après sa résurrection. *Pourquoi tout ce trouble et pourquoi des doutes s'élèvent-ils en vos cœurs ?* (Lc 24, 36-38). *Recevez l'Esprit Saint* (Jn 20, 22) source de la vie nouvelle.

N'oublions pas que le deuil peut être bloqué en cours de route.

Il est alors nécessaire de vérifier si l'objet en est bien précisé : de quelle perte, de quel manque a-t-on à faire le deuil ? – du parent idéal que l'on aurait voulu avoir ? – de l'enfance paisible dont on rêvait – de la reconnaissance que l'on n'a pas eue ? – de la douleur de n'avoir pas été compris, entendu dans sa plainte ?

À quoi s'agrippe-t-on, qu'est-ce que l'on ne veut pas quitter, sans en avoir claire conscience ? Qu'est-ce que l'on ne peut parvenir à perdre, à lâcher ? – la complaisance à se nourrir de ressentiment, de rancune ? L'enfermement dans son malheur ? L'anesthésie de la douleur (car la violence permet d'occulter des souffrances souvent intenses, et très profondes). La fausse sécurité d'une dépendance mal située ? L'esprit de vengeance, le désir de régler ses comptes ?...

La révolte, parfois la haine, qui persistent, malgré un véritable trajet de descente dans ses profondeurs, fait dans la présence du Christ, trouvent fréquemment leur origine dans des revendications très fortes que la personne entretient sans les nommer : elles bloquent le travail de deuil. Beaucoup n'ont jamais mis au jour ce but qu'ils poursuivent souvent avec acharnement et qui les immobilisent dans une des étapes du deuil. Il appartient à chacun, à chacune de permettre à l'Esprit de les aider ; si leur désir est véritablement d'être éclairés, sans nul doute ils le seront.

Trajet.

« Au cours de l'année dernière, dit Stéphane, nous avons dû faire face, ma femme et moi, au problème difficile d'un de nos enfants adolescent. Après avoir pris conseil, nous avons opté pour une attitude de fermeté qui nous est apparue comme la seule façon efficace d'aider notre fils. À partir de ce choix, des rumeurs mensongères ont couru sur mon compte dans la nombreuse famille élargie qui est la nôtre (frères, sœurs, oncles, tantes, cousins…). J'en ai été très profondément blessé. J'ai essayé de m'expliquer, je me suis heurté à un mur de non-dits, à une fermeture. La violence, la révolte se sont installées en moi et ma santé s'est dégradée. J'ai vécu tout un trajet de deuil, j'ai accepté d'avoir perdu mon image, mes illusions sur l'esprit de solidarité, de confiance, qui régnait entre nous. Je crois avoir pardonné, mais je sens bien que ce problème n'est pas réglé ; la blessure saigne encore. »

Les membres de la petite équipe de partage de vie dont il fait partie lui disent qu'il a certainement besoin d'un temps de consolation, peut-être d'une prière de consolation.

« J'ai été consolé, répond Stéphane, vous m'avez soutenu et entouré et pour moi cela a été inappréciable, mais je pressens qu'il y a une autre démarche à vivre. Je ne sais pas laquelle, j'ai l'impression d'avoir ouvert ma violence au Christ, d'avoir pardonné, et cependant la révolte est toujours là. »

Stéphane ouvre alors ce questionnement à la lumière de l'Esprit. Quelques jours après il comprend tout à coup qu'il a un impérieux besoin de justice ; c'est cela qu'il veut, qu'il revendique. « Je voudrais crier que ce qu'on a dit de moi n'est pas vrai, je voudrais dissiper un énorme malentendu et cela se révèle totalement impossible, je suis soupçonné avant même d'avoir ouvert la bouche, je voudrais m'expliquer et personne ne veut m'écouter. » Il est à peu près évident que justice ne sera pas faite ; Stéphane prend conscience qu'il doit renoncer à ce besoin de justice. C'est parce qu'il demeure dans cette revendication qu'il reste lié à l'événement. Comme il a traversé pendant une longue période les étapes du deuil : chagrin, révolte, tristesse… il peut poser un acte de renoncement ; il est fortifié, comprend alors pourquoi son pardon lui paraissait toujours incomplet, pourquoi sa révolte, sa colère demeuraient en lui.

Lorsqu'on est victime, agressé, il importe de se défendre, de parler ; si l'on fuit, se tait, la blessure va avoir du mal à se cicatriser. On est ou non entendu mais on ne peut pas faire comme si rien ne s'était passé. Cependant, lorsque toute tentative d'explication demeure vaine et que le dialogue est verrouillé, renoncer à sa revendication est un chemin de vie si l'on ne veut pas s'enfoncer dans la rancœur, la violence, la haine. On ne peut vivre ce renoncement que dans la grâce du Christ, dans la force de sa douceur, lui qui a été condamné au cours d'un procès d'une telle perversité que toute défense était inutile.

Il n'est pas question ici du recours en justice, devant un tribunal, qui se situe sur un tout autre plan.

La réorientation de la violence vers la vie.
L'accueil de la vie du Ressuscité.

La violence perd son venin lorsqu'elle a été déverrouillée, nommée, reconnue, ouverte à la présence du Christ, qu'elle ne nous fait plus peur, que le travail de deuil ou de renoncement a été mené à son terme, et qu'il est devenu possible d'accepter activement la réalité de son histoire, de son présent, de soi-même, de l'autre.

Convertie, elle devient force vitale : dans la grâce de Dieu, du Christ ressuscité, qui accomplit en nous et avec nous le trajet de la Pâque, elle est transformée, elle va de la mort à la vie ; la force destructrice devient force créatrice de vie ; l'énergie est ré-orientée, elle va permettre à la personne de se restructurer, de remplir sa tâche dans le monde.

Choisis la vie : la loi première est toujours là, vivifiante, rassurante, donnant la direction : entends l'appel de la vie ; quitte définitivement ce sentiment d'impuissance qui t'habitait. Deviens toi-même, retrouve les ressources profondes que Dieu a déposées en toi, tes forces vives ; arrête de penser que l'autre est responsable de tout. Découvre les conditions d'une juste relation à l'autre. Le temps de la destruction est

terminé, c'est le moment de construire. Il va alors devenir peu à peu possible :
- de sortir du chaos, de la confusion ;
- d'apprendre à développer son identité, sa liberté, son intégrité au travers des dépendances normales de toute existence ;
- d'oser vivre les bonnes séparations, distances, limites qui vont permettre à chacun d'exister, de découvrir son espace vital, de s'y déployer ;
- d'accéder à la vérité d'une relation ;
- de mener le bon combat, contre la haine, le refus de l'autre, les forces de mort ;
- de refuser de s'engager dans le processus de la violence en découvrant les armes de la non-violence ;
- d'oser vivre l'affrontement sans pour autant détruire systématiquement la relation.

La force du Christ.

Nous pouvons nous interroger sur la façon dont le Christ a vécu sa force intérieure, son agressivité. Il a toujours été vigoureux, clair dans sa parole et ses actes. Il n'a jamais craint l'affrontement. Il a été au bout de ce qu'il avait à transmettre au travers des obstacles rencontrés sur la route. C'est l'accueil de la vie du ressuscité qui va nous conduire à l'issue. Jésus a transformé la violence en force d'amour et pardon. Il nous signifie, par sa façon de vivre ainsi que par sa parole, que la véritable force, celle qui possède la terre, est la douceur : *Heureux les doux car ils posséderont la terre* (Mt 5, 4).

Mettez-vous à mon école, car je suis doux et humble de cœur (Mt 11, 29).

La douceur est une force intérieure particulière qui ne consiste pas seulement à ne pas utiliser la violence, mais qui est un retournement de la force de violence qui va alors être au service de la vie. Cette douceur-là n'est ni faiblesse, ni puérilité, ni refus d'affrontement du conflit, ni résignation, ni passivité. C'est précisément la force agressive convertie.

C'est une force sans haine, sans recherche de pouvoir, sans rivalité, sans contrainte exercée sur l'autre, dans le respect de sa liberté, de sa différence. Il est bien rare que nous puissions vivre pleinement cette force-là, mais elle nous indique la direction à prendre. Elle est essentiellement inventive, dynamique, féconde.

Elle est faite d'humilité, de confiance : nous sommes assez assurés dans notre sécurité intérieure pour qu'il ne soit plus nécessaire de nous défendre par la violence, de l'employer pour préserver notre place, notre réputation, de nous installer dans le pouvoir.

Nous avons à demander la grâce de cette force de douceur, à la choisir, à la désirer.

Vivre la relation avec Dieu, avec nous-mêmes, avec l'autre, avec le cosmos dans la douceur du Christ est un mode de vie totalement renouvelé : plutôt que d'occuper toutes nos forces à détester, nous venger, retenir l'offense, nous débarrasser de quelqu'un qui nous gêne, nous allons les utiliser pour poser des actes de vraie liberté, construire notre vie, devenir nous-mêmes, cesser d'être aliénés, avoir le courage de vivre en vérité, inventer dans l'Esprit des solutions de vie, des issues nouvelles.

Les violents s'emparent du Royaume.

Le Royaume des cieux souffre violence et les violents le prennent de force (Mt 11, 12-13). Qu'est-ce que cela signifie ?

Certains pourraient l'entendre comme une violence à avoir dans la prière pour obtenir par une guérison miraculeuse l'exaucement d'une forme précise de demande. Mais il ne semble pas que ce soit le sens de cette parole du Christ car alors on se retrouverait dans une des formes de la toute-puissance.

La violence dont il est question ici semble plutôt, si l'on va au fond du message et de la vie de Jésus, se rapporter au choix, à la profondeur de la détermination. On va trouver cette forme de « violence » vitale dans le fait d'oser entrer dans sa liberté intérieure, de construire son identité, de devenir soi en Dieu dans la recherche d'une juste relation à l'autre, dans la façon de dire oui au chemin de vie et non au chemin de mort, de sortir de la complicité, de refuser de demeurer emprisonné dans la fusion ou courbé sous l'emprise. Arrêter d'osciller dans sa foi, de se demander *s'il est ou non au milieu de nous* (Ex 17, 7), mettre définitivement hors de soi le sentiment d'impuissance, adhérer à la résurrection dans le quotidien, avoir l'audace de déployer sa mesure, recevoir son ministère intérieur, découvrir et mettre en œuvre ce pour quoi on est fait, tout cela fait partie du beau combat pour la vie qui implique la mobilisation de ses forces vives, la sortie du sommeil, de l'habitude, de l'inertie, le déploiement de sa fécondité.

Il ne s'agit en aucun cas de ce que l'on pourrait nommer le volontarisme, qui est une façon légaliste, contraignante, extérieure de prendre des décisions : ainsi, décider de renoncer aux symptômes sans aller aux racines de la blessure, brûler les étapes, rester à la périphérie de soi-même, vouloir atteindre le but fixé à la force des poignets.

En fait, cette parole se rapporte à l'élan vital, au fait de répondre avec joie à l'invite de se mettre en route, de marcher, de porter son grabat avec l'infirme de Bethasda, de sortir du tombeau avec Lazare, de jeter ses filets sur sa parole, avec Pierre, qui n'avait pris aucun poisson pendant la nuit entière (Lc 5, 4-11).

Cette forme de « violence » va de pair avec un infini respect de l'autre, une absence totale de contrainte. Elle est l'audace de l'amour, du choix de vie, du refus de toute forme de mort.

Trajet.

Henri a vécu une énorme difficulté professionnelle. Lors d'une réorganisation de son entreprise, un changement de poste lui a été imposé, dans des conditions particulièrement blessantes. Il se sent « mis au placard », inutile, rejeté de tous, d'autant que personne, par peur de subir le même sort, n'a pris position en sa faveur. Il a été profondément atteint par la soudaineté et la brutalité de l'événement qui le laisse dans une solitude totale.

Au bout de plusieurs mois très difficiles, il parvient à poser un acte de pardon. Le problème lui paraît réglé. Quelques années plus tard, il se rend à un congrès et rencontre ceux qui l'ont blessé. À sa grande surprise, il est alors submergé par la peur et la haine. Il est stupéfait : « Je pensais que c'était terminé. » Il s'engage alors dans un trajet d'évangélisation des profondeurs.

Il commence par prendre conscience qu'il n'a pas vraiment accepté la réalité de cet événement : il se voit les deux bras tendus en avant repoussant de toutes ses forces ce qui a été un drame pour lui. « Cela, je n'en veux à aucun prix, en tout cas, plus jamais. » Il découvre alors qu'il est encore en train de se battre contre ce qui lui est arrivé. Le premier acte qu'il pose est l'acceptation définitive de l'événement qui l'a si profondément blessé. Ce sont des choses qui arrivent dans la vie et cela lui est arrivé, à lui. Et précisément, le Christ l'invite à traverser cet événement comme un enfant de lumière.

Mais à partir de là il ne sait quoi faire de ses émotions qui réapparaissent avec tant de force. Il commence par les mettre en mots : d'abord la panique, une sorte de terreur d'être rejeté, abandonné, de ne plus exister, et une colère d'une extrême violence. Il prend conscience que cet événement réactive en fait une blessure de sa toute petite enfance : quelques semaines après sa naissance, il a été hospitalisé pendant une quinzaine de jours. Sa mère n'était pas autorisée à rester auprès de lui pendant la nuit, elle lui a toujours raconté que, lorsqu'elle partait, il hurlait de détresse et que l'infirmière arrivait très difficilement à le calmer. Il a certainement vécu à ce moment une forme d'abandon, de solitude incompréhensible, de révolte : pourquoi sa mère ne répond-elle pas à ses cris ? Il retrouve cette impression de tomber seul dans le vide : il a perdu un travail intéressant, utile, il a également perdu confiance en lui-même, dans les autres qui sont restés silencieux devant l'événement. Il sait maintenant que l'acceptation de la perte suppose que l'on traverse les étapes du processus de deuil, la souffrance, la révolte, l'état dépressif, qu'il a totalement occultés.

Il entreprend donc ce travail de deuil, accompagné par la Parole de Dieu qui l'assure que plus jamais il ne traversera seul un ravin de ténèbres, que la présence et la grâce de Dieu sont là pour le fortifier. Il demande à l'Esprit de le guider dans ce parcours. C'est alors que vers la fin de ce trajet lui revient en mémoire le fleuve que décrit Ézéchiel, qui part de la source du Temple (Ez 47, 1-12) :

Il me ramena à l'entrée du Temple, et voici que de l'eau sortait de dessous le seuil du Temple, vers l'orient, car le Temple était tourné vers l'orient. L'eau descendait de dessous le côté droit du Temple, au sud de l'autel. Il me fit sortir par le porche septentrional et me fit faire le tour extérieur, jusqu'au porche extérieur qui regarde l'orient, et voici que l'eau coulait du côté droit. L'homme s'éloigna vers l'orient, avec le cordeau qu'il avait en main, et mesura mille coudées ; alors il me fit traverser le cours d'eau : j'avais de l'eau jusqu'aux chevilles. Il en mesura encore mille et me fit traverser le cours d'eau : j'avais de l'eau jusqu'aux genoux. Il en mesura encore mille et me fit traverser le cours d'eau : j'avais de l'eau jusqu'aux reins. Il en mesura encore mille, et c'était un torrent que je ne pus traverser, car l'eau avait grossi pour devenir une eau profonde, un fleuve infranchissable. Alors il me dit : « As-tu vu, fils d'homme ? » Il me conduisit puis me ramena au bord du torrent. Et lorsque je revins, voici qu'au bord du torrent il y avait une quantité d'arbres de chaque côté. Il me dit : « Cette eau s'en va vers le district oriental, elle descend dans la Araba et se dirige vers la mer ; elle se déverse dans la mer en sorte que ses eaux deviennent saines. Partout où passera le torrent, tout être vivant qui y fourmille vivra. Le poisson sera très abondant, car là où cette eau pénètre, elle assainit, et la vie se développe partout où va le torrent. Sur le rivage, il y aura des pêcheurs. Depuis En-Gaddi jusqu'à En-Eglayim des filets seront tendus. Les poissons seront de même espèce que les poissons de la Grande Mer, et très nombreux. Mais ses marais et ses lagunes ne seront pas assainis, ils seront abandonnés au sel. Au bord du torrent, sur chacune de ses rives, croîtront toutes sortes d'arbres fruitiers dont le feuillage ne se flétrira pas et dont les fruits ne cesseront pas : ils produiront chaque mois des fruits nouveaux, car cette eau vient du sanctuaire. Les fruits seront une nourriture et les feuilles un remède. »

À partir de ce texte, il ouvre à ce fleuve de vie, qui part de la source de son cœur profond, les deux grandes émotions qui se vivent en lui : la panique et la révolte. Pendant une vingtaine de minutes, en suivant son souffle, en inspirant et expirant librement, il vit dans sa chair, cette eau qui coule en lui, qui assainit tout ce qu'elle touche, qui apaise, nourrit, reconstruit le tissu abîmé. Il la ressent comme un véritable remède ; elle emporte vers la mer ce qui doit partir, le superflu, le venin, les toxines et le reste est transformé pour la vie, des fruits et des feuilles en abondance poussent en toutes saisons. Cette eau est la vie du Ressuscité qui coule en lui. Il ne demande rien, il entre dans la réalité vivante de la présence de Dieu.

Pendant plusieurs mois Henri vit chaque jour intensément mais paisiblement cette forme de méditation. Il est émerveillé de se trouver peu à peu pacifié, il n'a plus peur, sa colère est tombée, il sait avec certitude qu'il peut revoir les responsables de son entreprise, il est fortifié.

Henri a eu la chance, si l'on peut s'exprimer ainsi, d'avoir vécu une véritable décharge émotionnelle lors de la rencontre avec ses « ennemis ». Il est sorti de son « anesthésie », du mental, toute sa chair a été atteinte. Il a été pris par surprise en quelque sorte, il s'est trouvé sans ses défenses habituelles, ce qui lui a permis cette fois de ne pas manquer les étapes, d'aller jusqu'au bout de la prise de conscience de la transformation.

Henri pensait avoir pardonné, mais en fait, la violence, la rancune, la vexation, la peur étaient toujours inscrites en lui, ses forces se perdaient dans ces mouvements négatifs ; il attisait, alimentait le mal et, sans le savoir, répandait ce venin chez ceux qui l'avaient si profondément blessé. Il comprend alors que toutes ses forces vives peuvent maintenant être réorientées vers une autre tâche : envelopper ceux qui lui ont fait du mal de l'amour du Père pour chacune de ses créatures. Il sait pouvoir compter sur la grâce du Christ et accepter avec bonheur de devenir artisan de vie au cœur d'un événement qui a failli le détruire.

LA HONTE

Caractéristiques.

Beaucoup vivent un sentiment de honte permanent sans en avoir véritablement conscience. Elle devient alors un chemin de mort ; elle a en effet des effets destructeurs sur tous les plans de vie, y compris sur le plan social de la relation au groupe, à l'autre.

Il est indispensable de la reconnaître, de la nommer, d'en découvrir l'origine, les causes réelles qui peuvent être très douloureuses et que l'on a souvent enfouies dans un coin de sa mémoire.

La honte génère presque toujours une peur intense, celle d'être exclu, d'être rejeté, méprisé, abandonné à sa solitude, exclu, mis à l'écart ; la menace d'être mis à nu, découvert dans ce que l'on voudrait cacher aux yeux des autres, la crainte de voir sa faiblesse exhibée aux yeux de tous, la certitude d'être marqué par une sorte de souillure...

Serge Tisseron remarque que « les expressions qui viennent à l'esprit quand on parle de la honte sont explicites : rentrer sous terre, perdre la face, rentrer dans un trou de souris, disparaître [1] ».

La honte peut être attachée à une situation du passé ou du présent, être passagère ou s'établir en soi de façon durable. Elle est parfois légère ou au contraire d'une extrême intensité, soudaine, très brutale : la personne qui la subit est alors comme anéantie, entre dans une confusion totale, perd brutalement tous ses repères, intérieurs et extérieurs. Elle est affolée car elle doit très rapidement essayer de se ressaisir, de se reconstituer et n'y parvient souvent pas. La honte est accompagnée d'autres émotions qui risquent souvent de la camoufler : la colère, l'indignation, le désir de vengeance, la culpabilité, le sentiment d'abandon, l'exclusion brutale du groupe.

La honte trouve son origine dans des situations du quotidien mais également à partir de cas extrêmes, limites, tels que la torture, l'expérience de camps de concentration, la honte d'avoir survécu...

La honte est menaçante parce que le lien social – le rattachement ou l'exclusion du groupe – est en jeu. En effet, elle n'est pas uniquement liée à une image négative de soi, elle concerne aussi le sentiment d'appartenance à une famille,

1. Ceux qui souhaitent approfondir ce thème de la honte liront avec profit les deux livres de Serge TISSERON, *La Honte, psychanalyse d'un lien social*, Paris, Dunod, 1992 et *Du bon usage de la honte*. Ils y trouveront une analyse très complète d'une approche psychanalytique de la honte ainsi que la possibilité de la rendre positive. Je me suis largement inspirée de ces deux livres dans la brève approche psychologique que je donne ici.

une communauté. Se faire rejeter par la communauté parce qu'on n'est pas à la hauteur, trop laid, trop pauvre, ou au contraire trop brillant, est une perspective redoutable.

La honte est ainsi liée à la façon de se situer face aux dépendances qui font normalement partie de la vie. Serge Tisseron exprime que la honte est un symptôme : elle manifeste qu'il y a un désordre en soi, une sorte de déséquilibre, mais qu'au lieu de résister, on se paralyse, on se désolidarise de ce que l'on ressent. Mais elle est en même temps un signal d'alarme qui alerte la personne, même si momentanément elle ne peut surmonter le conflit qui se vit en elle.

L'objet de la honte.

Une des difficultés que pose la honte est que, très fréquemment, on ignore qu'elle est en soi. On pense être en souffrance, en révolte, ou en état dépressif chronique, et on ne met pas au jour ses sentiments de honte. « Cela est dû à deux raisons essentielles : la honte est tellement angoissante qu'on se la cache d'abord à soi-même et, lorsqu'on la reconnaît en soi, on la cache aux autres, de peur d'être rejeté [1]. »

La première étape est donc de se questionner sur l'état de honte que l'on peut entretenir en soi. C'est douloureux mais cependant moins difficile qu'on ne le croit. À partir du moment où l'on est alerté sur cette question de la honte et, où, dans la force que donne l'Esprit, on choisit de se situer en vérité, de sortir de la confusion, l'éclairage arrive très rapidement.

De quoi a-t-on eu honte dans le passé ? De quoi a-t-on honte aujourd'hui ?

---

1. Serge TISSERON, *Du bon usage de la honte*, p. 25.

De son environnement.

D'un milieu social défavorisé, de ses parents, d'un foyer triste et sans âme, d'appartenir à une famille marquée par le comportement répréhensible et public de l'un de ses membres, à une nation qui a commis des crimes contre l'humanité, de vivre un couple qui se meurt, de faire partie d'une communauté qui stagne...

De soi-même, et notamment de ses limites.

D'être ce que l'on est : le plus minable ou bien au contraire le plus intelligent, le plus fort, le plus riche ; de n'être que ce que l'on est ; de n'être pas ce que l'on voudrait être, de la distance entre son image idéalisée et sa réalité ; de n'être pas à la hauteur, d'être ridicule ; d'être incapable d'intéresser qui que ce soit, d'attirer l'amour ; de s'être trompé, d'avoir été dans l'erreur, de tâtonner, d'avoir connu un échec, traversé une crise, d'être lent à prendre conscience de vérités essentielles, d'avoir une vie spirituelle pauvre, une foi vacillante ; de son corps, de son physique, d'un handicap ; de ses difficultés sexuelles ; d'une difficulté de communication ; d'être sans travail ; d'avoir des émotions, de les exprimer et même de les ressentir ; d'être malade, âgé, de perdre son autonomie, d'entrer dans la dépendance ; d'être pauvre ; d'avoir commis une faute, d'avoir eu un mauvais comportement, peut-être pendant toute une période de vie ; de n'avoir pas su aimer de façon juste ; d'avoir été accusé à tort ; d'avoir été surpris en train de voler, de mentir...

Les racines de la honte : comment, pourquoi, à la suite de quels événements ou blessure s'est-elle plantée en soi ?

La honte trouve son origine la plupart du temps dans une blessure qu'il va être indispensable de mettre au jour. Ce n'est pas toujours facile car cette blessure a été la plupart du temps la cause d'une humiliation très profonde, douloureuse : l'amener à la lumière risque de raviver les souvenirs que l'on préférerait laisser dormir tant ils sont difficiles à assumer. C'est la raison pour laquelle on s'efforce souvent d'attribuer la honte à des causes légères et périphériques au lieu d'en rechercher le véritable point de départ. Il n'en reste pas moins que, dans ce cas, ses effets destructeurs demeurent.

S'établir dans la certitude que l'Esprit Saint est à l'œuvre dans cette relecture de son histoire est un grand réconfort. La grâce du Christ est là, elle nous enveloppe de sa consolation, elle nous sécurise. Nous ne sommes plus seuls, pour explorer ces zones sombres de notre terre.

Les racines de la honte vont se découvrir dans :

La façon dont l'enfant a vécu les différents stades affectifs de la formation de sa personnalité.

Les premières situations de honte vécues par l'enfant remontent en général :

– au stade oral (le rapport à la nourriture) : l'éducation est plus ou moins marquée par la honte (voracité, répulsion pour un aliment – critère de « bonne éducation »…) ;

– au stade anal où l'enfant retient ou lâche ses selles, prend plaisir à l'analité, notamment à la manipulation des matières fécales ; cela est en général condamné par l'entourage : « Ce que tu fais est dégoûtant », ou « Tu es dégoutant » ;

– « la honte attachée aux activités exhibitionnistes et voyeuristes de la petite enfance, ainsi qu'à la masturbation, subit un sort très variable selon les organisations familiales et les structures psychiques des parents. Là encore, leur inbrication avec les composantes actuelles de la honte est déterminante [1]. »

---

1. Serge TISSERON, *La Honte, psychanalyse d'un lien social*, p. 41.

L'influence du comportement des parents et des éducateurs.

L'enfant a pu être profondément blessé sur certains plans essentiels de sa personnalité :

– sur le plan de l'estime de soi : par l'ironie, la froideur, la moquerie, la raillerie, les critiques, le mépris, la dévalorisation systématique, même s'il porte sur un seul plan de vie, des violences physiques, des violences psychiques, des agressions sexuelles, des humiliations de toutes sortes : une seule grave humiliation peut marquer profondément un enfant ;

– sur le plan du manque d'amour, de reconnaissance : beaucoup disent être honteux de n'avoir pas été désirés comme s'ils étaient responsables de leur conception. Un enfant non aimé pour lui-même est souvent profondément humilié, il se vit comme inutile, indigne d'être aimé, incapable d'attirer l'amour. L'interdit d'exprimer ou même de ressentir des émotions risque d'entraîner la honte de ses émotions...

Les liens transgénérationnels [1].

La honte est éminemment contagieuse. Un parent qui vit dans la honte risque de la transmettre à ses proches et à ses enfants, même s'il ne le sait pas lui-même et n'en parle jamais. Il y a ainsi des hontes qui ont leur origine dans des événements douloureux de l'histoire familiale et se transmettent de génération en génération.

Découvrir un sentiment de honte en soi va amener en général à travailler sur plusieurs générations pour découvrir quels seraient les éléments déclencheurs dont les conséquences se répercutent sur les descendants. On retrouve là le

---

1. Voir Anne ANCELIN SCHÜTZENBERGER, *Aïe, mes aieux*, Éd. Épi-La Méridienne, 1993.

problème des secrets. Les événements sont soigneusement cachés, mais la honte demeure.

Les secrets de famille occasionnent de nombreux dégâts, notamment dans la troisième génération, celle des petits-enfants. Le but du secret est que quelque chose doit rester caché pour protéger quelqu'un, ou la famille, ou un groupe, de la honte. Les événements qui peuvent donner lieu au secret sont nombreux ; les critères de honte varient selon le groupe social, la société et aussi les époques.

Les descendants de personnes porteuses de secrets éprouvent souvent une honte qui n'est pas la leur, qui est celle qu'a vécue un parent ou un aïeul. Plus le secret est enfoui, plus ils risquent d'être perturbés.

Une des grandes peurs qui accompagne la honte est celle d'y rester enfermé, de ne pouvoir en sortir. Ce premier travail de reconnaissance, de mise en mots de la honte, de la prise de conscience de ses racines, permet à la personne de reprendre pied, de mobiliser ses ressources, de sortir de l'accablement, d'envisager une issue de vie. Ce n'est pas en vain que le Christ nous assure que l'Esprit mène à la vérité tout entière. Qui a répondu à l'invitation de quitter le chemin de mort et se met en route vers la vie est guidé, fortifié, rassuré de jour en jour.

Les réactions à la honte.

Il reste encore à prendre conscience du nœud qui s'est formé à partir de la blessure, de l'événement ou de l'identification au problème des aïeux. Qu'a-t-on fait, que fait-on aujourd'hui pour surmonter les sentiments de honte ? Quelle issue a-t-on découverte pour la gérer ? Aurait-on pris une fausse route ? On a pu réagir à la honte par :

– la résignation : on vit alors enfermé dans sa honte, ce qui va entraîner des conduites de refus de vivre sous diverses formes (autodestruction, comportement à risque, alcoolisme, tentative de suicide, repli sur soi, dépréciation de soi, état dépressif, apathie, désespoir…) ;

– au contraire, la colère, la rage, la révolte, l'indignation, le désir de se venger, la haine ;

– la recherche d'humiliations, une façon d'être puni, ce qui pense-t-on serait une issue pour sortir de la honte ;

– la projection de sa propre honte sur quelqu'un d'autre ;

– la culpabilisation d'autrui : de honteux on devient agressif ;

– le mépris de l'autre qui fait croire que l'on peut ainsi échapper à la douleur d'avoir été soi-même méprisé ; de passif, on devient actif, on se venge en quelque sorte ;

– l'ambition, l'acharnement à prouver sa supériorité : lorsque la honte est liée à une angoisse très archaïque, intense, l'ambition peut s'installer de façon durable. La personne réagit par un sursaut d'ambition chaque fois que se présente le risque d'une humiliation ;

– la réparation : on cherche à se racheter en devenant parfait, en aidant les autres…

– l'humour dirigé contre soi ;

– le déni : il arrive que l'on dénie totalement l'existence de la honte, notamment lorsqu'elle touche un groupe entier et menace la cohésion du groupe ;

– enfin la transformation du sentiment de honte en sentiment de culpabilité : pourquoi donc ?

Il est plus facile de gérer sa culpabilité que sa honte parce que la culpabilité a une fin. Normalement, si tout se passe bien, celui ou celle qui a commis une faute est puni, a expié, il ou elle peut alors réintégrer sa place dans la communauté des humains. La notion de rachat accompagne toujours la notion de culpabilité alors que rien ne vient mettre un terme au sentiment de honte. On demeure dans sa honte, on n'en voit pas l'issue. « La justice résout la culpabilité, elle ne résout pas la honte. La punition efface la culpabilité, elle laisse intacte la honte [1]. »

En adoptant l'un ou l'autre de ces comportements, on essaie de colmater la brèche, de tenir debout. Mais aucun ne mène à une véritable guérison, une libération de la honte. Elle demeure cachée, insidieuse mais active, comme un abcès qui risque d'infecter l'organisme entier. C'est alors que s'ouvre le chemin de remontée, l'étape qui mène à l'issue de vie. C'est à ce moment que la honte va jouer son rôle bénéfique, positif, de signal d'alarme : elle mobilise l'être humain, lui fait prendre conscience de sa responsabilité, celle de quitter la mort pour choisir la vie. N'oublions pas ce qui est dit à tous : Cette loi de vie – qui va mener à un choix conscient – *n'est pas au-delà de tes moyens ni hors de ton atteinte. Elle n'est pas dans les cieux qu'il te faille dire : qui montera pour nous aux cieux pour nous la chercher, que nous l'entendions pour la mettre en pratique ? Elle n'est pas au-delà des mers, qu'il te faille dire : qui ira pour nous au-delà des mers nous la chercher, que nous l'entendions pour la mettre en pratique ? Car la Parole est tout près de toi, elle est dans ta bouche et dans ton cœur pour que tu la mettes en pratique* (Dt 30, 11-14).

La honte destructure, détruit, mais elle a aussi un caractère positif, ce qui ne signifie pas qu'elle soit utile. « Éprouver de la honte, c'est éprouver son appartenance au genre humain », elle nous empêche d'accomplir un acte irrémédiable qui « nous emmènerait au-delà de la honte, vers le non humain [2] ». Il n'empêche qu'il est absolument nécessaire que ceux et celles qui l'éprouvent s'en séparent. Il est impossible d'éliminer totalement la honte. Mais il est possible de la gérer de façon qu'elle ne soit plus destructrice.

La honte a en outre une autre valeur positive : certains enfants qui ont vécu des événements absolument

1. Serge Tisseron, *Du bon usage de la honte*, p. 196.
2. *Ibid.*, p. 189-190.

catastrophiques demeurent ensuite dans la confusion, éva-
cuent la réalité de l'événement. La naissance du sentiment
de honte va permettre d'établir une distance, de sortir du
flottement.

L'issue. Le chemin de remontée vers la vie.

Quel est le trajet qui va permettre de retrouver le chemin
de vie ? On ne saurait négliger l'entraide, la solidarité,
le soutien, la confiance indéfectible de proches, d'amis,
même d'inconnus rencontrés sur la route. Il est bon, comme
toujours, de pouvoir parler de sa honte à quelqu'un de sûr, de
dépasser la honte de sa honte.

Deux éclairages sur le chemin de remontée.

Tout d'abord, pour ne pas commettre d'erreur, il est utile
d'apporter deux précisions.

Il n'y a pas lieu d'avoir honte de ses limites, elles font
partie de la condition humaine. On retrouve là la deuxième
loi de vie. Beaucoup n'acceptent pas leur réalité et vivent un
sentiment de honte du fait de la distance qui se trouve entre
ce qu'ils sont réellement et l'image idéalisée d'eux-mêmes
qu'ils poursuivent. Nous retrouvons ici ce vaste secteur de
la toute-puissance, de la difficulté à accepter ses erreurs,
échecs, tâtonnements, crises, déceptions. Là encore, il
convient d'avoir un œil sain : l'erreur, l'échec sont normaux
– si l'on peut dire –, c'est ainsi que l'on acquiert de l'expérience, qu'on affine son discernement, que l'on se forme ;
mais ils peuvent également provenir d'une négligence, de la
paresse, ou d'une trop grande et imprudente confiance en ses
propres capacités, et dans ces cas, il convient de se remettre
en question.

Il n'est pas juste d'avoir honte de ses émotions : se donner le droit de les ressentir, de les traverser sans les dénier est sans aucun doute un chemin de vie.

Il est indispensable de mettre hors de soi la honte qui a son origine dans les liens transgénérationnels [1]. Celui qui a pu, lorsque cela est possible, penser, mettre en mots l'histoire de ses parents, de ses aïeux, avoir connaissance des secrets qui courent dans l'inconscient familial, a fait un grand pas sur le chemin de la libération. Il sait ce qui lui est arrivé, d'où vient son chaos. Il prend conscience qu'il a intégré la honte d'un parent ou d'un aïeul. Cette honte ne lui appartient pas ; elle n'a rien à faire sur sa propre terre ; il est impératif de la mettre vigoureusement hors de lui. Il va alors rendre à ses aïeux leur droit à leur propre histoire, leurs blessures, leur souffrance, leur honte qui ne sont pas les siennes, sur lesquelles il n'a aucune influence : il est envahi par des toxines qu'il n'a pas à entretenir. C'est à ce moment qu'il peut, dans la grâce de résurrection du Christ, casser la chaîne de la honte qui court de genération en génération : il a d'abord à se désidentifier de l'histoire des aïeux, ne pas prendre leur honte à son compte, à reprendre sa trajectoire spécifique. Il ne les rejette pas dans le néant, il les remet dans la bénédiction de Dieu, il ouvre la porte de sa lignée montante et descendante à la puissance de l'amour de résurrection du Christ, qui va y apporter son salut.

Un discernement est nécessaire pour savoir quand parler et comment parler aux enfants des secrets de famille. On ne peut tout dire inconsidérément. Il importe d'être très attentif et de saisir, dans la lumière de l'Esprit, ce qu'il va être nécessaire de clarifier si l'enfant est perturbé et cherche à percer un secret qu'il ne peut nommer. Expliquer à un enfant pourquoi et de quoi on a honte dans la famille, et également pour quelle raison il vit lui-même des sentiments de honte, va

---

1. Simone PACOT, *L'Évangélisation des profondeurs*, t. II, *Reviens à la vie !*, p. 171-175.

éviter bien des questionnements intérieurs, des perturbations et également la tentation de réparer le désordre ou la faute de ses aïeux – ce qui se produit souvent, même si le secret demeure caché.

Notons que l'étape d'acceptation active, de consentement à l'histoire de toute une famille, dans la lignée des générations, se révèle toujours indispensable.

La véritable guérison de la honte.

De nombreux ouvrages traitent aujourd'hui de la mise au jour de ses qualités essentielles, de la façon concrète et quotidienne de les mettre en œuvre. Et cela va être une aide tout à fait efficace. Mais il semble que la véritable guérison de la honte va se situer à un autre niveau.

C'est la grâce de Dieu qui libère de l'enfermement, l'emprisonnement dans lesquels la honte maintient l'être humain. *Il me délivre d'ennemis plus forts que moi : ils m'assaillirent au jour de mon malheur, mais l'Éternel fut pour moi un appui, lui m'a dégagé, mis au large ; il m'a sauvé car il m'aime* (Ps 17, 18).

Dans le même temps et la même grâce, le Christ appelle celui qui est accablé, oppressé par le poids d'un fardeau qui le maintient couché, courbé, à quitter la forme de mort dans laquelle il s'est enfermé, à repartir délibérément vers la vie, à devenir responsable et acteur de son existence.

Deux démarches très simples s'offrent alors :

– méditer la façon dont le Christ a traversé l'humiliation au cours de son existence : c'est à partir de là que l'on prendra véritablement conscience des fausses routes que l'on a pu prendre ;

– apprendre à accueillir et recevoir le regard du Christ au cœur de sa honte.

Le Christ face à l'humiliation dans sa vie.

La façon dont Jésus a été conçu aurait pu être source de honte pour Marie et Joseph. Le récit évangélique (Mt 1, 18-25) nous montre comment ils ont été intérieurement conduits à envisager, sous le regard de Dieu, un événement inattendu :

Joseph, son mari, qui était un homme juste et ne voulait pas la dénoncer publiquement, résolut de la répudier sans bruit. Alors qu'il avait formé ce dessein, voici que l'Ange du Seigneur lui apparut en songe et lui dit : « Joseph, fils de David, ne crains pas de prendre chez toi Marie, ta femme : car ce qui a été engendré en elle vient de l'Esprit Saint ; elle enfantera un fils, et tu l'appelleras du nom de Jésus : car c'est lui qui sauvera son peuple de ses péchés » (Mt 1, 20-21).

Vient ensuite l'exil précipité, l'obligation de quitter en hâte leur demeure pour échapper à Hérode qui voulait tuer Jésus.

Dès que Jésus commence sa mission, son entourage pense qu'il a perdu la tête (Mc 3, 20-21). Les scribes disent de lui qu'il est possédé de Béelzeboul, d'un esprit impur, que c'est par le prince des démons qu'il expulse les démons (Mc 3, 22-30). Les habitants de son village Nazareth sont choqués et s'exclament : *D'où cela lui vient-il ? Et qu'est-ce que cette sagesse qui lui a été donnée et ces grands miracles qui se font par ses mains ? N'est-ce pas là le charpentier, le fils de Marie ?* (Mc 6, 2-3). Jésus apaise ses disciples ; il est dans une obéissance intérieure totale ; il continue à enseigner, guérir, n'exprime aucune violence ni mépris ; il appelle près de lui les scribes qui l'insultent, leur parle en paraboles pour ne pas les bousculer, leur explique qu'un royaume divisé contre lui-même ne peut subsister, mais laisse chacun à sa liberté (Mc 3, 23-27). Cependant, sa parole a l'autorité de la vérité et impressionne tous ceux qui l'entendent.

Au moment de sa mort, Jésus vit la pire des humiliations :

elle va toucher le sens même de sa mission, le cœur de son message, la part de sa vie la plus intime : sa relation au Père, la confiance qu'il place en lui. Il est mort comme un esclave, sans vêtements, raillé de tous ; son message a été tourné en dérision... Les chefs religieux, les soldats se moquent cruellement de lui :

Les hommes qui le gardaient le bafouaient et le battaient ; ils lui voilaient le visage et l'interrogeaient en disant : « Fais le prophète ! Qui est-ce qui t'a frappé ? » (Lc 22, 64).

Après l'avoir, ainsi que ses gardes, traité avec mépris et bafoué, Hérode le revêtit d'un habit splendide et le renvoya à Pilate (Lc 23, 11).

Le peuple se tenait là, à regarder. Les chefs, eux, se moquaient : « Il en a sauvé d'autres, disaient-ils ; qu'il se sauve lui-même, s'il est le Christ de Dieu, l'Élu ! » (Lc 23, 35).

Ayant tressé une couronne d'épines, ils la lui mettent. Et ils se mirent à le saluer : « Salut, roi des Juifs ! » Et ils lui frappaient la tête avec un roseau et ils lui crachaient dessus, ils ployaient le genou devant lui pour lui rendre hommage (Mc 15, 17-19).

Face à cette ignominie, Jésus se tait. Ce silence semble n'être chargé d'aucun mépris et n'avoir pas pour cause son état d'épuisement. Il est probable que seule pareille qualité de silence était susceptible d'amener ceux « qui ne savaient pas ce qu'ils faisaient » (Lc 23, 34) à une éventuelle prise de conscience.

Il a sans aucun doute vécu une terrible nuit intérieure, une solitude extrême ; aucun de ses disciples n'a compris sur le champ quelle pouvait être la signification de cet événement dramatique. Jésus a subi l'humiliation mais elle ne l'a pas atteint, ni aliéné. Il l'a traversée dans une totale liberté intérieure, au travers de l'encerclement dans lequel il se trouvait. Il n'a jamais été honteux. Il a un immense respect pour toute créature, il sait pourquoi il a vécu, pourquoi il va mourir, comment « être » au travers de ce drame. Il est tellement, relié au Père, conscient de l'essence de sa mission, qu'au cœur même de la douleur qui l'accable, il garde toute sa dignité face à ceux qui cherchent à le dégrader. Le truand qui est mort à ses côtés ne s'y est pas trompé, non plus que le centurion qui s'écrie au moment de sa mort, quand le voile du Temple se déchire par le milieu : *Sûrement cet homme était fils de Dieu* (Mt 27, 54).

Subir une humiliation est une des pires épreuves qui puisse exister. Dans son journal, en date du mois de juin 1942, Etty Hillesum a écrit une très belle méditation sur la façon de vivre l'humiliation. Elle est juive, vit en Hollande sous l'occupation nazie où l'humiliation est systématiquement organisée comme un des éléments d'anéantissement des Juifs. Elle a découvert le Christ et a eu un cheminement spirituel profond, plein de questionnement et de vie ; elle a volontairement choisi d'aider les familles juives parquées au camp de transit de Westerbork, au nord-est de la Hollande, avant leur départ pour les camps d'extermination. Elle décide de « vivre », d'aimer la vie envers et contre tout, et d'être « le cœur pensant » de ce camp. Elle meurt à Auschwitz à vingt-neuf ans, le 30 novembre 1943, ainsi que toute sa famille.

« Pour humilier, il faut être deux. Celui qui humilie et celui qu'on veut humilier mais surtout : celui qui veut bien se laisser humilier. Si ce dernier fait défaut, si la partie passive est immunisée contre toute forme d'humiliation, les humiliations infligées s'évanouissent en fumée. [...] On a bien le droit d'être triste et abattu de temps en temps par ce qu'on nous fait subir, c'est humain et compréhensible. Et pourtant, la vraie spoliation c'est nous-mêmes qui nous l'infligeons. Je trouve la vie belle et je me sens libre [1]. »

Etty Hillesum ouvre là, en termes très simples, un

---

1. Etty HILLESUM, *Journal*, p. 127 ; Sylvie GERMAIN, *Etty Hillesum*, Éd. Pygmalion, 1999, p. 104-105.

magnifique chemin de vie. Prendre conscience que bien souvent c'est nous-mêmes qui nous emprisonnons, nous immobilisons dans la douleur de l'humiliation, va aider à sortir du chemin de mort dans lequel nous pouvons nous perdre.

Précisons cependant que l'humiliation peut s'originer dans une faute réellement commise, des comportements que l'on se reproche amèrement.

Avant toute chose, il importe de vérifier si l'on est bien situé par rapport à la culpabilité, si l'on n'entretient pas une fausse culpabilité. La faute est-elle réelle, fondée, a-t-elle été posée en pleine conscience ? Dans l'affirmative, il semble que l'on puisse considérer comme normal d'avoir honte de soi. Mais demeurer dans une honte qui s'installe, des regrets lancinants qui empêchent de vivre son présent, c'est ajouter un mal à un mal. L'essentiel est ici d'être vrai, de se présenter à Dieu avec un cœur de repentance, de recevoir le pardon, de changer de comportement, de direction, de faire volteface, de réparer si cela est possible. Si cela ne l'est pas, il va falloir assumer sa réalité dans l'humilité, continuer à déployer sa fécondité, ne pas stériliser son présent : cela relève du devoir de vivre envers et contre tout.

Nous pouvons aussi introduire l'amour du Ressuscité dans ce que nous avons conscience d'avoir gâché, abîmé : des formes de réparation se vivent de façon mystérieuse dans l'invisible action de Dieu. Il s'agit de s'accepter sans complaisance, mais sans désespoir non plus. Le Christ délie tous ceux et celles qui viennent à lui et les renvoie sur les chemins de vie : *Te voilà guéri, va et désormais ne pèche plus* (Jn 5, 14 ; 7, 11).

Anne a vécu dans la prostitution une dizaine d'années. « Je meurs de honte, exprime-t-elle au cours d'un entretien. J'ai été séduite par un homme qui m'a demandé de me prostituer. Je l'aurais suivi au bout du monde, j'étais prête à faire n'importe quoi pour ne pas le perdre. Je voudrais oublier cette partie de ma vie, mais je n'y parviens pas, mon passé me prend à la gorge. J'aimerais tellement être innocente. »

Le Christ est venu te chercher au fond de cette ténèbre. Dans son amour, il te mène ailleurs, dans une autre vie. Tu ne peux oublier ton passé, il fait partie de ton histoire ; par grâce il est devenu le lieu de ta rencontre avec Dieu, bénédiction pour l'avenir. Tu ne peux repartir de zéro comme si rien ne s'était passé. Tu n'es pas innocente, mais tu es pardonnée, ressuscitée après avoir été dans la mort, et il t'est dit que cela a été un temps de joie parmi les anges de Dieu. Au lieu de te détruire, de continuer à mourir, entre dans la gratitude. « Maintenant tu sais qu'il répare les ruines, les villes dévastées » (Ez 36, 36).

Le regard du Christ fait fondre la honte.

La honte est caractérisée essentiellement par la peur du regard de l'autre qui peut transpercer jusqu'à la moelle, faire intrusion dans le plus intime de l'être, qui menace, détruit, sans réparation possible : l'être humain est atteint jusque dans son identité, il ressent une solitude totale, se pense exclu de la terre des vivants, rejeté dans la ténèbre. Il a besoin d'être profondément réconforté, rassuré sur sa propre valeur, sur la possibilité de se réinsérer dans une appartenance. La véritable guérison va alors se trouver dans l'accueil d'un autre regard, celui du Christ.

Le sentiment de honte apparaît pour la première fois dans la Bible lorsque Adam, après la transgression, ne peut supporter de s'exposer ainsi au regard de Dieu. *L'Éternel Dieu appela l'homme. « Où es-tu ? » dit-il. « J'ai entendu ton pas dans le jardin, répondit l'homme ; j'ai eu peur, parce que je suis nu et je me suis caché »* (Gn 3, 9-10). Adam entre dans la peur, la méfiance de Dieu, le soupçon. Il continue à s'isoler dans son mal, il accentue la division. Il passe à côté du mouvement intérieur qui aurait pu le rétablir.

On comprend alors aisément comment la guérison de la

honte va se trouver dans le mouvement inverse : oser croire à l'amour, s'exposer dans sa nudité, sa réalité la plus vraie au regard aimant et guérissant du Christ. Sous ce regard-là, on ne risque rien ; la Parole est là pour nous le rappeler sans cesse : « *C'est moi, dit Jésus, n'ayez pas peur* (Mc 6, 50)... » Alors Jésus fixa sur lui son regard et l'aima (Mc 10, 21).

Jamais, dans aucune de ses rencontres, Jésus n'a humilié qui que ce soit. Cependant sont venus à lui des hommes, des femmes couverts de honte. On pourrait dire qu'il rend à chacun sa dignité par sa façon d'accueillir, de regarder, de parler.

Alors que fatigué par la route il se repose auprès d'un puits dans un village de Samarie, il rencontre une femme à laquelle il demande à boire – bien que toutes relations soient exclues entre les Juifs et les Samaritains qui sont des païens. Il lui dit qu'il sait qu'elle a eu cinq maris et que l'homme avec lequel elle vit n'est pas son mari ; néanmoins il converse tranquillement avec elle. Il la considère capable de comprendre les choses du Royaume et l'entretient des vérités les plus profondes de son message. La femme ne se sent aucunement humiliée de voir le désordre de sa vie mis au jour. Bien au contraire, elle court alerter les habitants du village : *Venez voir un homme qui m'a dit tout ce que j'ai fait. Ne serait-ce pas le Christ ?* (Jn 4, 1-42.)

Il baisse les yeux devant une femme adultère condamnée à être lapidée (Jn 8, 1-11) comme pour lui faire découvrir la possibilité d'un autre regard. *Moi non plus je ne te condamne pas.* Aucune condamnation et cependant pas de complaisance : *Va, désormais ne pèche plus.* Mais cela est dit avec un tel respect, une telle tendresse que le message ne peut que s'inscrire au fond du cœur de la femme.

Il réconforte et guérit la femme impure qui perd du sang et touche en cachette la frange de son manteau : *Jésus dit : « Quelqu'un m'a touché ; car j'ai senti qu'une force était sortie de moi. » Se voyant alors découverte, la femme vint toute tremblante et, se jetant à ses pieds, raconta devant tout le peuple pour quel motif elle l'avait touché, et comment elle avait été guérie à l'instant même. Et il lui dit : « Ma fille, ta foi t'a sauvée ; va en paix »* (Lc 8, 46-48).

Non seulement il n'humilie pas, mais il honore la prostituée qui arrive en larmes, entourée du mépris de tous (Lc 7, 36-50), elle répand du parfum sur ses pieds, sur sa tête. Il accueille son geste, *ses nombreux péchés lui sont remis puisqu'elle a montré beaucoup d'amour. « Ta foi t'a sauvée, va en paix »*, lui dit-il. Jésus l'assure devant tous qu'elle a posé un acte juste et bon, qu'elle est sauvée, qu'elle a bien fait d'agir ainsi.

Il n'humilie pas Pierre qui l'a trahi mais l'appelle à un amour plus profond. Il l'en croit capable, lui redonne confiance en lui : *Simon, fils de Jean, m'aimes-tu plus que ceux-ci ?* Alors, *pais mes agneaux, pais mes brebis* (Jn 21, 15-18).

Il raconte la parabole du père et des deux fils (Lc 15, 11-32) où l'on voit le père de famille accueillir avec tendresse son fils cadet qui revient couvert de honte après son échec catastrophique. Il le remet à sa place de fils : *Mangeons et festoyons car mon fils que voilà était mort et il est revenu à la vie ; il était perdu et il est retrouvé.*

L'accueil de la vie du Ressuscité.

Apprendre à accueillir, à recevoir ce regard est une grâce à demander. Elle ne nous sera certainement pas refusée. Notre part est de prendre le temps de vivre ce mouvement de vie. Il s'agit de laisser pénétrer ce regard du Christ jusqu'au fond de la honte, de l'humiliation : il va baigner, laver, purifier, reconstituer ce terreau-là. C'est un regard particulier, qui ne ressemble à aucun autre ; peut-être n'avons-nous jamais été regardés de cette façon. Il est profondément rassurant, d'autant qu'il est empli de vérité, ni laxiste, ni complaisant, mais d'une tendresse infinie. Il va permettre à chacun d'être éclairé en vérité, de retrouver sa valeur propre, sa dignité la plus profonde. Sous ce regard on entre peu à peu dans la certitude que nul n'est définitivement « coulé » ni considéré comme un zéro, un néant, insignifiant, même s'il est objet de mépris ou ridiculisé. On intègre peu à peu cette réalité essentielle, dont les conséquences sont incalculables, que l'être humain est créé à l'image de Dieu, que cette image est indélébile, inscrite à tout jamais dans le noyau de l'être, que personne, jamais, ne pourra l'enlever. Elle fonde le respect dû à tout homme, toute femme.

C'est ainsi que le Christ nous accompagne et nous aide à reprendre contact avec le cœur profond. Une fois établis dans le cœur, nous prenons le temps d'intégrer jusqu'au plus profond de notre être cette révélation magnifique que nous sommes fils et filles de Dieu, que « rien ne pourra nous séparer de l'amour de Dieu » (Rm 8, 38-39) ; s'il arrive que nous soyons exclus d'une famille, d'un groupe, nous n'allons pas en mourir. Certes, cette appartenance est importante, mais nous savons que nous avons une autre parenté originelle, qui, elle, dure à jamais ; nous faisons définitivement partie de la famille de Dieu ; nous pouvons nous y présenter dans l'état où nous sommes, avec notre passé, nos errances, nos failles, nos chutes, nos résistances et aussi notre désir de choisir de vivre au milieu de tout cela.

Ce regard nous rappelle la Bonne Nouvelle du Royaume : lorsqu'une porte se ferme une autre s'ouvre, un avenir est toujours possible, une forme de résurrection suit une forme de mort de quelque nature qu'elle soit ; un changement de direction, une évolution est toujours réalisable. L'appel à la vie est là : il n'est pas question de mourir de honte mais de suivre l'impulsion de l'Esprit qui aide tout humain à ne pas s'immobiliser dans la mort, mais à se lever et à suivre le Vivant.

Le regard du Christ est un regard qui nous fait confiance au cœur même de notre honte. Jésus a foi en nous. Il nous apprend ainsi comment ne pas nous stériliser dans la dévalorisation, comment croire à nouveau en nous, de bonne façon, éclairés par l'Esprit, comment libérer les forces vives du cœur profond qui vont nous permettre de nous rétablir dans la confiance en nos propres ressources vivifiées par la force même de Dieu.

Retrouver une pensée claire et ferme, rejoindre notre conviction la plus intime, nos intuitions les plus sûres, tout cela fait partie du retour à la vie. Le Christ nous assure que, si nous sommes là, bien vivants malgré notre honte, c'est parce que Dieu nous y a mis avec une tâche qui est spécifique, que nous sommes seuls à pouvoir remplir. Nous devons oser faire ce que nous faisons de mieux. Il nous arrive de déraper et de commettre des erreurs, mais les sentiments de honte, quelle qu'en soit l'origine, ne doivent pas barrer notre fécondité, nous empêcher de déployer notre mesure propre. N'oublions pas que le regard du Christ est porteur de la puissance de l'amour de résurrection. Il nous mène de l'humiliation, de la honte, à l'humilité justement située, à la vérité sur nous-mêmes dans l'ombre et la lumière. Il nous rassure, nous réconforte. Nous sommes accueillis dans la lumière et la tendresse du Père, quoi qu'il arrive nous sommes toujours appelés à être artisans de vie.

Il est bon de s'exposer jour après jour, aussi longtemps que ce sera nécessaire, à ce regard de Jésus jusqu'à ce que les sentiments de honte aient disparu, que la douleur de l'humiliation se soit estompée et n'empêche plus de vivre. C'est une manière vitale de faire évoluer une foi intellectuelle. La tentation est toujours là d'aller trop vite, de vouloir cueillir le fruit avant qu'il soit mûr. Ce mouvement s'inscrit dans la vigilance et la fidélité. Il convient de laisser à la grâce le temps nécessaire pour enlever les épines et les cailloux qui encombrent la terre, la labourer profondément, la nourrir à nouveau, restructurer ce qui a été abîmé.

Celui ou celle qui a sombré dans la honte et en a été libéré, s'il a véritablement reçu au plus profond de son être le regard du Christ, va à son tour en faire don à qui en a besoin. C'est ainsi que sur le chemin se trouvent des hommes et des femmes de tous âges, de toutes conditions, dont la tâche est de transmettre la vie par ce regard guérissant.

Trajets.

Un très beau texte, réconfortant, est la parabole des invités au banquet :

À ces mots, l'un des convives lui dit : « Heureux celui qui prendra son repas dans le Royaume de Dieu ! » Il lui dit : Un homme faisait un grand dîner, auquel il invita beaucoup de monde. À l'heure du dîner, il envoya son serviteur dire aux invités : « Venez ; maintenant tout est prêt. » Et tous, comme de concert, se mirent à s'excuser. Le premier lui dit : « J'ai acheté un champ et il me faut aller le voir ; je t'en prie, tiens-moi pour excusé. » Un autre dit : « J'ai acheté cinq paires de bœufs et je pars les essayer ; je t'en prie, tiens-moi pour excusé. » Un autre dit : « Je viens de me marier, et c'est pourquoi je ne puis venir. »

À son retour, le serviteur rapporta cela à son maître. Alors, pris de colère, le maître de maison dit à son serviteur : « Va-t'en vite par les places et les rues de la ville, et introduis ici les pauvres, les estropiés, les aveugles et les boiteux. – Maître, dit le serviteur, tes ordres sont exécutés, et il y a encore de la place. » Et le maître dit au serviteur : « Va-t'en par les chemins et le long des clôtures, et fais entrer les gens de force, afin que ma maison se remplisse. Car, je vous le dis, aucun de ces hommes qui avaient été invités ne goûtera de mon dîner » (Lc 14, 15-24).

Tous les tordus, les paumés, les minables, les errants, ceux et celles qui ne se sont pas encore mis en route, sont invités à participer au banquet ; les serviteurs reçoivent l'ordre de les faire entrer de force. Il est probable qu'ils ne veulent pas venir parce qu'ils se jugent indignes, mais il importe qu'ils comprennent bien qu'ils sont réellement invités.

Jean-Pierre a une histoire familiale très lourde. Il y a eu, chez ses grands-parents, un très profond désordre qui entraîna de graves conséquences sur les générations suivantes. Lui-même a mis du temps à décrypter les secrets de famille qu'il était indispensable de mettre au jour. Il se rend compte que sa génération n'est pas très « glorieuse » et, à l'écoute de ce texte, il prend conscience qu'il est invité à entrer, en compagnie de tous ses ascendants, à ce banquet où l'humiliation, la honte n'existent pas. Et il le vit dans une très grande joie, il a la certitude que tous sont accueillis avec tendresse par l'amour de Dieu. Cette visualisation a totalement changé son rapport à sa génération. Il comprend que ne pas s'identifier au désordre des aïeux ne signifie pas qu'on les exclut, au contraire, on est chargé de casser la chaîne et de participer à leur libération en répondant à l'invitation du Christ.

Au cours d'un entretien, Olivier exprime qu'il lui arrive fréquemment d'être envahi par une angoisse terrifiante : « Je me vois couvert de honte, humilié publiquement, rejeté de tous, accusé de les avoir trompés. J'imagine alors les scénarios les plus catastrophiques. En fait, je vis sous la menace d'un malheur qui pourrait fondre sur moi et m'anéantir. J'ai la hantise d'un contrôle fiscal alors que je suis parfaitement honnête, j'observe scrupuleusement la loi. » Que se passe-t-il ?

Olivier est marié, a un bon rapport avec son épouse, de beaux enfants ; il a une magnifique réussite professionnelle, sa foi est très vivante, son plus cher désir est de servir, d'aider à mettre au monde le Royaume. Il fait partie d'un groupe de réflexion sur la Parole de Dieu ; on lui demande fréquemment des commentaires bibliques, ses amis l'assurant qu'il a un véritable don pour transmettre la Parole, mais il ne parvient pas à se mettre en mouvement sur ce plan. Olivier relit alors son histoire.

Son père était un industriel connu, très estimé. Il fut un jour accusé de malversations financières et comparut devant le tribunal ; les faits se sont malheureusement révélés exacts et cet homme fut condamné à une très forte amende et à deux ans de prison. L'entreprise fit faillite ; les employés se trouvèrent au chômage, les petits actionnaires perdirent leur mise de fonds. La famille entière vécut une humiliation sans précédent dans la petite ville qui était la leur. Le père d'Olivier mourut peu de temps après sa sortie de prison. Olivier avait alors dix ans. Son adolescence s'est vécue au travers de perpétuels soucis d'argent.

La racine de l'angoisse d'Olivier, cette terreur de l'éventualité d'une humiliation publique est très claire : elle s'origine à l'évidence dans l'histoire de son père. Il a pris sur lui la faute du père, son sentiment de culpabilité, son humiliation. Bien que connaissant parfaitement son histoire, Olivier n'a jamais véritablement mis au jour la façon dont il s'est identifié à la trajectoire de son père. Il découvre les lois de vie, et notamment la loi d'identité spécifique de la personne qui lui enjoint de reprendre son identité personnelle, de suivre son propre chemin, de ne pas intégrer en lui-même ce qui ne lui appartient pas.

Il a vécu de dures et douloureuses étapes car il a véritablement senti peser non seulement sur son père, mais sur toute la famille, le mépris de toute une ville. Il entreprend ce trajet en laissant habiter la souffrance de son adolescence par le Christ – qui a vécu l'humiliation de sa mort dans un cœur déchiré mais paisible, qui est demeuré dans son axe malgré un événement dramatique. Il se laisse guider jour après jour par la lumière de l'Esprit. Il est pacifié, il comprend maintenant ce qui se passe en lui, il sait sur quel terrain laisser la grâce œuvrer, quelles directions prendre. Au bout de quelques mois, il se sent libéré de la honte. C'est alors qu'au cours d'un autre entretien, il dit à son accompagnateur qu'il a mis délibérément de côté le problème de sa relation à l'argent, de peur de retomber dans la culpabilité totalement mortifère qui a failli le détruire dans le passé. Son accompagnateur lui demande s'il souhaite revenir sur cette question.

Il est alors envahi par une honte insupportable, il se met à trembler de la tête aux pieds. Que lui arrive-t-il ?

« Devenu adulte, dit-il, j'ai eu un rapport à l'argent tout à fait incohérent. Avant mon mariage, par deux fois j'ai donné absolument tout ce que je possédais. Mon père avait pris de l'argent qui ne lui appartenait pas, moi j'ai donné ce qui m'appartenait. Mais je l'ai fait n'importe comment, non par amour, mais pour me débarrasser de ce problème de culpabilité qui m'empêchait littéralement de vivre, pour être "en règle" avec la Parole du Christ qui demande de tout quitter pour le suivre, pour me laver de la honte familiale en quelque sorte. Je me suis trouvé sans le sou, totalement insécurisé, profondément angoissé. J'ai été paniqué par mon incohérence, mes imprudences, cet énorme culpabilité dans laquelle je m'étais englouti. J'ai alors décidé, pour me protéger, de ne jamais plus me tourmenter avec cette question de partage, de don de l'argent, de la laisser définitivement de côté. Je me suis marié, et depuis, je donne de mon temps, vraiment sans compter, mais pas de mon argent. Rien n'y fait, c'est comme si j'avais un frein en moi. J'ai la hantise de manquer, de me retrouver sans rien. »

Olivier cherche de tout son être comment servir Dieu, comment vivre l'amour, et à ce moment il découvre d'une façon très brutale, qu'en fait il a verrouillé toute une part de sa vie qui n'est plus ouverte à l'inspiration de l'Esprit. Au moment où il a pris sa décision, il a certainement eu raison de se protéger, de ne plus s'exposer à un tourment aussi destructif. Mais au fil des années, il est entré dans une foi plus éclairée, il a appris à collaborer de façon juste avec l'Esprit, il a déposé les fausses notions de Dieu qu'il entretenait quand il était jeune, notamment la croyance en un Dieu dur, exigeant la perfection, punissant, ne tenant aucun compte de la fragilité humaine. Cependant, par peur de lui-même, il n'est jamais revenu sur sa décision de ne pas remettre en question son rapport à l'argent. Il découvre avec stupéfaction qu'il a honte de lui-même, honte d'avoir laissé une question aussi importante en suspens, d'avoir cette part de sa terre en friche, de transgresser la loi de fécondité : cette loi qui apprend à tout humain comment recevoir les dons de Dieu, comment les rendre productifs, les réinvestir en créant de la vie, avec audace, prudence, sagesse.

Il ne sait pas comment résoudre son problème, il se sent démuni comme s'il pénétrait en terrain inconnu, mais son cœur bascule immédiatement : il décide sur-le-champ de cesser de fuir, d'accepter de se confronter avec cette question, dans la lumière et la force de l'Esprit.

« J'ai reçu là une grâce magnifique, dit-il, je me suis présenté à Dieu dans toute ma fragilité, mon sentiment d'insécurité mais en demandant avec beaucoup de force à être enseigné : je suis prêt à découvrir dans l'Esprit comment mettre en œuvre la loi de fécondité. Je sais que je peux faire confiance : l'Esprit ne me conduira en aucun cas à une solution aberrante ou dangereuse pour moi et les miens. J'ai la certitude que je serai guidé au travers de mes blessures, de mon angoisse d'insécurité, de manque ; le Seigneur les connaît et en tient compte. Mon cœur n'est plus divisé, il s'est ouvert entièrement, je suis sûr qu'il va m'être montré comment aller au bout de ma mesure spécifique sans la dépasser, dans la sagesse de l'Esprit. J'ai découvert que l'essentiel pour moi est ce choix d'ouvrir ma terre entière à l'œuvre de l'Esprit. Dans la grâce de Dieu je ferai ce que je pourrai, mais jamais plus je ne fermerai volontairement ma porte. À partir de là, je crois que même s'il survient dans ma vie des difficultés, erreurs, échecs, je n'aurai plus peur de la honte. C'est un peu comme si je venais de découvrir le trésor caché dans un champ, la perle de grand prix, un cœur enseignable, docile, ouvert, confiant. »

N'aie pas peur, tu n'éprouveras plus de honte,
ne sois pas confondue, tu n'auras plus à rougir ;
car tu vas oublier la honte de ta jeunesse,
tu ne te souviendras plus de l'infamie de ton veuvage.

Ton créateur est ton époux,
le Seigneur Sabaot est son nom,
le saint d'Israël est ton rédempteur,
on l'appelle le Dieu de toute la terre.

[Is 54, 4-5.]

LA PRISE DE CONSCIENCE
DE LA TRANSGRESSION DE LA LOI DE VIE,
DE LA SOUMISSION AU FAUX DIEU,
À L'IDOLE

Les thèmes de la transgression à une loi de vie et de la fausse route dont elle est la conséquence ont déjà été abordés dans les deux premiers tomes de *L'Évangélisation des profondeurs*, ainsi qu'au cours du trajet de transformation des émotions. Cependant, après un premier parcours, il semble utile d'approfondir ici de façon plus spécifique le sens et l'approche de la fausse route (comment la découvrir, qu'en faire ?) et la soumission à l'idole, aux faux dieux présents en toute transgression.

C'est cet éclairage qui va permettre de vivre une véritable conversion ; il va induire le chemin de remontée vers la vie à partir de l'adhésion aux grandes lois qui fondent la vie. Il est donc indispensable avant d'aborder le changement de direction, la volte-face, c'est-à-dire le temps de la conversion, du retour à la vie, d'approfondir ces notions de transgression, de fausse route, de soumission à de faux dieux.

LA MISE AU JOUR DE LA RÉACTION
À LA BLESSURE SUBIE

L'Éternel Dieu appela l'homme : Où es-tu ? dit-il (Gn 3, 9) ; où en es-tu ?

Que veux-tu que je fasse pour toi ? – Seigneur, dit-il, que je recouvre la vue ! (Lc 18, 41.)

À la suite de ce premier labour de sa terre, de ce regard, cette plongée dans le passé à la rencontre des émotions, ceux et celles qui entreprennent un réel trajet de vérité sur eux-mêmes vont se trouver face à une question qu'ils ne sauraient éluder s'ils souhaitent ne pas rester en périphérie, permettre à la lumière du Christ d'éclairer leurs profondeurs : *Qu'ai-je fait de ce que l'on m'a fait ? Comment ai-je réagi à la blessure subie ?*

La plupart du temps, l'être humain commence par être victime, souffrant. Mais il n'est pas que cela, il a forcément pris une direction à partir de la blessure. Certains, l'ont vécu de façon saine. Pour d'autres, c'est à ce moment qu'a pu se produire une erreur d'orientation (la fausse route), en général dans le but de contourner la souffrance de la blessure.

Dans la lumière de l'Esprit, il est essentiel de mettre en mots, de nommer clairement la direction qui a été prise, de la confronter aux repères essentiels, fondateurs de vie, que l'on va apprendre à décrypter : le chemin que j'ai pris est-il conforme aux directions que donne la loi de vie, la Parole de Dieu ? Aurais-je, sans en avoir véritablement conscience, pris une route qui mène non à la vie mais à une forme de mort ? Quand, comment, pourquoi ai-je pris cette direction-là ? Pour éviter quoi ? Serais-je en transgression d'une loi de vie sans le savoir ? Laquelle ?

LA NOTION DE TRANSGRESSION
DE LA LOI DE VIE

Dès que l'on explore le sens vital des lois de vie, les conséquences qu'elles ont sur son mode d'être, son comportement, la prise de conscience de la transgression, apparaît d'elle-même. On découvre tout à coup que l'on transgresse une loi fondamentale.

Cette notion de transgression fait surgir de vieux souvenirs de culpabilité mal située, de légalisme contraignant, d'étroitesse. Il est vrai que le mot n'est pas neutre et cependant cette étape est un mouvement de vie. Elle est essentielle : *celui ou celle qui fait la Vérité, vient à la Lumière* (Jn 3, 21) ; *L'Esprit vous conduira vers la vérité tout entière* (Jn 16, 13) ; c'est un temps de bénédiction.

Découvrir que l'on n'est pas condamné à demeurer emprisonné dans son passé, mais qu'il va être possible de découvrir une issue de vie quelle que soit son histoire ou son présent, de devenir acteur de sa vie, de se responsabiliser, tout cela est le beau fruit de la prise de conscience de la transgression et de la démarche spirituelle qu'elle induit.

Les personnes qui ont un lourd passé, un présent difficile ne peuvent d'emblée entrer dans cette dimension, on le comprend aisément. Beaucoup ont d'abord besoin de reconnaître qu'ils ont été victimes, de crier leur innocence. C'est la raison pour laquelle la prise de conscience de la transgression se situe généralement après la libération de la plainte, à la fin de la descente dans les blessures et l'exploration de leurs conséquences.

C'est alors que celui ou celle qui a une quête spirituelle prend conscience d'une vérité qui va être une aide puissante pour lui permettre d'aller au bout de sa quête, de réaliser l'unité entre sa vie de foi et sa dimension psychologique : *La loi de vie est une loi de Dieu ; par voie de conséquence, la transgression d'une loi de vie est la transgression d'une loi de Dieu.*

Se remémorer cela, se rappeler que la loi de vie est inscrite au cœur même de la Création, de tout humain, fait immédiatement entrer sur un autre plan, la dimension spirituelle, la relation au Dieu vivant.

Prendre conscience du dépassement de ses limites par une activité débordante et déraisonnable est un grand pas. Mettre en mots que cela équivaut à se prendre pour un petit dieu, à s'établir dans la toute-puissance, à transgresser ainsi la loi essentielle de l'acceptation de la condition humaine, va mener à une démarche spirituelle.

La transgression d'une loi de vie est une conséquence des blessures mal vécues. Elle est la plupart du temps tout à fait involontaire ; elle résulte d'une méconnaissance, d'un oubli de la loi de vie. Dans le parcours d'évangélisation des profondeurs, il est essentiellement question de transgression de lois de vie qui sont la conséquence de fausses routes prises elles aussi la plupart du temps tout à fait involontairement. Très généralement la personne méconnaît la réalité de la transgression. Je n'aborde pas ici le problème des délits caractérisés (meurtres, vols…).

Il ne s'agit en aucune façon de se croire condamné, d'être accablé par la prise de conscience de son errance. C'est un temps de lumière, de vérité sur soi ; il peut être douloureux, mais il est la condition du chemin de remontée vers la vie. Il correspond à la merveilleuse découverte que Dieu appelle à la vie ; il nous assure qu'il va intervenir sur le parcours des êtres humains, les aider à se libérer de leurs liens, de ce qui les maintient en prison.

Se découvrir en transgression d'une loi de vie, donc d'une loi de Dieu, alors que son désir le plus authentique est de le servir, est une découverte bouleversante mais elle ouvre de telles perspectives de vérité, de vie, de réelle liberté, qu'elle ne peut entraîner qu'une joie profonde.

APPROFONDISSEMENT
DE LA FAUSSE ROUTE

La fausse route est un chemin de mort qui mène à la transgression d'une loi de vie. Le thème de la fausse route a été traité dans le tome I de *L'Évangélisation des profondeurs* ; cependant, c'est une notion si fondamentale qu'il semble utile d'y revenir pour en préciser le sens et l'approche [1].

Définition.

Qu'est-ce qu'une fausse route ? Lorsque nous sommes victimes de blessures, de quelque ordre qu'elles soient, nous pouvons les assumer en traversant la souffrance et en reprenant une direction de vie. Mais nous pouvons aussi contourner la blessure, la souffrance qu'elle suscite, et prendre une direction qui nous apparaît comme une issue : en réalité, elle nous dévie du chemin de vie et va se révéler un chemin de destruction, d'enfermement, un piège. *La fausse route prend donc naissance dans la blessure.*

Si elle n'est pas éclairée, repérée, nous allons continuer à la suivre et nous allons nous écarter d'année en année de plus en plus loin du chemin de vie. Il va évidemment être nécessaire de nommer clairement cette fausse route. Il importe ensuite de mettre au jour quand, comment, pourquoi on y est entré. Car il est vain de rester à la périphérie du problème, de s'attaquer aux seuls symptômes d'un désordre. C'est le nœud du problème qu'il convient d'atteindre et il va être essentiel de renoncer à la racine même de la fausse route.

Qui méconnaît une loi de vie va forcément vers une forme de destruction. L'expérience montre que la compréhension

---

1. Simone PACOT, *L'Évangélisation des profondeurs*, t. I, p. 74-78.

du sens vital des lois de vie rend beaucoup plus aisée et rapide la découverte de la fausse route. La loi de vie donne les repères qui vont permettre de construire son identité, sa liberté, de façon juste, de vivre une relation préservée – autant qu'il se peut – du désordre et de la confusion. Dès que ces repères sont bien établis, il devient facile de prendre conscience de la façon dont on y a ou non adhéré : la transgression, la fausse route apparaissent alors d'elles-mêmes.

Comment a-t-on réagi à la blessure subie ?

On réagit forcément à une blessure : c'est à ce moment que l'on peut se tromper de direction et partir vers une forme de mort. Ce n'est pas pour rien que l'on prend une fausse route. Il y a une raison qu'il est indispensable d'éclairer. Comment ai-je vécu ce qui m'est arrivé ? Qu'en ai-je fait ?

Ouvrir son passé à la lumière de l'Esprit, à la visitation du Christ, va permettre de prendre conscience de ce balancier entre la vie et la mort, de ces lieux, ces temps où l'on s'est trompé de chemin, où des parts de soi se sont immobilisées, où la vie ne circule plus. Il est bon de se remémorer ce qui a été dit de sa naissance, de son histoire, par les parents ou autres membres de la famille, en essayant d'en voir les conséquences sur son présent, en laissant remonter les souvenirs.

En règle générale, nous n'avons pas à nous culpabiliser d'avoir pris une fausse route. Chacun, chacune a fait ce qu'il a pu, a cherché ce qui lui apparaissait la meilleure solution, avec ce qu'il était, face à l'événement, à la réalité de la situation. Mais, en revanche, nous avons la responsabilité de la mettre au jour, en mots, chaque fois que nous le pouvons et quand le temps en est venu.

La fausse route est souvent découverte très longtemps après qu'elle a été prise, mais cela n'empêche aucunement qu'il soit possible d'y renoncer. Elle n'est pas inscrite en nous de façon irrémédiable. Celui ou celle qui découvre, dans la lumière de l'Esprit, comment il s'est noué, lié, comment il est parti de travers, va pouvoir, par avec et en Christ, dénouer ce qu'il a lui-même noué, même s'il ne l'a pas fait volontairement.

Comment découvrir une fausse route ?

Beaucoup méconnaissent totalement les fausses routes qu'ils ont pu prendre. Et cependant là se trouve une des racines les plus essentielles des torsions, nœuds, chemins de mort, de l'impossibilité de choisir véritablement la vie. Avoir mis au jour les événements de son histoire et leurs conséquences sur soi-même, et cependant demeurer dans l'ignorance de la fausse route qui a été prise, est un constat fréquent.

Il est étrange de constater comment, bien souvent dans un entretien, une personne qui expose avec grande clarté tous les éléments qui permettent de nommer la fausse route ne parvient cependant pas à la mettre en mots, comme si elle avait un voile devant les yeux. Mais peut-être est-ce aussi parce qu'elle en ignore l'existence possible.

Découvrir la fausse route et la mettre en mots est donc une étape essentielle. La plupart du temps, la fausse route est prise par une décision ; cette décision peut induire un comportement actif – « puisque vous m'excluez, je vous exclus » ; « pour qu'on ne prenne pas emprise sur moi, moi je prendrai emprise sur l'autre »... – ou un comportement passif, mais qui est néanmoins une décision – « de toute façon, je n'arriverai pas, je baisse les bras » ; « je préfère me laisser écraser qu'entrer en conflit ou me sentir coupable »...

On peut parfois glisser dans la fausse route de façon

insidieuse en laissant faire, sans savoir comment réagir, en « naviguant » au jour le jour sans direction précise.

Les fausses routes sont prises dans l'enfance, souvent entre cinq et sept ans – l'âge de raison. Elles peuvent bien sûr être prises avant ou après. Si elles n'ont pas été éclairées, elles vont être à l'origine d'autres fausses routes qui se greffent sur la première erreur d'orientation.

C'est la personne elle-même qui exprime sa fausse route. Mais la plupart du temps elle ne se rend pas compte qu'elle vient de découvrir la mauvaise direction prise ; c'est à l'accompagnateur ou à l'accompagnatrice [1] qu'il appartient de saisir l'importance de ce qui est dit et de le reprendre avec les mots mêmes de la personne. L'accompagnateur ne doit être ni directif, ni indiscret ; il n'interprète pas ce qu'il entend à partir d'idées préconçues. Son rôle est simplement, à l'écoute de l'histoire de la personne, de poser des questions très simples, et de saisir dans la réponse les mots significatifs : comment as-tu réagi à la blessure ? Qu'as-tu ressenti ? As-tu à ce moment pris une décision, choisi une direction pour en sortir, lesquelles ? Peux-tu les retrouver ?

Il suffit d'exprimer en termes « bruts », sans chercher ses mots, la façon dont on a réagi. Il est étonnant d'entendre beaucoup de personnes répondre immédiatement et de façon très juste à des questions simples. Le rôle de l'accompagnateur va alors être de l'aider à reprendre ses mots et à mettre ainsi au jour la fausse route. Bien que les décisions qui ont été prises soient enfouies dans la mémoire, elles réapparaissent souvent avec clarté dès que la question est posée.

La fausse route s'exprime en une phrase brève. Les mots doivent être parfaitement ajustés au comportement que l'on a

---

1. Les personnes qui s'engagent dans un trajet d'évangélisation des profondeurs dans le cadre des sessions organisées par Bethasda sont suivies pendant et entre les trois sessions d'un cycle par des accompagnateurs et accompagnatrices formés dans ce but. Elles peuvent également être accompagnées après un cycle complet, si elles le souhaitent.

eu. Si l'on se trompe d'un fil on risque de ne pouvoir quitter la fausse route faute de l'avoir bien nommée.

Si elle est justement nommée, la personne dit tout de suite : « Voilà, c'est exactement cela que j'ai vécu ! » Si elle manifeste une réticence, il va falloir abandonner la piste entrevue quitte à la reprendre plus tard si elle se confirme.

Comment savoir si l'on a pris une fausse route ?

Tous ne prennent pas une fausse route bien entendu. Demander la grâce d'un juste discernement, laisser émerger et fortifier le désir d'affiner le regard de vérité, est une façon de se lever de son grabat, de se mettre en marche (Jn 5, 8). C'est un acte de courage, un pas vers la vie.

Le simple fait de se poser la question ouvre la porte à une réponse. L'éclairage vient notamment du regard porté sur :

– ses comportements face à son identité, sa liberté, sa dépendance affective, sa place. La prise de conscience des processus répétitifs est très éclairante. Par exemple, se retrouver toujours sous la coupe, le pouvoir abusif d'un ou d'une autre, suivre une route qui n'est pas la sienne, par recherche de sécurité ou séduction, n'être jamais à sa place, toujours à la première place, désirer occuper toute la place…

– la façon dont on est « lié » intérieurement avec une sorte d'impossibilité de retrouver sa liberté. Les interdits et freins auxquels on se soumet, les paroles ou regards négatifs qui nous déterminent… ;

– ses peurs : de la solitude, de l'abandon, d'être accusé, d'être cause de la mort de quelqu'un, sentiment de panique à l'idée de la mort d'un proche, terreur de l'échec… ;

– ses désirs : éteints ? enfouis ? anarchiques ?…

– une forme de lourdeur, d'accablement, d'impuissance devant les difficultés de la vie, une sorte d'impossibilité de choisir la vie, d'être heureux, une connivence avec les chemins de mort…

– les manifestations de son agressivité, de ses colères, de sa violence. La persistance d'un sentiment de révolte tenace, une haine errante…

On peut découvrir rapidement la fausse route ; mais il faut parfois des mois pour la mettre en lumière.

Pourquoi a-t-on pris une fausse route : la racine de la fausse route.

C'est une question essentielle. Que s'est-il passé en soi pour que l'on s'oriente vers un chemin qui se révèle, au fil des ans, chemin de destruction ? On ne pourra avoir d'impact sur la fausse route elle-même que si on en découvre la racine, si on sait ce qui l'a fait naître. C'est très souvent une croyance mensongère, mais pas toujours.

« Mon père a raison », s'est dit Bernard après avoir entendu toute son enfance qu'il était un bon à rien, « je suis nul » ; à partir de là, il entre dans une dépréciation totalement mortifère, va d'échec en échec.

La même blessure peut au contraire entraîner vers un comportement de toute-puissance : « Puisque l'on me considère comme nul, je vais prouver par tous les moyens, y compris en trichant et en écrasant les autres que je suis le meilleur, que je les dépasse tous. »

Xavier ne peut se décider à entrer dans la vie professionnelle malgré ses diplômes : il ne parvient pas à se mettre en mouvement, projette des démarches qu'il ne fait jamais : quelle est la racine de ce comportement ?

Xavier est le dernier d'une série de frères et sœurs bien plus âgés que lui. « En fait, dit-il, j'étais de trop, laissé pour compte, j'en ai beaucoup souffert. J'ai alors décidé de me coucher, de ne plus bouger, de ne pas faire un geste pour construire ma vie. C'est à mes frères et sœurs de m'aider, de me porter. Je veux qu'ils se rendent compte que j'ai été victime ; ils doivent réparer. »

Le renoncement va d'abord porter sur la racine de la fausse route, et non sur la fausse route elle-même. C'est pourquoi il est si important de mettre au jour la raison pour laquelle on a pris un chemin de mort.

C'est un trajet que l'on parcourt dans la lumière de l'Esprit, dans la force du Christ. C'est la plupart du temps, étape par étape, que la racine de la fausse route est mise au jour ; on s'en approche progressivement ; il faut parfois du temps pour que la personne parvienne à l'exprimer en mots très justes. Mais à partir de là, le trajet est considérablement simplifié. Le chemin de remontée va alors se dérouler, avec ses nécessaires retours en arrière, mais on sait sur quoi travailler. Avoir découvert la racine de sa fausse route est un apaisement considérable, on reprend courage.

Il arrive aussi que l'on voie clairement une fausse route dans ses manifestations mais qu'on ne parvienne pas à en trouver l'origine : pourquoi, comment cette direction a-t-elle été prise ? Il ne s'agit pas de s'obstiner. Il arrive fréquemment qu'en ouvrant paisiblement ce problème à la lumière de l'Esprit, en demeurant vigilant, peu à peu, au fil des jours, l'éclairage est donné, alors que l'on ne s'y attend plus. Un mot, une phrase suffisent à retrouver l'origine de la torsion.

Il n'est pas bon de se tendre, de vouloir à tout prix trouver sa fausse route, récolter un fruit tout de suite, vivre cette recherche comme une recette. La découverte de la fausse route ouvre un trajet. Il ne faudrait pas s'imaginer que le trajet est terminé dès lors que la fausse route est découverte et mise en mots, que sa racine en est dévoilée.

Le savoir, la connaissance ne suffisent pas : nommer la racine de la fausse route et la transgression de façon précise est une étape indispensable, mais non suffisante. On se trouve là au début du chemin de remontée ; il va être nécessaire de renoncer à ce chemin de mort qu'est une fausse route (en en respectant les étapes), de traverser les étapes du travail de deuil – qui suit ou précède le renoncement –, de poser des actes intérieurs précis, d'ajuster ses comportements à la direction nouvelle.

Beaucoup sont tentés d'arrêter leur parcours dès la prise de conscience de la transgression. Le mouvement de vie ne peut alors s'accomplir, il « avorte » en cours de route.

Trajet[1].

Danielle arrive en entretien en disant qu'elle a le cœur dur. « Ne te condamne pas trop vite. Il t'est arrivé quelque chose pour que ton cœur se ferme, lui dit son accompagnateur. Est-ce que tu sais à partir de quel moment ton cœur s'est durci ? » Danielle répond sur-le-champ : « Oui, je sais. Je souhaitais me marier avec un jeune homme que j'aimais profondément ; il n'était pas de mon milieu social et mon père, qui avait une terrible emprise sur moi, m'a obligée à casser cette relation. J'ai cédé et je le regrette amèrement. C'était le seul amour de ma vie. – Et maintenant ? – Je me suis mariée, mon mari est un bon époux, j'ai de beaux enfants, mais je gâche tout. – Est-ce que tu sais pourquoi tu gâches tout ? » La réponse fuse, d'un jet : « Oui, je veux que mon père se rende compte qu'il a brisé ma vie. Si j'étais heureuse dans mon foyer actuel, il penserait qu'il a eu raison de m'empêcher de me marier avec le jeune homme que j'aimais. Je veux lui prouver qu'il est responsable de mon malheur ! »

La question posée était simple et Danielle y a répondu clairement sur-le-champ, mais elle ne se rend pas compte qu'elle vient d'exprimer sa fausse route. C'est à

---

1. Tous les exemples de transgressions de la loi de vie développés dans le tome II de *L'Évangélisation des profondeurs*, *Reviens à la vie !*, sont autant de fausses routes.

l'accompagnateur de saisir ses mots, de lui faire prendre conscience de ce qu'elle vient de dire. Danielle a pris un chemin de destruction, elle le sait bien, mais elle ne trouve pas l'issue car elle n'a aucune conscience de la fausse route qu'elle a prise. Maintenant un trajet s'ouvre. Danielle a transgressé la loi d'acceptation de la condition humaine, des erreurs, des limites de chaque être humain. Elle a un deuil à vivre, certainement déchirant : l'acceptation du passé qui est ce qu'il est et qui ne pourra jamais changer. Elle-même n'a pas eu la force d'imposer son choix, de sortir de l'emprise et elle s'enferme dans le regret et la vengeance. Elle va avoir à traverser toutes les étapes du deuil et apprendre à les vivre dans la présence du Christ. Elle va lui permettre d'habiter son chagrin, sa révolte, sa haine et parvenir peu à peu à l'acceptation de son passé. Elle pourra alors renoncer à la racine de la fausse route qu'elle a prise, de ce chemin de destruction d'elle-même et de son foyer. Danielle sait maintenant quelle direction prendre pour retrouver la vie. Elle peut nommer le lieu de son combat, c'est ce qui lui donne le courage de se mettre en route. Elle a découvert qu'elle n'est plus seule à mener cette lutte. Elle peut compter sur la grâce de Dieu qui est venu la trouver au cœur de sa difficulté, sur la lumière de l'Esprit qui va la guider pas à pas.

L'IDOLE

Tu n'auras pas d'autres dieux que moi (Dt 5, 7).

Tu ne feras aucune image sculptée de rien qui ressemble à ce qui est dans les cieux là-haut, ou sur la terre ici-bas, ou dans les eaux au-dessous de la terre. Tu ne te prosterneras pas devant ces images, ni ne les serviras (Dt 5, 8-9).

Si tu te laisses entraîner à te prosterner devant d'autres dieux et à les servir, je te déclare aujourd'hui que tu périras certainement (Dt 30, 17-18).

Mettre au jour, au cours d'un travail de vérité sur soi, que la soumission à l'emprise a empêché le déploiement de sa liberté, de son identité, est un passage essentiel. Mais reconnaître que s'épuiser à répondre au désir mal situé d'un ou d'une autre (être sa source de vie, devenir son sauveur, combler son vide affectif…), se laisser écraser par un pouvoir abusif, est en même temps qu'une transgression d'une loi de vie (la loi d'identité spécifique de la personne) une forme d'idolâtrie, mène à une prise de conscience qui introduit dans une tout autre dimension : on peut alors nommer le faux dieu que l'on sert, on atteint la racine du chemin de mort qui a été pris, on ne va plus travailler en vain sur les symptômes de son mal-être. Renoncer à servir le faux dieu dont on connaît maintenant la nature ouvre l'issue qui va permettre le retour à la vie. C'est alors que l'on comprend comment s'articule la jonction entre la psychologie et la foi vivante, la Parole de Dieu.

À la base de toute transgression d'une loi de vie se découvre la même déviance : l'idolâtrie. L'idolâtrie est un chemin de mort. Il est donc impératif de renoncer à l'idole si l'on veut retrouver la direction de vie. Encore faut-il savoir ce qu'est une idole, en quoi consiste véritablement l'idolâtrie [1].

Définition. Les faux dieux.

L'idolâtrie consiste à servir un faux dieu, à se tromper de dieu, à se tromper sur Dieu.

---

1. Xavier THÉVENOT, *Compter sur Dieu*, voir le chapitre « De l'idole à l'icône, affectivité et vie spirituelle », p. 295-308 ; pour Paul BEAUCHAMP, *La Loi de Dieu*, Paris, Éd. du Seuil, 1999, voir « La loi du décalogue et l'image de Dieu », p. 54-67, et « Ressembler à l'idole », p. 92-109 ; Adolphe GESCHÉ, *Dieu pour penser*, III, *Dieu*, p. 152-162 – sur l'idolâtrie toujours possible.

Les cinq premières paroles du décalogue (Dt 5, 6-22) – dans lequel sont énoncées les dix paroles de vie, ou les dix commandements – se rapportent à la relation de l'être humain et de Dieu. Elles rappellent avec force ce grand interdit de l'idolâtrie. Il est donné, comme tous les interdits, pour protéger l'être humain des chemins de mort. Le décalogue n'est pas simplement un code de bonne conduite. Il convient de l'entendre à partir de sa source. Il concerne ce qu'il y a de plus essentiel en chacun : la relation à Dieu, à soi, à l'autre. Il touche l'être même de tout humain.

Les idoles sont les faux dieux dont nous parle la Bible (Dt 30, 17), ces dieux devant lesquels il nous arrive de nous prosterner, que nous servons souvent, sans même en avoir conscience. Si nous n'avons pas une juste notion de ce qu'est l'idole, nous allons quasi obligatoirement être pris à son piège, car cette notion d'idolâtrie imprègne la vie courante. Ces faux dieux existent bel et bien.

Les faux dieux dont il est question ici ne sont pas des survivances équivoques d'autres religions mais ce que l'être humain adore et qui n'est pas Dieu.

Le fait de servir un faux dieu, de se tromper sur Dieu, de se tromper de dieu, a de graves conséquences car le faux dieu fausse l'être humain, il le pervertit, l'oriente vers un chemin de perdition : l'homme, la femme perd la juste direction. C'est pourquoi Adolphe Gesché pense que l'idolâtrie n'est pas d'abord une erreur vis-à-vis de Dieu mais une erreur vis-à-vis de soi-même car elle dévie, tord l'être même de tout humain, l'entraîne vers une forme de mort.

Se tromper sur Dieu. Les fausses notions de Dieu.

Nous sommes là devant le questionnement premier, essentiel : nous tromperions-nous sur Dieu ?

Le grand interdit structurant contenu dans la première parole de vie du décalogue, l'interdit de faire une image sculptée de Dieu, est relatif au fait de construire de toutes pièces une représentation mentale d'un Dieu que l'on réduit à la mesure de l'être humain : l'idole est ici ce qui est absolu et devient relatif. Elle conduit à cette dérive qui consiste à créer Dieu à l'image et ressemblance de l'homme au lieu de « le laisser être ce qu'Il est [1] » (*Je suis celui qui suis* – Ex 3, 14), de recevoir la révélation du Tout Autre, de contempler avec un regard neuf la vie et le message du Christ puisque *qui me voit, voit le Père*, dit Jésus (Jn 14, 9).

On n'insistera jamais assez sur la nécessité impérieuse de mettre au jour les fausses notions de Dieu que l'on entretient. On ne saurait se résigner à être complaisant en ce domaine qui touche la vie même. « Il n'est pas nécessaire pour être idolâtre de représenter Dieu comme un taureau, ou un aigle, ou une colombe. Il suffit de le voir fort sans douceur ou aimant sans puissance, ou terrible sans patience, ou tendre sans sagesse [2]. » Combien d'hommes, de femmes se privent d'une relation au Dieu vivant parce qu'ils ont une fausse notion de sa toute-puissance et transposent sur lui les dérapages de la première relation qu'ils ont connue : un Dieu absent, lointain, indifférent aux problèmes des êtres humains, qui ne tiendrait aucun compte de leurs limites, de leur fragilité, un Dieu censé aimer la souffrance, appelant à une forme de renoncement qui conduirait à une destruction et non à la vie, exigeant le sacrifice de la liberté, de l'identité, des désirs les plus authentiques, un Dieu rival, déresponsabilisant, infantilisant les humains, les privant de leur créativité, de leur dynamisme de vie, un dieu condamnant, dur, récoltant où il n'a pas semé (Mt 25, 24).

Ou encore, à l'inverse, un Dieu père Noël qui devrait répondre à toute demande quelle qu'elle soit, distribuer le bonheur, un Dieu que nous pourrions mobiliser et utiliser pour nos intérêts immédiats, le considérant comme à notre service exclusif, un Dieu qui nous sauverait sans que nous

1. Adolphe GESCHÉ, *Dieu pour penser*, III, *Dieu*, p. 159.
2. Paul BEAUCHAMP, *La Loi de Dieu*, p. 61.

ayons à nous mettre en route, qui nous éviterait de nous affronter aux risques de la vie.

Le problème est qu'en général, on ignore les fausses croyances sur lesquelles on fonde sa foi. Or on ne peut les quitter que si on les a reconnues, mises en mots. Beaucoup ne savent pas par où commencer cet éclairage essentiel. La méditation de la Parole de Dieu avec un cœur éveillé est essentielle : l'Esprit sera notre guide, c'est lui qui nous apprend à découvrir le sens vital de l'Écriture, à comprendre les choses et le langage du Royaume. Il existe actuellement des livres théologiques très abordables dont l'étude se révèle indispensable ainsi que des centres d'études bibliques. Se mettre au travail sur ce point est véritablement un acte de vie.

Si la détermination est bien ancrée, nul doute que la porte s'ouvrira, les moyens se présenteront à nous.

Se tromper de dieu. Adorer ce qui n'est pas Dieu.

Mais l'idole est aussi ce qui est relatif et qui devient absolu : c'est alors que l'être humain « au lieu d'adorer son créateur, adore ce qu'il a créé [1] ». Il va s'adorer lui-même, ou adorer ce qu'il met en place de Dieu : personne, chose, situation, œuvre… L'idole a alors une apparence de bon, mais ce bon n'est pas à sa place. Il importe d'être capable d'entendre le désir de l'autre, il est erroné d'en faire un absolu. Le travail est une bonne chose, il n'est pas juste d'en devenir l'esclave.

La Bible raconte l'histoire d'un peuple qui s'arrache aux idoles pour se tourner vers le vrai Dieu, et qui est sans cesse tenté de retomber dans le culte des faux dieux.

---

1. Xavier-Léon DUFOUR, *Vocabulaire de théologie biblique*, Paris, Éd. du Cerf, 1978, p. 559-561.

Caractéristiques de l'idole.

La loi mortifère.

L'idolâtrie entraîne l'être humain vers la mort alors que la loi de Dieu va vers la vie. Il ne faut pas oublier que l'idole énonce un commandement, émet une loi et que cette loi est la parodie de la vraie loi. « L'idole a son propre dynamisme et il va vers la mort[1]. » Elle pousse l'être humain à se mettre en marche sur une route qui n'est pas celle de la vie. Si nous ignorons que nous sommes dans l'idolâtrie, nous allons obéir à cette loi qui nous mène à un chemin de perdition en croyant obéir au vrai Dieu. C'est ainsi que nous arrivons à appeler devoir ce qui est en fait idolâtrie : soumission à la fusion, à l'emprise, à un mauvais interdit, à une idéologie, idéalisation de sa propre image, du couple, poursuite du perfectionnisme, recherche de l'expiation, réparation mal située, fausse notion de sacrifice…

La loi de l'idole est impérieuse ; elle demande tout. Dieu n'exige pas ce que l'idole exige : certaines formes de culte reviennent à faire de Dieu une idole.

Les prophètes l'ont dénoncée dans la Bible lorsqu'ils proclament que l'Éternel est las des innombrables holocaustes (Am 5, 22), que ce qu'il veut c'est l'amour, le partage, la connaissance de Dieu et non les sacrifices (Os 6, 6), il *désire la miséricorde non le sacrifice* (Mt 9, 13 ; Lc 5, 32)[2].

L'idole accapare, dévore l'être humain qui doit répondre sans relâche à ses exigences, au risque d'en mourir. Elle le « mange » en quelque sorte, en transgression totale des conséquences de l'interdit structurant de Genèse 2, 17 : tu ne mangeras pas ce qui n'est pas consommable : une personne.

---

1. Paul Beauchamp, *La Loi de Dieu*, p. 94.
2. *Ibid.*, p. 102-108.

Dieu nourrit son peuple [1], lui communique sa vie. Il est don, source de grâces, il invite les humains à venir boire à la fontaine de vie, à se refaire près de lui, il les instruit, les oriente vers leur véritable liberté, leur identité la plus profonde, les invite à découvrir et mettre en œuvre leurs désirs authentiques, leur donne de se donner à leur tour, dans le respect d'eux-mêmes et de l'autre, d'être créatifs. Sa parole est claire : *choisis la vie, non la mort* (Dt 30, 15-20).

La soumission à l'idole introduit dans l'immobilisme, le narcissisme, la réduction de la vie alors qu'en Dieu rien n'est définitif, tout est ouvert : l'idole coupe de l'être profond, ouvert sur l'avenir de Dieu.

La manipulation. La confusion.

L'idole entraîne la perte des repères fondamentaux. Elle tord, retourne la Parole de Dieu. C'est alors que l'on peut l'interpréter de façon mortifère : l'idole nous fait croire par exemple que le désir est interdit alors que c'est la convoitise qui l'est, que l'interdit précède la vie alors que le premier don de Dieu aux humains est celui de la vie et que la première parole du décalogue est la donation de la liberté (Dt 5, 6) : la liberté n'est pas simplement permise, il est impérativement demandé à l'homme, à la femme, de grandir dans leur véritable liberté.

Au contraire, l'idole peut faire croire que l'on peut tout recevoir de Dieu en échappant au chemin de remise en ordre essentiel, de véritable conversion.

Qui manipule la Parole de Dieu pour servir ses propres intérêts crée de toutes pièces un faux dieu.

Ceux et celles qui manipulent un être humain pour quelque raison que ce soit, ou qui se laissent manipuler,

---

1. Voir « Jeudi saint. Le dernier repas fraternel », IIIe partie de cet ouvrage, p. 327.

perdant ainsi leur liberté, leur discernement, leur axe, leur véritable direction, sont dans l'idolâtrie.

La séduction.

L'idole est souvent séduisante : c'est en cela qu'elle est dangereuse.

« La femme vit que l'arbre était bon à manger » (séduction de la nourriture), « séduisant à voir » (séduction de la beauté) « et qu'il était cet arbre désirable pour acquérir l'entendement » (séduction du savoir, de la domination)[1].

La séduction qu'exerce l'idole est un piège redoutable qui explique que l'on ait souvent tant de peine à la quitter. La première difficulté est de prendre conscience de la séduction dans laquelle on est entré et, ensuite, de lui donner son véritable nom : un faux dieu, une idole. Le fait d'être séduit entraîne la perte du discernement ; on ne voit plus clair, on se justifie par des arguments fallacieux, on entre dans une dépendance aliénante. Le combat pour quitter l'idole peut alors être très rude, se présenter comme un véritable déchirement. Il n'est pas rare d'entrer dans une sorte de fusion avec l'idole.

La séduction va être un terrain que beaucoup auront à approfondir. Par qui, par quoi, ai-je été séduit, suis-je séduit aujourd'hui ? Quelles en sont les conséquences sur ma liberté de choix ? Je peux aussi bien être séduit par le monde imaginaire que je me suis créé, que par une personne dont les qualités ou la force, le dynamisme, l'impression d'absolue sécurité qu'elle représente m'attirent irrésistiblement, et je risque alors de dévier de ma propre trajectoire. Je peux aussi entrer dans une compassion mal située, devenir complice du désordre d'un ou d'une autre en l'aidant à poursuivre un but qui n'est pas juste sous prétexte de lui venir en aide.

---

1. Gn 3, 6. Voir les trois promesses du tentateur qui répondent aux trois principales formes de convoitise de l'être humain, Enzo BIANCHI, *Adam où es-tu ?*, Paris, Éd. du Cerf, 1998, p. 187-191.

L'aliénation.

L'idolâtrie conduit à une véritable aliénation. On devient esclave de l'idole d'autant plus qu'on la sert sans en avoir véritablement conscience, sans mettre en mots ce que l'on vit. C'est alors qu'elle domine, possède, emprisonne l'être humain, l'empêche de devenir ce qu'il pourrait être.

Si nous répondons à l'invite du Christ de venir à la lumière, d'être dans la clarté, l'Esprit Saint va nous aider, nous permettre de débusquer ces faux dieux, ces pharaons qui nous maintiennent en esclavage en Égypte, de les appeler par leur nom pour pouvoir les quitter : c'est la grâce du Christ qui nous en donnera la force.

Quelles idoles servons-nous ? Où se cachent-elles ?

Où va-t-on trouver l'idole ?

— D'abord et essentiellement dans les fausses notions de Dieu que nous entretenons ;

— dans le « moi » qui cherche à être comme Dieu, qui « se gonfle », envahit tout ;

— dans la recherche de la toute-puissance, quelle qu'en soit la forme ;

— dans toutes les formes d'idéologie ;

— dans la psychologie lorsqu'elle devient un absolu et non plus un moyen. C'est là que l'on prend conscience que l'idolâtrie est moins l'adoration de fausses valeurs que la perversion des valeurs. Les valeurs sont bonnes mais elles ne sont plus à leur place ;

— dans le culte du corps, du sexe, de la beauté ;

— dans la vie spirituelle si elle s'oriente vers une recherche narcissique, si elle est un refuge, un alibi pour ne pas vivre l'épaisseur de l'humanité, la relation ;

— dans la complicité avec le chemin de mort ;

— dans toutes les fausses routes, dans l'acceptation de perdre sa liberté, son identité, de réduire ses désirs les plus authentiques, au profit d'une personne en désordre qui impose sa loi, est mise en place de Dieu ;

– dans la comparaison mortifère avec un ou une autre ; dans l'admiration éperdue de ses qualités (le culte de la personnalité) ;

– dans la soumission à un interdit – de quelque ordre qu'il soit : de bonheur, de conflit, de réussite – à une parole ou un regard négatif. La pensée, la parole d'un être humain en désordre a alors plus de poids que la Parole de Dieu et prend valeur d'absolu…

Le renoncement à l'idole : un acte de vie.

Se découvrir idolâtre peut entraîner chez certains un fort sentiment de culpabilité. Il est vrai que c'est une notion qui peut effrayer. Il ne conviendrait pas d'ajouter un mal à un mal. On ignore la plupart du temps que l'on sert des faux dieux, que l'on a de fausses notions de Dieu. L'état d'idolâtrie est nommé de façon précise pour permettre d'y renoncer, de le quitter, pour être libéré de l'esclavage, non pour être condamné. La prise de conscience peut être douloureuse mais elle doit permettre d'ouvrir rapidement sur la joie d'y voir clair, sur la certitude qu'il est possible d'être libéré de ses liens, d'entrer peu à peu dans la liberté des fils et des filles de Dieu. C'est la promesse du Christ.

L'acte de renoncement à l'idole suit les mêmes règles que celles exposées dans le cadre d'un renoncement à une loi de vie ; il se vit très généralement à la fin du trajet de descente dans ses profondeurs, au moment où la racine de la fausse route et la fausse route elle-même ont été mises au jour.

L'acte de renoncement à l'idole mène à un combat pour ajuster les comportements au choix posé ; mais si la détermination est profondément enracinée, on sait sur quoi travailler, on peut nommer le lieu du combat spirituel, le cœur est pacifié. Même si le chemin est long, la force est donnée, on se sait béni sur ce chemin-là.

Trajet.

Geneviève a vécu pendant de nombreuses années une grave fusion avec sa mère. Arrivée à l'âge adulte, elle se sent encerclée, emprisonnée dans cette situation : elle ne sait comment en sortir, tous ses essais de liberté se heurtent à un terrible chantage affectif, menace de maladie et même de suicide, de la part de sa mère.

Elle s'engage dans un trajet d'évangélisation des profondeurs et, à la lumière de l'Esprit, entreprend une relecture de son histoire. Elle découvre qu'elle a transgressé une loi essentielle, la loi d'identité de la personne. C'est pour elle un grand soulagement de mettre au jour que ce qu'elle nomme devoir est en réalité transgression d'une loi essentielle qui l'oriente impérativement vers la nécessité de retrouver sa propre terre, de devenir elle-même.

Le mot *séduction* lui vient à l'esprit ; elle comprend qu'elle s'est laissé séduire par le rêve de ne faire qu'un avec une mère brillante et tendre, autant que possessive, sans se rendre compte de la prison qui se refermait sur elle-même chaque jour.

Dans le même mouvement, elle prend conscience du processus qu'elle a reproduit sa vie entière en toutes ses relations. Elle a toujours été séduite par des personnes qu'elle estimait plus fortes qu'elle, sûres de leur désir. Elle-même a laissé éteindre ses propres désirs, perdu la potentialité de poser un choix personnel d'orientation de sa vie, en fait renoncé à son autonomie et à sa liberté intérieure : elle ne pouvait alors que dépendre du désir des autres et de leur propre orientation. C'est ainsi qu'elle a suivi des routes qui n'étaient pas les siennes, se mettant au service du désir de l'autre en quelque sorte.

C'est alors qu'un second mot lui est donné : *l'idole*. L'éclairage vient subitement. Elle a fait de l'autre une idole qu'elle a servi fidèlement ; c'est bien là le faux dieu devant lequel elle s'est prosternée.

Sa vie spirituelle a elle-même été marquée par son problème psychologique : recherche éperdue de l'absolu, oubli de la nécessité d'un juste amour de soi bien situé, sentiment de culpabilité et d'indignité, fausse notion de la volonté de Dieu imposée du dehors au mépris de ses désirs les plus authentiques…

C'est un temps de repentance profonde, de douleur aussi, car ces deux mots : « séduction » et « idole », la révulsent. Cependant c'est bien là qu'elle est entrée. Elle renonce de la façon la plus claire à tout état de fusion, à la soumission à quelque idole que ce soit, à la séduction. Elle pose un acte de déliance [1] vis-à-vis de l'attente de sa mère, et également de toutes les personnes sous l'emprise desquelles elle s'est placée.

Elle choisit de n'avoir pas d'autres dieux que Dieu, d'adhérer à la loi de vie qui lui demande d'aller à la rencontre de son « je », de découvrir sa propre trajectoire, sa tâche spécifique, ses ressources propres.

Elle se laisse accueillir par la miséricorde du Père dans cette naissance, ce véritable enfantement qu'est pour elle ce passage. Elle est alors totalement pacifiée, elle a retrouvé la juste direction et se met en marche vers la découverte et le déploiement de sa liberté intérieure de fille de Dieu dans la reconnaissance et le respect de l'altérité de l'autre.

---

1. Voir le tome I de *L'Évangélisation des profondeurs*, p. 89-90 ainsi que l'approfondissement qui en est fait aux pages 148 à 152 du tome II. L'acte de déliance consiste à se délier du mauvais lien qui a pu se tisser entre soi-même et une autre personne. On se délie des ombres et de l'emprise qu'une personne a pu avoir sur soi (en nommant de façon précise de quoi on se délie) et on la laisse aller sa route dans la bénédiction de Dieu. On renonce soi-même à toute recherche de fusion ou d'emprise sur l'autre. On reprend alors sa propre trajectoire, son identité, ses désirs les plus authentiques. On ne rejette pas la personne de l'autre, on dit non à un comportement qui est contraire à une loi de vie. Il s'agit d'une séparation intérieure et non d'une exclusion ni d'un abandon effectif de l'autre. Un acte de déliance permet de découvrir la bonne distance, condition d'un amour vrai, d'une juste relation. Il n'est pas fait une fois pour toutes. Il est bon de le revivre jusqu'à ce qu'il soit bien enraciné en soi.

DEUXIÈME PARTIE

LA REMONTÉE VERS LA VIE

Quel trajet ? Quelle forme de prière ?

Après le temps de la prise de conscience, il va s'agir de remonter, de retrouver la vie et, en fin de trajet, d'ajuster ses comportements à la vérité entrevue. C'est souvent à ce moment de la remontée que celui ou celle qui a une quête spirituelle exprime qu'il se sent totalement démuni devant le chemin à prendre :

– Que faire sur le plan spirituel de ce que j'ai vu de ma réalité psychologique ?

– J'ai entendu, compris cette question de la jonction des dimensions psychologique et spirituelle, mais je ne sais par où commencer ?

– Quel acte poser pour quitter la fausse route, le chemin de mort ? Que faire de la transgression que j'ai découverte ? Qu'est-ce qu'un acte intérieur ? Comment et à quoi renoncer ?

– Quel pas vais-je pouvoir poser sur le chemin de vie ?

Ce sont les questions qui reviennent le plus souvent.

Beaucoup ne font pas le lien entre leur forme habituelle de prière et les passages essentiels de tout trajet de guérison intérieure. Bien souvent, ils se trouvent devant des sentiers inconnus, comme les Hébreux dans le désert, assaillis par le doute, l'impuissance, la peur.

« Je comprends aujourd'hui, dit Paul, que j'étais idolâtre en me laissant détruire par le regard de ma mère, mais comment sortir de là, que puis-je faire ? » Il se trouve devant un mur, affolé. Or, c'est un homme de prière, mais il n'a jamais posé d'acte spirituel dans ce domaine de l'idolâtrie.

Sylvie a clairement mis au jour avec son accompagnatrice sa blessure et la fausse route qui s'est ensuivie. Elle détaille la démarche qu'elle va poser : se nourrir de la Parole de Dieu qui lui montre l'issue, renoncer à la racine de la fausse route, à la fausse route et à la transgression à la loi de vie, et choisir un pas sur le chemin de vie. C'est très clair. Le lendemain son accompagnatrice lui demande comment elle a vécu sa démarche. « J'ai récité mon chapelet, c'est ma forme de prière habituelle. – Mais ce n'est pas ce que tu devais faire à ce moment. Cela ne veut pas dire que tu n'as pas à prier sur le chapelet si cela est ta forme de prière, mais une démarche est une autre forme de relation à Dieu. »

Il a été nécessaire de reprendre point par point les actes intérieurs à poser, s'assurer de la façon dont Sylvie allait les vivre. Elle avait parfaitement compris le sens de sa démarche, elle s'en rappelait toutes les étapes, mais elle n'avait aucune idée de la façon de les vivre.

Il est essentiel d'apprendre à prier sur ces chemins d'évangélisation des profondeurs et de prier autrement qu'en demandant au Seigneur d'être libéré rapidement de ce qui gêne ; peu à peu nous allons expérimenter comment vivre réellement les démarches spirituelles, les actes intérieurs qui vont permettre d'entrer dans l'entièreté de l'être. Nous pouvons compter sur l'Esprit pour nous en faire découvrir le chemin ; encore faut-il collaborer avec lui de façon juste, ne pas demeurer dans la frilosité.

Il est bon d'être accompagné, si cela est possible, par quelqu'un qui a vécu ce trajet pour lui ou elle-même, et suivi une formation. Mais on peut aussi se mettre en route seul si l'on ne trouve personne, en s'aidant des indications données, en ouvrant la porte à ce genre de questionnement.

LE TEMPS DE LA REPENTANCE
LE PÔLE SPIRITUEL
DE LA PRISE DE CONSCIENCE

Il arrive que l'on reconnaisse avoir transgressé une loi de vie sans entrer dans le mouvement de repentance. Il manque alors la dimension spirituelle. Celui ou celle qui veut aller au bout de sa quête ne saurait en rester là.

La repentance est le pôle spirituel de la prise de conscience : elle conduit un croyant à un regret profond, un retournement du cœur, à une relation personnelle avec le Dieu vivant ; l'acte devient entier, source d'unité.

La repentance est une notion qui apparaît à beaucoup comme un peu vieillotte. Elle est cependant un mouvement extrêmement dynamique, moteur et signe du retour à la vie.

Prendre conscience de la joie du Père lorsqu'un de ses enfants *était mort et revient à la vie* (Lc 15, 11-32) amène une sorte de basculement intérieur dont le premier fruit est la repentance dans sa dimension la plus profonde.

La repentance se vit souvent en deux temps. Elle commence par un temps de douleur, une douleur paisible qui ouvre à la joie mais une douleur quand même : on prend conscience de sa désobéissance à une loi essentielle ! Puis elle devient complète, source d'une véritable libération, d'un réel bonheur lorsqu'on reçoit pleinement le pardon de Dieu. Quand les yeux s'ouvrent, que les oreilles entendent, que le fond du cœur s'ouvre à la Parole de vie, alors tout naturellement on tombe à genoux dans la repentance devant le Dieu de vie que l'on ne connaissait pas et que l'on vient de découvrir.

On comprend que l'on était appelé par son nom sans relâche, attendu sur la route du retour. Comme le cadet de la parabole on croyait « trouver un juge et on se retrouve au port, enfin capables de se laisser aimer [1] ». Alors d'un coup, tout devient clair. On découvre comment on s'est perdu en chemin, on ne savait pas, on n'avait rien compris, on a fait ce qu'on a pu et on est quand même passé à côté. On se tient alors sous le regard de tendresse et de compassion du Christ qui conduit inlassablement à l'amour du Père ceux et celles qui sont en quête de vérité. C'est cela vivre la repentance.

La repentance est un temps heureux parce qu'elle est un temps de lumière : qui a eu le courage de faire la vérité, vient à la lumière et sort de la ténèbre (Jn 3, 21). Chacun va vivre la repentance à sa façon. Plus le sentiment de repentance est profond et vrai, plus le mouvement de conversion sera authentique.

Il importe de bien s'entendre sur la notion de repentance telle qu'elle est vécue dans l'évangélisation des profondeurs, car elle a ici un sens particulier.

DE QUOI SE REPENTIR ?

Beaucoup rechignent à entrer dans cette dimension de la repentance : « À quoi cela sert-il ? C'est une perte de temps. » « J'ai été si malheureux, il ne manquerait plus que cela que j'aie en plus à entrer dans la repentance. » « Et d'ailleurs, de quoi se repentir ? »

---

1. Paul BAUDIQUEY, *Le Retour du prodigue*, texte qui accompagne les diapositives de la peinture de Rembrandt, audiovisuel ACNAV, 3 rue Amyot, 75005 Paris.

Te voilà guéri, ne pèche plus désormais, dit Jésus à l'infirme de Bethasda couché depuis trente-huit ans sur son grabat (Jn 5, 14). De quoi cet homme a-t-il à se repentir ? Quel a été son péché ? Serait-ce sa complicité, sa connivence avec le chemin de mort ? Le fait d'avoir peu à peu laissé s'éteindre son élan vital, son désir de vivre ? C'est ce que suggère la question abrupte de Jésus : *Veux-tu guérir* ?

Dans ce trajet de remise en ordre essentiel, de choix de vie ou de mort, la repentance va porter essentiellement sur le fait d'avoir transgressé une loi de vie reconnue comme une loi de Dieu, de s'être prosterné devant une idole, d'avoir méconnu la Parole de Dieu, perdu les repères d'une vie féconde.

La prise de conscience d'avoir manqué la bonne direction, d'être passé à côté d'une dimension fondamentale de vie pendant vingt, trente, quarante ans ou plus, amène un regret profond, en même temps qu'une immense gratitude : en découvrant cette vérité sur soi-même, on comprend que l'on vient d'être guéri par celui qui est venu rendre la vue aux aveugles et ouvrir les oreilles des sourds, de ceux et celles qui n'entendent pas, ne comprennent pas le sens vital du message caché derrière les mots.

La repentance va porter non sur les symptômes du désordre mais sur sa racine, c'est-à-dire sur la racine de la fausse route, sur la façon dont la loi de vie a été transgressée. Beaucoup se repentent des symptômes, des manifestations de leur désordre – jalousie, colère, haine… S'ils n'en ont pas mis au jour la racine, ils risquent de se désespérer, de retomber toujours dans les mêmes difficultés. Il est indispensable d'aller regarder où le nœud s'est formé pour mettre au jour fausse route et transgression et pouvoir s'en repentir.

Le cadet de la parabole du père et des deux fils a très bien vu la racine de son désordre : il ne se repent pas d'avoir un travail dégradant mais bien de s'être coupé de la source, d'être devenu ainsi un sarment séparé du cep et desséché (Jn 15, 1-6).

Nul ne peut entrer dans la repentance s'il n'a véritable-ment saisi de quelle façon il s'est construit sans Dieu, est parti « dans un pays lointain », coupé de sa source (Lc 15, 13).

POURQUOI SE REPENTIR ?

Pourquoi se repentir d'une transgression insidieuse vécue la plupart du temps dans l'oubli, la non-écoute de la loi de vie ? Entrer dans la repentance ne signifie pas ici que la transgression a été choisie en pleine conscience.

La repentance a pour fondement un trajet de vérité : on a éclairé la réalité du passé et la façon dont on l'a vécue, on ne l'assume peut-être pas encore totalement, mais on ne la dénie pas, on voit clairement que l'on a dévié d'une direc-tion essentielle. On reconnaît avoir méconnu la parole de vérité, avoir perdu le sens, être parti de travers, s'être trompé d'issue[1]. Pour beaucoup, c'est plus un oubli, une erreur, qu'un péché, mais comme cette erreur-là touche un principe essentiel de vie, il est normal que soit posé un acte vital, spi-rituel, à poser. Ce n'est pas comme si on avait cassé un objet, même de prix. C'est un regret d'une autre nature, celui d'un choix dont on n'a pas mesuré la portée et qui a orienté des années de réduction et de déviance de vie.

Quand on a vécu de nombreuses années sous la loi morti-fère de la fausse route, par exemple dans un état de toute-puissance, on a besoin de ramener cette errance à la lumière, mais aussi à l'amour de Dieu.

La plupart de ceux et celles qui, au cours d'un trajet d'évangélisation des profondeurs, ont découvert leur trans-gression des lois de vie, témoignent avoir reçu avec joie le

---

1. Chez les Hébreux, le mot « péché » veut dire : mal viser, se tromper de direction.

pardon de Dieu, soit au cours d'une prière individuelle, soit lors du sacrement de réconciliation pour les catholiques, ou de la confession du péché dans certaines Églises protestantes.

On ne quitte pas son passé n'importe comment.

Dieu nous accompagne sur nos chemins d'errance, même si nous nous sommes trompés d'orientation. Il était là, et dans son Amour, il nous a permis de porter du fruit. Dans l'action de grâces nous remettons, dans sa bénédiction cette étape de notre histoire au travers de laquelle il nous a conduits pas à pas vers la vie. Nous ressemblons au cadet de la parabole (Lc 15, 11-32) qui revient au Père, qui était perdu et retrouvé. Nous sommes alors à nouveau bénis dans un envoi sur le chemin de vie.

LE TEMPS DE LA CONVERSION

Se convertir consiste à changer de direction, faire volte-face, c'est ce moment béni où l'on quitte le chemin de mort pour prendre le chemin de vie.

Il partit donc et s'en retourna vers son père (Lc 15, 20).

L'ADHÉSION À LA LOI DE VIE

Le premier acte intérieur à poser sur le chemin de remontée, celui qui suit immédiatement la prise de conscience de la transgression et le temps de la repentance, est l'adhésion à la loi de vie. Adhérer suppose que le sens de la loi a été pleinement compris : elle est alors reconnue comme vraie, comme principe essentiel gravé au fond de l'être. Adhérer est donner clairement son accord. L'adhésion va avoir une suite, elle introduit une mise en œuvre.

C'est le temps où l'on change de loi : passer de la loi mortifère, créée de toutes pièces par soi-même ou imposée par le désir désordonné d'un ou d'une autre, à la loi de Dieu, est un retournement du cœur, une véritable prise de position, en même temps qu'elle est bénédiction. Pour porter tout son fruit, l'acte d'adhésion doit être précis (on sait à quelle loi on adhère), déterminé, sans faille en quelque sorte :

Dites oui si c'est oui, dit Jésus (Mt 5, 37 ; Jc 5, 12).

Qu'il n'y ait pas en moi le oui puis le non (2 Co 1, 17).

On exprime alors son « amen ». Le terme « amen » n'est pas un simple souhait, « qu'il en soit ainsi », mais une certitude. Il signifie avant tout : certainement, vraiment, sûrement, ou simplement : oui. En effet, cet adverbe dérive d'une racine hébraïque qui implique fermeté, solidité, sûreté. Dire « amen », c'est proclamer que l'on tient pour vrai ce qui vient d'être dit[1].

L'adhésion à la loi de vie mène tout naturellement à l'étape suivante : choisir de renoncer à la loi mortifère, au chemin de mort, car l'on ne peut adhérer au nouveau que si l'on quitte l'ancien.

RENONCEMENT ET DEUIL

Approche. Définitions.

Le renoncement, le deuil (c'est-à-dire l'adaptation de l'être humain à la perte, au manque) sont des mouvements qui font partie de la vie. Au cours de son existence, tout être humain est appelé à les traverser : c'est la condition de son grandissement. Nous retrouvons ici la loi d'acceptation de la condition humaine.

Ces deux mouvements, toujours difficiles ou douloureux, sont naturels en ce sens qu'ils sont universels, inévitables[2] ; si l'enfant est bien accompagné, il va les vivre quotidiennement, de façon simple : tu ne peux tout avoir, choisis un seul cadeau ; fais tes devoirs au lieu de regarder la télévision… En même temps, il apprend peu à peu à traverser les grands renoncements et deuils qui jalonnent son existence :

1. *Vocabulaire de théologie biblique*, p. 43.
2. Judith Viorst, *Les Renoncements nécessaires*, Paris, Laffont, 1988.

– l'amour de la mère n'est pas exclusivement pour lui ;
– le couple est entre le mari et la femme et non entre un enfant et un parent ;
– la relation au sein de la fratrie est un apprentissage du partage souvent difficile…

Mais un désordre familial, la non-observance d'une loi de vie peuvent contrecarrer le mouvement de vie.

Le renoncement qui ne s'est pas progressivement effectué au fil de l'existence va alors devenir le choix libre, déterminé, de quitter le chemin de mort, la mauvaise direction prise qui empêche le retour à la vie [1].

Le renoncement tel qu'il est entendu dans le trajet d'évangélisation des profondeurs est le choix vigoureux de quitter le chemin de mort pour choisir un chemin de vie. Il va se vivre en deux temps. En premier lieu on renonce à la racine de la fausse route (par exemple une fausse croyance), puis à la fausse route elle-même, à la transgression précise d'une loi de vie bien déterminée (forme de toute-puissance, état de fusion, de soumission à un pouvoir abusif…) ; on renonce également à toute forme de complicité avec le chemin de mort. Tout choix implique un renoncement, c'est une évidence. Si je prends la route de droite, je renonce à la route de gauche. Si je choisis la vie, je dois quitter la mort et ce qui me retient sur le chemin de mort.

Il est essentiel de ne pas se tromper sur l'objet du renoncement et de discerner de façon très juste à quel moment l'acte de renoncement pourra être posé.

Le deuil est un lent processus et non un acte précis. Il permet à l'être humain de s'adapter aux pertes et manques de toutes sortes que l'existence lui impose. C'est un trajet qui va lui permettre d'accepter la perte ou le manque et de retrouver ainsi son élan vital, de remettre la vie en route.

---

1. Les transgressions aux lois de vie sont étudiées dans le tome II de *L'Évangélisation des profondeurs*.

Le deuil n'est complet que s'il se poursuit par l'accueil du don de Dieu qui renouvelle toute chose, de la forme de résurrection qui va être spécifique à chaque personne. C'est le temps où l'être humain va apprendre comment laisser le Dieu de la Pâque accomplir en lui et avec lui l'œuvre de résurrection, ce passage de la forme de mort dans laquelle il se trouvait, au retour à la vie. La vie du Ressuscité lui est donnée, mais comme toujours, il va avoir sa part à accomplir dans ce passage.

Pour beaucoup, le travail de vie qu'est le deuil commence dès le début du trajet d'évangélisation des profondeurs et se poursuit au travers des étapes traversées jusqu'à l'acceptation définitive de la perte ou du manque, et l'accueil de la résurrection.

L'acte de renoncement est très généralement l'aboutissement d'un travail de deuil. Il arrive qu'il le précède. Dans ce cas, il importe de veiller à ne pas le considérer comme la fin du parcours. Il ouvre un chemin.

L'invite.

C'est parce que nous sommes invités à la Pâque que nous allons vivre ces temps de renoncement et de deuil. Ces mouvements font partie de notre réponse à l'appel à la vie. En effet, vivre un trajet de Pâque amène à laisser quelque chose pour naître à autre chose. La Parole de Dieu nous le rappelle :

Aussitôt, laissant les filets, ils le suivirent (Mc 1, 18). Quels filets quitter pour le suivre dans la vie ?

Enlevez la pierre, dit Jésus lors de la résurrection de Lazare (Jn 11, 39). Quelle pierre empêche de sortir du tombeau ?

Lazare, viens dehors. Le mort sortit, les pieds et les mains liés de bandelettes, et son visage était enveloppé d'un suaire. Jésus leur dit : « Déliez-le et laissez-le aller » (Jn 11, 43-44). Quelles bandelettes délier ?

Le renoncement au chemin de mort. Approfondissement.

Le terme « renoncement » est un peu piégé : dans le langage courant il évoque souvent impuissance et tristesse. Il est vrai que l'objet du renoncement est souvent mal situé.

Il arrive que, sans en avoir claire conscience, on renonce à un chemin de vie. On ne renonce pas pour un rien, un néant, pour tomber dans le vide. On renonce pour un plus. On « quitte » en réponse à un appel de vie, on crée un espace qui va permettre d'entrer dans le nouveau.

L'acte de renoncement est-il une étape inévitable ?

Il arrive que le renoncement au chemin de mort se vive naturellement, tombe comme un fruit mûr à la fin d'un trajet. Encore faut-il choisir d'entrer dans un trajet.

On se trouve parfois devant « un mur » ; on devine que l'on n'est pas en ordre ; on pressent, sans que cela soit parfaitement clair, que l'on a perdu des directions essentielles, fondamentales, que l'on flotte sur un point ou un autre de sa vie. C'est alors que la mise au jour, en mots, des lois de vie peut fournir les repères qui n'ont pas été intégrés : à ce moment, beaucoup comprennent qu'ils ont pris l'habitude de vivre en transgressant une loi de vie, par exemple le non-respect des limites. Cela peut être l'occasion du choix de « réformer » sa vie : on ne sait pas encore quel sera le trajet effectif qui aboutira à renoncer au chemin de destruction pour retrouver la vie, mais on choisit de se mettre en marche.

Le sens du renoncement. À quoi renoncer ?

Dans le trajet d'évangélisation des profondeurs, le renoncement est abordé sous un angle un peu particulier : il s'agit, pour choisir la vie, de quitter la transgression de la loi de vie, l'attachement spécifique qui nous retient sur le chemin de mort. Le renoncement est alors un choix libre, déterminé.

Il manifeste la décision de changer de cap. Il concrétise en quelque sorte l'acte d'adhésion. Il est un point de départ.

On ne peut quitter que ce que l'on a nommé avec précision.

On ne renonce pas au chemin de mort d'une façon générale, mais à la racine spécifique, mise en mots précis, de la fausse route qui a pu être prise, puis à la fausse route elle-même qui a été dévoilée, à la transgression à la loi de vie maintenant connue, à laquelle on est asservi, à sa forme spécifique de complicité avec la mort. Il est indispensable de mettre en mots, et en mots parfaitement justes, ce que l'on a à quitter. C'est exactement comme dans le cas d'une maladie : on ne peut soigner une maladie que si on la connaît ; de même on ne peut renoncer à un désordre que si l'on a mis au jour ce qu'il recouvre. Pour renoncer, il est indispensable de savoir de façon précise à quoi renoncer.

Certains se demandent *sur quoi s'appuyer pour renoncer au chemin de mort*. C'est oublier que Dieu fonde, « transdynamise » nos choix, notre liberté. Il nous précède sur le chemin. Si nous entendons sa voix, si nous nous savons appelés par notre nom, si nous adhérons de tout notre être à l'appel à la vie, il nous arrachera au tombeau et nous donnera ce qui nous est nécessaire pour nous lever et nous mettre en route.

Il est clair que c'est la connaissance de la Parole de Vérité qui permet de mettre au jour la fausse croyance et d'y renoncer.

L'acte de renoncement va se vivre en deux temps.

Il porte d'abord sur la racine de la déviance.

Il est d'abord nécessaire de renoncer à la racine même de la fausse route (la raison pour laquelle on a pris une fausse route, la plupart du temps une croyance mensongère) car c'est à partir de là que la fausse route se construit, que la transgression à la loi de vie apparaît. Il sera ensuite possible de renoncer à la fausse route, à la trangression elle-même.

Renoncer directement à la transgression à une Loi de vie (par exemple à la toute-puissance) s'avère la plupart du temps impossible. C'est en tout cas un acte incomplet qui peut se révéler volontariste, demeurer superficiel. Il risque, en effet, de faire avorter la descente dans l'épaisseur de son humanité, de son histoire, la traversée des émotions.

Il va être indispensable de remonter plus loin et de renoncer à la racine même de la déviance, du chemin de mort, de la fausse route, qui ont pu être pris.

Christine se décrit elle-même comme une morte-vivante : « Je n'ai aucun goût pour la vie ; je me demande pourquoi vivre. Après tout, je serais plus tranquille si j'étais morte. Ma vie se traîne ; je suis perpétuellement épuisée, dans une sorte d'état dépressif, toujours plus ou moins malade. »

Elle découvre la loi fondamentale du choix de vivre. Elle se trouve comme devant un mur, dans l'incapacité absolue de faire un pas pour sortir de son état. Il est évident qu'elle a pris un chemin de mort. Pour pouvoir y renoncer et être remise en vie, il va être indispensable de mettre au jour la racine de sa fausse route : quand, comment, pourquoi a-t-elle perdu le goût de vivre ?

Christine se trouve au milieu d'une fratrie de dix enfants. Pendant toute son enfance, elle se vit comme un numéro anonyme, ressent qu'elle ne compte pour personne, ne se souvient même plus de la place qu'elle occupait à la table familiale lors des repas. L'un des enfants, le garçon qui la suit immédiatement, tombe gravement malade. La famille entière se mobilise, prie chaque jour pour lui, les parents très inquiets l'entourent avec beaucoup d'affection. Cet enfant meurt après trois mois de maladie ; sa photo occupe alors une place centrale dans la chambre des parents, au salon. Tous sont emplis de chagrin, évoquent souvent son nom. Que se passe-t-il pour Christine ?

« Pour être reconnue, aimée, pour que l'on fasse attention à moi, il faut que je sois malade ou morte. » La racine de la fausse route est là, dans cette croyance mensongère qui va entraîner le chemin de mort, la fausse route, la transgression. C'est à cette croyance-là que Christine a d'abord à renoncer. Elle est l'exact contraire de la Parole de Dieu : *Je te donne la vie*, vis quelles que soient les circonstances, je serai avec toi.

Christine ne peut renoncer d'emblée à cette fausse croyance. C'est là que l'on voit que le renoncement, à quelque étape qu'il se situe, ne peut se vivre qu'après la descente dans ses profondeurs. Dans la présence vivifiante et consolatrice du Christ, elle va avoir à repartir dans son histoire, à traverser avec et en lui douleur et révolte, à entrer peu à peu dans la certitude qu'elle est bien appelée par son nom, qu'elle compte pour Quelqu'un qui lui fait confiance, s'adresse personnellement à elle, comme le Christ l'a fait pour l'infirme de Bethasda, anonyme et perdu dans la foule (Jn 5, 1-18), qui l'assure qu'elle a une valeur spécifique.

Alors seulement, rassurée, fortifiée par la grâce, elle pourra accepter, sans en être désespérée, la réalité de son histoire, accueillir la vie du ressuscité qui remet en route son élan vital. Après ce trajet de deuil, elle va alors pouvoir clairement renoncer à sa fausse croyance, puis au chemin de mort, à la transgression à la loi de vie et choisir de vivre.

De même, celui ou celle qui a vécu dans un état de fusion, d'emprise, ne pourra y renoncer directement. Il va avoir à mettre au jour la racine de la fausse route : ainsi, par exemple, avoir considéré comme un devoir ce qui est désordre, adhérer à la demande d'un ou d'une autre de devenir sa source de vie, de combler son vide affectif, répondre inconditionnellement à son désir en se gommant, trouver normal de ne pas suivre sa trajectoire spécifique, croire qu'à deux on peut ne faire qu'un, qu'il est normal de mélanger deux identités. Il va être nécessaire de renoncer à toutes ces fausses croyances qui sont à l'origine de la réduction de la liberté, de l'identité, de la transgression à la loi d'identité de la personne, avant de renoncer à la fusion, à la soumission, à l'emprise.

Ceux et celles qui ont souffert de graves blessures du cœur, du manque ou de la perte de l'amour, ont souvent une quête éperdue de l'amour qui a manqué. Il leur arrive alors de s'établir dans des dépendances aliénantes, mal situées, ils ne peuvent d'emblée renoncer à cette quête. Ils vont avoir à renoncer à la racine de leur fausse route : la poursuite de l'image idéale du père ou de la mère, l'illusion de voir les parents changer, de retrouver le paradis perdu, d'être comblés, la revendication de réparation… Ils ne pourront renoncer à ces illusions, accepter activement la réalité de leur histoire qu'après un long travail de deuil qui peut être très douloureux. Le témoignage de Manon [1] est à cet égard très signifiant. Ce n'est en général qu'à la fin du trajet qu'ils pourront renoncer à leur quête, accueillir l'Amour du Père, entrer dans la fécondité de leur vie.

Le second temps de renoncement : le renoncement
à la fausse route, à la transgression.

Quand le temps en est venu, on ne renonce pas à un bout de toute-puissance, on renonce à la forme spécifique de sa toute-puissance, on arrête de se prendre pour Dieu ou de se passer de Dieu. On ne choisit pas de se déprécier un peu moins, on renonce à ce chemin de mort, on met hors de soi le regard et la parole mensongère qui nous ont fait douter de nous-mêmes. On ne renonce pas à un peu de fusion, on renonce à désobéir à l'ordre de vie, à mélanger son identité à celle de l'autre…

La détermination doit être ancrée dans le cœur profond, on

1. Voir « La souffrance » dans « Deux trajets de transformation », Ire partie de cet ouvrage, p. 122 s.

ne peut se contenter d'un « ni oui ni non », ou « peut-être, je vais essayer »... On s'occupera plus tard du trajet et des comportements, il ne faut pas s'en inquiéter d'emblée. L'essentiel est d'être déterminé dans le mouvement du cœur : Je veux ou je ne veux pas. Ne nous préoccupons pas trop de : comment le pourrais-je ? L'Esprit est là pour nous le faire découvrir. *Qui nous roulera la pierre hors de l'entrée du tombeau ?* s'inquiètent les femmes qui se rendent à l'aube au tombeau de Jésus (Mc, 16, 3). *Ne vous effrayez pas*, leur est-il dit (Mc 16, 6 ; Lc 24, 5).

Ce renoncement exprime de façon claire son adhésion à la loi de vie, il permet de sortir de l'oscillation, du flottement entre vie et destruction : le choix est posé. Il va être suivi d'autres renoncements plus précis, à commencer par la mise au jour du lien qui retient en arrière, de ce que l'on ne veut ou ne peut quitter. Il appartient alors à chacun de permettre à la lumière de l'Esprit de l'aider à mettre en mots l'objet de ces renoncements spécifiques.

L'acte de renoncement risque également de réveiller des émotions enfouies. Ce serait une grave erreur de tenter de les enfouir à nouveau, de les dénier. Chacun doit respecter ses forces. La grâce du Christ nous accompagne dans tous ces passages. Il donne ce qui est nécessaire pour la route, nul n'est oublié.

Le temps du renoncement.

Il appartient à chacun, chacune, de discerner quel va être pour lui le moment où il sera juste de poser un acte de renoncement. Et c'est là le lieu d'un discernement très précis.

Un renoncement posé trop vite, trop tôt, peut empêcher l'indispensable exploration des émotions et des conséquences de la blessure. Si l'on « quitte » trop tôt en court-circuitant des étapes essentielles, si on renonce à ce qu'il faudrait au contraire traverser à nouveau, on risque fort de reprendre une direction de destruction, en se trompant de « mort », en faisant mourir ce qui pourrait faire accéder à la vie et en laissant prospérer ce qui va la barrer.

Pour être vital, porter un bon fruit l'acte de renoncement sera très généralement posé à la fin de la descente dans ses profondeurs, après l'ouverture de sa terre au Christ, la reconnaissance de la blessure, la traversée des émotions, la mise au jour de la racine de la fausse route, et de la fausse route elle-même. Il est très souvent, l'aboutissement d'un travail de deuil.

Certaines personnes, surtout celles qui ont une grande maîtrise d'elles-mêmes découvrent souvent assez rapidement leur fausse route, ainsi que sa racine, et sont tentées d'y renoncer rapidement, elles pensent pouvoir faire l'économie de la traversée de leurs émotions, de l'épaisseur humaine de leur histoire. Elles auraient souvent tendance à penser que leur trajet est terminé. C'est une erreur. Dans ce cas, le parcours de descente dans les profondeurs qui n'a pas été fait avant l'acte de renoncement le sera après. En effet, il est fréquent que par la suite, un blocage, une difficulté rendent nécessaires un retour dans le passé, une exploration plus profonde de ce qui se vit en soi. Cela permettra de mettre en mots plus précis la racine de la fausse route, d'aller au bout des conséquences de la trangression, de poser un acte de renoncement très juste.

Plutôt qu'un renoncement immédiat et rapide, il serait parfois plus sage de faire le choix vigoureux de s'engager dans un trajet qui va permettre d'une façon ou d'une autre de poser un acte de renoncement bien situé.

« Maintenant que je connais ta loi de vie, Seigneur, je ne veux plus vivre cette transgression que je viens de découvrir. Je m'engage aujourd'hui à prendre le chemin qui va me permettre d'y renoncer. »

D'autres sont plus familiers avec leurs émotions et auront du mal à envisager l'éventualité d'une fausse route, à entrer dans la notion de renoncement.

D'autres encore auront besoin d'explorer très longuement la réalité de leur histoire avant de pouvoir renoncer à la racine de la fausse route même s'ils l'ont mise à jour.

Chacun, chacune va avoir son rythme, son trajet spécifique, auxquels il importe d'être attentifs, particulièrement dans ce domaine du renoncement, qui est très nuancé et demande un bon discernement.

Selon la nature de la racine de la fausse route et la loi qui a été transgressée, le mouvement de « quitter »,
« renoncer », va prendre des formes différentes.

Il s'agit alors de ne pas tourner à nouveau le dos à la vie sans en avoir conscience. Que quitter ? Quand quitter ? Comment quitter ? On ne quitte pas tout de la même façon.

– On renonce :
  – à une fausse croyance : je ne suis pas aimé donc pas aimable – je n'ai pas été désiré, donc je ne me reconnais pas le droit de désirer la vie –, je ne peux être heureux si je vis un manque… ;
  – à une promesse destructrice, un pacte avec la mort…
– On met hors de soi un regard ou une parole négative (tu es nul), un mauvais interdit…
– On ne met pas dehors ses émotions, on les traverse dans la présence vivante du Christ pour les transformer en forces créatives : on renonce à les enfouir.
– On renonce au but précis que l'on poursuit et qui empêche le travail de deuil, le consentement à la réalité, l'acceptation active de son histoire : la réparation, la vengeance…
– On ne renonce pas aux mécanismes de défense que l'on a mis en place pour se protéger. « Au fur et à mesure de sa vie, l'enfant connaît des angoisses, des peurs, des insatisfactions, des manques, des frustrations, des moments de dépression plus ou moins importants ; il cherche des moyens de se protéger de la reproduction de telles souffrances ; aussi il met

en place des mécanismes de défense [1] » (fuite, retrait ou au contraire attaque, séduction, déni de la souffrance, défense vis-à-vis des émotions…). Ces mécanismes ont un rôle positif mais ils peuvent aussi devenir rigides ou inefficaces. Ils peuvent être ponctuels ou s'installer de façon habituelle.

Le trajet d'évangélisation des profondeurs permet de prendre conscience des mécanismes que l'on a mis en place pour moins souffrir, de vérifier s'ils sont ou non adaptés à la situation d'aujourd'hui, de prendre du recul pour discerner s'ils deviennent destructeurs.

Ils constituent une protection de la personne et doivent dont être respectés jusqu'à ce que l'on soit assez fortifié pour pouvoir les assouplir et les adapter à la réalité.

Sans risque de se tromper, on peut quitter :
– la racine du désordre, puis la transgression de la loi de vie, en nommant et la loi de vie et la forme précise de la transgression – la fausse route ;
– l'idole maintenant dévoilée ;
– la connivence avec un chemin de mort.

Le piège possible.

Le piège serait d'attribuer un effet magique à l'acte de renoncement, de croire que puisque l'on a renoncé par exemple à la toute-puissance, tout est fait, le trajet est terminé, alors que le renoncement ouvre une porte sur l'avenir : il permet de quitter l'ancien pour vivre le nouveau. Cela demande un long apprentissage.

On retrouve ici la même difficulté que dans l'attente d'une guérison physique miraculeuse, immédiate et totale, ou dans le fait de pardonner trop tôt et trop vite parce qu'il est

---

1. Enseignement de Florence d'Assier de Boisredon, psychologue, psychothérapeute, à la session de formation d'accompagnateurs et accompagnatrices de Bethasda de janvier 2000.

nécessaire de pardonner, alors qu'aucune des étapes qui précèdent un véritable pardon n'a été vécue.

Rappelons que l'acte de renoncement qui n'a pas été précédé d'un parcours de descente dans les profondeurs ouvre ce trajet.

Il est essentiel de savoir que le renoncement est toujours suivi d'un travail de deuil d'une nature un peu particulière. En effet, le renoncement conduit obligatoirement à quitter, donc à perdre quelque chose ; on est surpris de découvrir combien on était attaché à ce que l'on choisit de quitter, à ce que l'on va perdre. Apprendre à assumer la perte ou le manque va continuer à se vivre dans le quotidien.

Renoncement et émotions enfouies.

Il arrive que l'on sente la nécessité de poser un acte intérieur de renoncement au chemin de mort, à la transgression d'une loi de vie, ou encore un acte de déliance, et que l'on n'y parvienne pas ; ou encore l'acte intérieur a été clairement posé et ne porte pas de fruit.

Dans ces deux cas, il est bon de se pencher sur les émotions enfouies. La route est souvent barrée par d'intenses émotions du passé, parfois très archaïques, qui sont toujours là sans que l'on en ait conscience ; elles sont cependant présentes et actives, bien que refoulées et non mises en mots. Il est alors essentiel d'entreprendre le trajet habituel, d'aller à leur rencontre, de les apprivoiser, de les traverser dans la présence du Christ car elles constituent un véritable obstacle à l'acte de vie qu'est le renoncement à la transgression.

Trajets.

Le père de Marianne est mort peu de temps après sa naissance. À trois ans elle est totalement séparée de sa mère pendant six mois à cause de la guerre. Elle est placée dans un home d'enfants en zone non occupée alors que sa mère a été bloquée en zone occupée. Marianne n'a pas revu sa mère une seule fois pendant ce laps de temps. Elle dit avoir vécu un véritable enfer, s'être crue totalement abandonnée.

À partir du moment où elle retrouve sa mère, elle vit avec elle un état de fusion particulièrement grave. Elle se sent de plus en plus en mal-être sans comprendre ce qui se passe. Lors d'une session d'évangélisation des profondeurs, elle découvre la loi de vie : « Tu es unique, deviens toi-même en Dieu, en juste relation à l'autre. » Elle entend l'interdit de mélange de son identité à celle d'un ou d'une autre. Elle renonce à l'état de fusion, pose un acte de déliance très précis et en est incroyablement soulagée.

À son retour, sa mère pressent chez elle un changement intérieur et oppose une résistance farouche, un véritable chantage, très violent. Dans la force que lui donne la Parole de Dieu, Marianne tient bon ; elle met au clair la fausse culpabilité dans laquelle elle s'engloutissait et parvient à se situer de façon juste.

Elle exprime cependant qu'il y a en elle une sorte de confusion latente très perturbante, qu'elle ne parvient pas à mettre en mots. Elle ouvre ce terreau-là à la lumière de l'Esprit. C'est alors qu'émerge une intense émotion totalement enfouie : la terreur de l'abandon, de la perte définitive de l'amour de la mère qu'elle a vécue à trois ans. Elle retrouve en elle, intacte en quelque sorte, cette émotion qui est du passé. Il est évident qu'elle ne peut poser un véritable acte de déliance tant qu'elle entretient au fond d'elle cette terreur de la perte de l'amour de la mère : sa confusion vient de là.

Entourée par un petit groupe de prière, elle commence donc par aller à la rencontre de cette panique, de cette insécurité fondamentale. Elle sait maintenant qu'elle peut traverser ce pan de son histoire dans la présence de Dieu qui l'assure qu'elle n'a rien à craindre.

« J'ai alors vécu une véritable terreur, la terreur de l'abandon, liée à la terreur de la mort, le sentiment de ne pas pouvoir lâcher par peur de mourir totalement. J'ai en quelque sorte traversé une forme de mort, le désespoir absolu de l'enfant ; j'ai approché la mort mais j'ai expérimenté que la vie était la plus forte, elle s'est peu à peu manifestée à nouveau. Je me suis relevée "sonnée" mais baignée de larmes et vivante. C'est comme si j'avais eu en moi une sorte de tumeur qui pendant tant d'années m'avait empêchée de vivre. C'est la première fois que j'ai pu me laisser aller complètement à mon désespoir. J'ai vécu un passage essentiel et maintenant je découvre mon cœur profond, je me mets en route sur ce trajet de rencontre avec mon cœur. »

Ne crains pas, car je t'ai racheté, je t'ai appelé par ton nom : tu es à moi. Si tu traverses les eaux, je serai avec toi, et les rivières, elles ne te submergeront pas. Si tu passes par le feu tu ne souffriras pas et la flamme ne te brûlera pas. Car je suis l'Éternel, ton Dieu, le Saint d'Israël, ton sauveur (Is 43, 1-4).

Elle pose alors à nouveau l'acte de déliance qui va porter son fruit. La force, la grâce du Christ lui permettent maintenant d'ancrer très profondément en elle-même la détermination de renoncer à combler l'attente mal située de sa mère, et de suivre sa propre trajectoire sans tomber dans l'exclusion ou le rejet. Dans son quotidien elle va devoir adapter ses comportements à la réalité, mais désormais, elle est en paix et fortifiée car elle peut vivre en liberté intérieure un présent éprouvant.

Guy a une mère qui ne s'est jamais intéressée à lui. Elle ne voulait pas d'enfant et ne le lui a jamais caché. En fait, il l'a toujours gênée. Elle est dynamique et indépendante, elle voyage, a beaucoup de relations, mais elle vit comme si son fils n'existait pas. Guy a une activité débordante qui cache son problème de fond. Il tente régulièrement de reprendre contact avec sa mère qui accepterait tout à fait qu'il n'y ait aucune relation entre eux. Il téléphone au moins une fois par mois, essaie d'être attentif, en vain. Sa mère rejette toutes ses avances. Il en est chaque fois effondré, mais se reprend très vite en retrouvant ses multiples activités et engagements.

Il finit par entrer dans une grande tension intérieure et entreprend un parcours d'évangélisation des profondeurs. « Je vois très clairement que je devrais renoncer à cette attente illusoire et épuisante, accepter enfin ma mère telle qu'elle est ; pour moi ce serait le salut, mais je ne peux y parvenir. Que faire pour sortir de là ? »

Il décide de se « poser » et dans la lumière de l'Esprit commence une véritable descente dans ses profondeurs. Il regarde en face ce qui se passe en lui, ce qu'il ressent. Il découvre des émotions très archaïques dont il n'a jamais pris conscience : une révolte qui le ronge, une intense souffrance, un chagrin fou, une attente éperdue. Émergent alors une forme de désespérance, d'impuissance, un sentiment de solitude absolu, une insécurité fondamentale, un manque total de confiance en lui – « si elle ne m'aime pas, c'est parce que je ne suis pas digne d'être aimé ».

Pour parvenir à accepter profondément, activement, le comportement de sa mère, Guy va devoir entrer dans un travail de deuil, en traverser toutes les étapes. Lui qui est toujours si pressé d'arriver au but prend le temps de ce parcours. Il découvre la tendre présence attentive du Christ qui l'assure que *comme le Père m'a aimé, moi je vous ai aimés* (Jn 15, 9). Comme le Père m'aime, moi je t'aime, lui rappelle le Christ. *Même s'il se trouvait une femme pour oublier son enfant, moi, dit le Seigneur, je ne t'oublierai jamais* (Is 49, 15).

Il médite chaque jour avec bonheur le merveilleux passage d'Ézéchiel (16, 1-15) : *À ta naissance, au jour où tu vins au monde on ne coupa pas le cordon, on n'alla pas dans l'eau pour te nettoyer, on ne te frotta pas de sel, on ne t'enveloppa pas de langes... Je passai près de toi et je te vis te débattant dans ton sang et je te dis quand tu étais dans ton sang : vis et croîs comme l'herbe des champs [...] je te donnai des vêtements brodés [...] tu devins de plus en plus belle* (parole de l'Éternel à Jérusalem qui a oublié le don de Dieu).

Ces paroles deviennent son pain, sa nourriture quotidienne. Peu à peu elles entrent dans sa chair. Au bout de plusieurs mois, il peut renoncer à l'attente stérile et épuisante, à l'illusion que le comportement de sa mère va changer, qu'il va pouvoir retrouver la tendresse tant espérée. La souffrance est toujours là mais elle est apaisée, son venin est parti, elle ne le détruit pas. Il a rencontré le Compatissant, il sait aussi qu'à partir de cette rencontre lui-même rentrera dans une véritable compassion pour les laissés-pour-compte de l'amour. Il est maintenant relié à la source, sa véritable tâche va émerger.

Vincent a un comportement de toute-puissance : il reconnaît n'être pas vraiment lui-même dans ses relations. Il se met en avant sans arrêt pour qu'on le trouve capable, intelligent, compétent, brillant. Il dit ne pouvoir s'empêcher de prendre tout en main lorsqu'il se trouve dans un groupe. Il renonce à la racine de sa forme de toute-puissance. Mais cet acte ne porte aucun fruit : il retombe sans arrêt dans la même difficulté et s'en désespère : « Je suis passé à côté de quelque chose d'important en moi mais je ne sais pas ce que c'est. »

C'est alors qu'il ouvre à la lumière de l'Esprit les racines de son comportement. Il prend clairement conscience que, dans sa famille, il n'a jamais été considéré, reconnu pour ce qu'il était, pour sa valeur propre. Il était insupportable, n'avait pas de bons résultats scolaires, en fait, ses parents n'ont jamais cru en lui, ne lui ont jamais fait confiance. Il semblait acquis qu'il n'arriverait jamais à rien de bon. Pour pouvoir exister au cœur de cette solitude qui était la sienne, il a alors pensé qu'il ne pouvait compter sur personne pour exister : « C'est à moi de me "débrouiller" seul pour faire connaître ma valeur. »

Le comportement de toute-puissance est second ; il est ici la conséquence de ce constat désespérant que personne ne croit en lui [1]. C'est la réalité de cette désespérance qu'il va mettre au jour, ouvrir à la présence du Christ, traverser avec lui.

1. N'oublions pas que le comportement de toute-puissance trouve son

Vincent connaît alors un grand apaisement ; il sait pourquoi il est entré dans ce chemin de mort, sur quoi il va permettre à l'Esprit d'œuvrer, en quel lieu de lui-même il a à se laisser atteindre par la miséricorde de Dieu. Il sort de la confusion, de l'impuissance. Au bout de ce parcours, le comportement de toute-puissance tombe de lui-même ; il n'est plus nécessaire pour exister. Vincent éprouve néanmoins la nécessité d'y renoncer de façon précise car, pendant de longues années, il a réellement vécu une forme de toute-puissance ; mais s'il est vigilant, la vie se déploiera naturellement dans de nouveaux comportements.

Confusion ou signe de la vie qui revient ?

Lorsque des émotions émergent alors que l'on a déjà posé un acte de renoncement ou un acte de déliance, on vit forcément une sorte de perturbation. C'est alors que beaucoup perdent pied en se demandant ce qui leur arrive : ils expriment cet état en disant qu'ils sont dans la confusion. En réalité ils ne sont pas du tout confus, bien au contraire. Ils commencent à voir clair, ils sont perturbés par une émotion qu'ils vont pouvoir nommer, amener à la lumière et c'est un grand pas. Il est bon de savoir que cet état est normal, qu'il est un passage de vie. L'acte de renoncement ou de déliance a été réellement posé, il garde toute sa valeur, il va pouvoir être repris et approfondi après la mise au jour et la traversée de l'émotion.

Renoncement et émotions reconnues et non apaisées.

Les émotions mises en mots et non apaisées (souffrance, violence, révolte, haine…) constituent un obstacle majeur à l'acte de renoncement. Il peut y avoir plusieurs causes à leur

origine, comme toute fausse route, dans une blessure, donc une souffrance, un mal subi.

persistance : la plainte ne s'est peut-être jamais exprimée, la personne n'a jamais été véritablement écoutée, entendue, elle n'a reçu ni consolation, ni réconfort...

Mais il arrive que l'on entretienne souvent en soi, sans en avoir véritablement conscience, une revendication farouche. Si le but que l'on poursuit ainsi n'est pas mis en mots précis, il sera à peu près impossible de renoncer au chemin de mort. Si je veux obtenir réparation intégrale du mal subi, retrouver ce qui m'a manqué, si je veux être entendu par ceux et celles qui m'ont fait mal, si j'attends qu'ils changent de comportement, qu'ils reconnaissent leurs torts, si j'exige que justice me soit rendue, je continue à me nourrir du malheur du passé et ne puis célébrer le présent, créer de la vie.

Le trajet n'est ni réducteur ni simpliste.

Il n'est donc pas étonnant de se trouver devant des difficultés lors de l'acte de renoncement ou de déliance. Il est alors essentiel d'explorer ce qu'elles nous apprennent de nous-mêmes, de ne pas faire de « forcing ». Mais il ne faudrait pas non plus croire que tout est réglé lorsque le choix a été très déterminé. Il appartient à chacun de tenir tous les fils, de ne jamais négliger ce domaine des émotions dont nous sommes tissés. L'éclairage peut se vivre au début du parcours ; mais il peut aussi survenir alors que le trajet est bien entamé et il ne saurait être question de le négliger sous prétexte que l'on a posé des choix.

Garder courage.

Il est question dans ces pages d'actes intérieurs vigoureux à poser ; il ne s'agit pas pour autant de se décourager sur la route si l'on n'en est pas là. Un long travail préparatoire est souvent nécessaire avant de parvenir à poser un choix clair. Le temps fait partie des limites de la condition humaine. Le désir peut être très vivant, mais il ne devrait induire ni tension, ni découragement ; c'est la grâce de Dieu qui invite l'être humain à suivre un chemin de restructuration, de remise en ordre : elle ne saurait donc manquer. Il importe de ne pas chercher à tout prix à vivre un passage, alors que ce n'est pas le moment, ni s'enfermer dans un cadre trop précis, de rester souple dans la vie dans l'Esprit pour pouvoir entrer dans la compréhension des actes intérieurs que chacun, chacune pourra poser selon ce qu'il est. Sans nul doute, nous serons guidés pas à pas.

Le deuil. Travail de vie. Approfondissement.

Au cours de son existence l'être humain est sans cesse confronté à des pertes et manques de toutes sortes. Il est bon et rassurant lorsque l'on vit quelque chose de douloureux, de déroutant, de savoir qu'il n'est pas anormal que cela fasse mal longtemps, et qu'il y a une issue : elle est préparée par des étapes, un trajet qui va permettre à celui, ou celle, qui est en souffrance de s'adapter à la perte, de l'accepter profondément et activement, ce qui est très différent de la résignation qui ne mène pas à la vie, d'y consentir. C'est ainsi que ceux qui ont un lourd passé vont peu à peu consentir à la réalité de leur histoire et vont revenir à la vie, à la créativité. Ils vont également accepter leur réalité personnelle, celle de l'autre, de l'événement. Ce travail se nomme le travail de deuil, c'est un travail de vie [1].

---

1. Quatre thèmes sont regroupés et étudiés dans le document de travail n° 4, Bethasda Documentation, intitulé : « La vie renouvelée » : *Le deuil* par Marie Ribereau-Gayon, psychologue ; *Quelle loyauté envers les parents ?* par Pierre-Yves Brandt, pasteur, professeur de psychologie de la religion en Facultés de Théologie de Lausanne et Genève ; *Comment laisser l'autre libre sans l'abandonner ?* par Catherine Boé, accompagnatrice à Bethasda ; *La Bonne Part de Marthe* de Rémy Charpigny. Les documents de travail de l'Association Bethasda sont réservés aux seuls adhérents.

Les étapes du deuil[1].

À l'origine, le terme « deuil » est employé pour exprimer les étapes vécues à la suite de la mort d'un être cher, mais il s'est étendu à toute perte de quelque ordre qu'elle soit : perte de santé, de forces, d'argent, de travail, de sa réputation, perte ou manque d'amour, rupture de relation, rejet, abandon, perte de l'image idéale de soi, de ses parents, de son conjoint...

Le deuil fait partie de la vie. Il nous rappelle notre vulnérabilité. Nous sommes touchés, atteints ; le temps est nécessaire pour intégrer ce qui arrive, en faire quelque chose. *Il y a un commencement* : la souffrance de la perte, du manque. *Et il y a une fin* : l'adhésion à la réalité, le retour possible à la vie qui se remet en route après le choc, la possibilité de créer du nouveau, l'accueil de la résurrection.

Il comprend des étapes. Élizabeth Kubler Ross qui, la première, s'est penchée sur la question de l'accompagnement des personnes en fin de vie, en dénombre six :

– la sidération : on est sous le choc ;

– le refus, le déni : ce n'est pas possible ;

– la colère, la révolte : pourquoi ? ;

– le marchandage : on fait des promesses, des vœux en espérant échapper ainsi à l'inéluctable en se raccrochant à une illusion ;

– la dépression : on perd le goût de vivre ;

– l'acceptation : l'adhésion à la réalité ; dans la grâce de Dieu, la vie repart, ce douloureux trajet va porter fruit, devenir fécond.

On retrouve ces étapes dans tout deuil ; elles peuvent se chevaucher ; chacun vit la perte à sa façon selon son histoire, ses fragilités, ses ressources profondes, ce qu'elle vient réactiver – une rupture de couple peut réactiver une blessure

---

1. *Ibid.*

ancienne d'abandon, de rejet. Certains vivront une perte plus douloureusement que d'autres, selon leurs priorités dans la vie. D'autres vivront seulement certaines étapes du deuil.

Le travail de deuil dure environ un an à dix-huit mois.

On se trouve parfois en mal-être, en état dépressif, sans force, en ignorant les causes de cet état. Il arrive que l'on vienne de subir une perte et que l'on n'imagine pas l'importance de la perte pour soi. On croit vivre ce passage sans difficulté, alors qu'en fait, on aurait un véritable travail de deuil à faire. Il suffit souvent d'en prendre conscience pour retrouver l'énergie qui va permettre de remettre la vie en route.

Le sens du deuil.

Le deuil a un sens. Savoir ce qu'il signifie va donner la force de le vivre. La Bible, le Christ nous donnent le sens du deuil : *la Pâque invite à faire ce travail de deuil qui va d'une souffrance, d'une révolte, d'un désordre, d'une forme de mort, à une graine de vie, de résurrection, en passant par une traversée que l'on ne peut éviter.* La miséricorde du Père, la consolation et la grâce du Christ, la force de l'Esprit accompagnent tous ceux et celles qui vivent un deuil.

Saisir le sens vital, existentiel de ce trajet, entrer dans cette conscience est un très profond réconfort. Poursuivre le travail de deuil jusqu'à son aboutissement, l'accueil de la vie du Ressuscité, l'adhésion au travail de résurrection qu'il fait en nous, avec notre participation, est véritablement un retour à la vie. Ce n'est pas parce qu'on a une réelle vie de foi que l'on peut se permettre d'occulter les étapes du deuil car elles font partie de la vie même. Mais on ne les vit pas seul.

Dans la foule qui l'entoure, Jésus voit, connaît ceux dont l'amour a été blessé à mort et qui pleurent. Il ne les laisse pas seuls dans leur chagrin. On le voit pleurer aux côtés de ses amies Marthe et Marie, lors de la mort de leur frère Lazare : *Alors Jésus pleura* (Jn 11, 35). « Voilà donc la résurrection en pleurs devant la mort, la résurrection endeuillée. Cela nous alerte sur la façon dont nous vivons de faux deuils, des demi-deuils... dont nous escamotons notre deuil sous prétexte de notre foi en la résurrection [1]. »

Le ministère public de Jésus a été bref, à peine trois ans. Il s'est rapidement heurté à la violence des autorités religieuses. Il a été brutalement arrêté et condamné à mort, à trente-trois ans. Il a eu à faire face à un deuil immense, celui de sa mission qu'il a certainement aimée d'un amour très profond – celui de sa réputation, de la crédibilité de son message et de sa vie même. Il savait qu'il ne pouvait échapper à sa mort, il s'y préparait en totale liberté intérieure. Mais la nuit même qui a précédé sa mort, il a traversé très douloureusement les différentes étapes du deuil. Il nous signifie ainsi que l'on ne peut éviter ce trajet de deuil lorsque l'événement impose une perte ou un manque essentiel. Le Christ nous conduit au Père, il est le chemin. La façon dont il a vécu cette nuit dramatique, sa mort, nous dévoile un aspect de Dieu tout à fait inattendu, aux antipodes d'un Dieu impassible, lointain, hors de l'histoire.

Il nous manifeste que l'amour, la compassion du Père sont au cœur de tout trajet de deuil, qu'il nous accompagne au travers de nos fragilités.

Si le Christ n'est ressuscité que le troisième jour, c'est peut-être pour laisser à ses proches le temps de vivre leur deuil. « Ce n'est pas une demi-mort que le Christ a vaincue [2]. »

Dieu ne supprime pas la souffrance de façon magique mais la présence du Christ va « agir comme grâce transformante au cœur de la pâte humaine, de sa lourdeur, pour l'alléger, la fortifier sans jamais nier sa consistance [3] ». Ni Dieu-Père, ni le Christ ne se résignent à la souffrance humaine.

---

1. Daniel BOURGUET, *Les Béatitudes*, p. 53.
2. *Ibid.*, p. 54.
3. Marie-Jo THIEL, « Souffrance et compassion », p. 157, 183.

L'objet du deuil.

Le travail de deuil va se retrouver lors de tous les passages vécus dans le trajet de l'évangélisation des profondeurs. On va rencontrer le deuil de l'illusion, de la toute-puissance, de sa propre image, le deuil de l'amour du père ou de la mère que l'on n'a pas eu, le deuil du statut d'enfant unique que l'on perd à la naissance d'un autre enfant, le deuil du « comblement » du manque... Des deuils vont être vécus comme un immense soulagement, d'autres comme un déchirement.

Certains vivent le deuil de façon naturelle en quelque sorte, le temps fait son œuvre. Pour d'autres, le premier pas est de consentir au travail de deuil, donc de renoncer à s'immobiliser dans la perte ou à enfouir ses émotions, en se voulant invulnérables, en pensant que l'on peut échapper à ce travail de vie qui est trop dur à traverser.

L'expérience montre qu'il importe de définir de façon précise l'objet du deuil : de quoi exactement a-t-on à faire le deuil ? Il importe donc de nommer précisément la perte subie.

Tant que l'objet précis du deuil n'est pas mis en mots clairs, on risque de tourner en rond, de rester dans le flou, de s'épuiser en vain. Dès que dans la lumière de l'Esprit il est précisé, on reprend courage et force, on sait avec certitude que la grâce du Christ va permettre de lâcher le filet qui retenait en arrière et que l'on peut quitter parce qu'il porte maintenant un nom.

Impossibilité de vivre le deuil.

Très fréquemment, l'impossibilité d'accepter son histoire, d'apaiser des émotions tenaces – révoltes, chagrins – provient du fait que l'on poursuit un but auquel on s'agrippe et que l'on ne peut lâcher parce que la plupart du temps on ne l'a pas mis au jour.

Ce sont de très fortes revendications que l'on cherche à

tout prix à réaliser : elles vont à coup sûr empêcher le travail de deuil.

C'est là que l'on va découvrir le lien, le nœud qui empêche l'acceptation active de son passé.

C'est ainsi que l'on va trouver le renoncement au travers des étapes du deuil.

Le simple fait de se poser la question de ce que l'on veut obtenir apporte en général un éclairage rapide : en fait, on le sait, mais on ne l'a jamais mis en mots et on n'y a donc pas répondu en termes clairs. Quand l'objet du renoncement est précisé, le trajet est beaucoup plus facile, on sait sur quoi travailler.

Cela peut être très varié : besoin de justice, de réparation, désir de se venger, de régler ses comptes, d'être entendu par celui ou celle qui nous a blessés...

Le besoin de réparation [1].

Ainsi, il est possible que l'on attende la réparation du mal subi. Dans ce cas, il est impossible d'aller au bout du travail de deuil, de consentir à la réalité de son histoire et de ses conséquences, de la perte, du manque. C'est à cette attente-là qu'il va falloir renoncer.

L'attente de la réparation est un obstacle majeur à l'accomplissement du travail de deuil. Ceux et celles qui

---

1. Il n'est pas question ici de la réparation par voie de justice du tort subi, démarche tout à fait légitime lorsque la loi le prévoit. Encore faut-il veiller à ce qu'un procès ne tourne pas à un sanglant règlement de comptes et ne pas négliger les solutions de conciliation lorsqu'elles sont envisageables. Le recours à la justice et le pardon ne se situent pas sur le même plan, l'un n'exclut pas l'autre. Les problèmes d'inceste, de pédophilie, d'agressions sexuelles exigent une approche spécifique : les victimes ont perdu tous leurs repères, elles se sentent si culpabilisées et souillées par ce qui leur est arrivé qu'il est nécessaire qu'une autorité reconnaisse officiellement que c'est l'adulte qui est véritablement coupable. Le procès ne suffit pas bien sûr pour rétablir l'équilibre, d'autres trajets thérapeutiques et spirituels vont être nécessaires.

attendent en vain la réparation du mal qui leur a été fait demeurent enchaînés à leur passé. Cette attente est très souvent inconsciente. Elle enferme dans l'histoire aussi sûrement que la porte d'une prison : il devient impossible d'aller au bout du processus de deuil tant que le but poursuivi n'est pas atteint. Le besoin de réparation peut prendre plusieurs aspects.

– *D'abord retrouver ce qui a manqué* : on n'accepte pas de demeurer dans un manque aussi essentiel que celui de la tendresse d'une mère, la présence sécurisante et attentionnée du père, la reconnaissance de sa propre valeur face à la préférence des parents pour un frère ou une sœur... On refuse de vivre avec ce « trou »-là dans son histoire.

Ce qui n'a pas été ne sera jamais, du moins sous la forme attendue. Un travail de deuil dont l'objet est très précis va certainement être indispensable.

Clotilde est engagée dans une communauté de vie depuis trois ans. Elle est extrêmement violente envers la responsable chargée d'accueillir et de former les nouveaux arrivants. Elle constate avec désespoir qu'elle a pour elle une véritable haine et cherche en vain une issue.

« Que reproches-tu à cette personne ? Quelle est la cause de ta haine ? – Elle m'a volé mon temps d'entrée en communauté ; elle ne devrait pas être chargée de la formation. – Que représentait pour toi cette entrée en communauté ? – C'est comme si j'allais naître à nouveau, reparcourir mon enfance pour devenir adulte ; elle m'a volé ce temps que j'attendais avec tant de joie. – Pourquoi est-ce si essentiel pour toi puisque cela ne t'a pas empêchée de t'engager dans la communauté ? – Parce que ma mère m'a volé mon enfance et voilà que cela recommence, cela je ne puis le pardonner, je pensais que ce trou dans ma vie allait enfin être comblé. »

Clotilde prend peu à peu conscience qu'effectivement on lui a volé son enfance et que cette enfance, elle ne la retrouvera pas. On lui a également « volé » cette période de formation avant son engagement dans la communauté ; elle ne la retrouvera pas non plus. Elle comprend qu'elle s'est établie dans une attente illusoire : celle de la réparation intégrale du manque subi dans l'enfance. Sa revendication est en fait très forte : « Je dois recevoir ce dont j'ai été privée ; c'est un dû ; le trou doit être comblé. » Là se trouve l'origine de sa haine contre la personne qui n'a pas répondu à son attente. Elle est soulagée de cette découverte qui ouvre un chemin.

Elle comprend alors qu'il est indispensable, si elle veut revenir à la vie, de descendre jusqu'à la racine même de sa violence, de sa révolte face à son histoire : elle n'avait en fait jamais pris conscience de ces sentiments qui flottaient en elle mais n'avaient jamais été mis en mots. Elle décide alors de s'engager dans un processus de deuil, de prendre le temps d'en vivre toutes les étapes. Elle sait qu'elle aura ensuite à poser un acte de renoncement précis : celui de l'attente illusoire de la réparation, du rêve de voir le manque comblé selon son désir d'enfant.

Elle se met en marche en se confiant à l'Esprit. Elle a maintenant la certitude que le Christ va réparer les ruines, la restaurer autrement qu'elle ne l'imaginait. Il l'appelle à revenir à la vie ; sa force, sa grâce ne sauraient manquer.

– S'établir dans le rêve de voir les parents – ou autres, conjoints, frères et sœurs, ami… – *changer de comportement*, correspondre au père ou à la mère idéale dont on rêve, devenir capables de comprendre comment ils nous ont blessés, d'entendre la souffrance subie, de demander pardon…

Il peut être bon de pouvoir partager un jour ce que l'on a vécu avec ceux et celles qui nous ont blessés mais ce n'est pas toujours possible. En tout cas on ne devrait le faire que s'il y a apaisement par rapport à son passé, découverte d'une nouvelle issue, disponibilité pour parler ou aussi bien pour se taire si c'est meilleur. C'est une question de discernement, de purification du cœur, c'est l'Esprit qui va nous guider.

Si le partage se révèle impossible ou nuisible, le rêve doit être définitivement abandonné, car il absorbe toutes les énergies et maintient dans une forme d'immobilisme, de mort. Là aussi un acte de renoncement au cœur du travail de deuil – le renoncement à l'attente, au rêve, à l'illusion – va être nécessaire pour pouvoir accepter la réalité de ceux et celles qui nous ont fait du mal – la plupart du temps sans le savoir, sans le vouloir. Il est nécessaire, comme le dit Daniel Sibony [1], de leur rendre leur poids d'histoire, de blessures, leur droit à nous aimer comme ils le peuvent. D'autres ont été de véritables « ennemis » et là le renoncement à la réparation attendue est plus difficile.

Renoncer à la réparation du mal subi fait partie du travail de deuil. Cela va permettre l'acceptation douloureuse et définitive du passé, de la façon dont on a été abîmé, puis l'accueil d'une vie nouvelle, libérée. C'est le temps de la fin de la plainte. Il devient possible de la remettre dans le cœur du Christ qui a vécu douleur et souffrance dans sa chair, son âme. Il va définitivement l'apaiser. Nous savons que, d'une manière qui n'est pas toujours la nôtre, il nous *revaudra les années qu'ont dévorées les sauterelles* (Jl 2, 25). La souffrance peut demeurer, elle n'est plus destructrice, elle n'empêche plus de vivre, son venin a disparu.

Élisabeth a de véritables crises de larmes chaque fois qu'elle parle de son passé. « Qu'y a-t-il derrière tes larmes lui demande son accompagnatrice, exprime-toi en termes simples, dis tout simplement ce que tu ressens, pourquoi tu pleures encore après tant d'années. – Je veux que mes parents prennent conscience du mal qu'ils m'ont fait ; ce serait trop facile de guérir, comme si rien ne m'était arrivé. »

Or les parents d'Élisabeth sont totalement inconscients de leur comportement. Toutes les explications qu'Élisabeth a

---

1. Daniel Sibony, *Les Trois Monothéismes*, Paris, Éd. du Seuil, 1992, p. 329-334.

essayé d'avoir avec eux se sont soldées par un échec complet. Les larmes et le refus de guérir sont le seul moyen qu'elle a trouvé pour crier sa souffrance. « Je veux qu'ils entendent ma plainte et qu'ils me demandent pardon. »

Élisabeth se trouve à ce moment confrontée à sa responsabilité dans son histoire. « Tu as une histoire très lourde, tu en as fait le tour, c'est ta réalité. Que vas-tu en faire ? Vas-tu continuer à te détruire en poursuivant un but illusoire ? Acceptes-tu de prendre un chemin de vie qui va passer par un deuil, pas seulement le deuil d'une vie blessée, mais celui d'être entendue dans ta plainte par ceux dont le comportement t'a fait du mal ? »

Élisabeth comprend clairement quel filet la retient dans un chemin de mort et ce qu'elle doit lâcher si elle veut vivre. Dans la grâce et la force du Christ, elle choisit de se mettre en marche. Le travail de résurrection peut commencer.

Les revendications, les buts poursuivis sont multiples et il appartient à chacun d'ouvrir à la lumière de l'Esprit la mise au jour de cet objet du deuil que l'on peut avoir à vivre. Car c'est l'accomplissement du travail de deuil qui va conditionner l'acceptation active et définitive de son histoire, de son présent. Il y a là une des clés de la guérison. C'est très souvent parce que le deuil n'est pas véritablement traversé, que les émotions sont destructrices, que l'on est immobilisé dans un événement ou une blessure.

Le consentement à son histoire, l'acceptation active
et définitive de son histoire et de ses conséquences,
de son présent, est le premier fruit du travail de deuil.

Il ne s'agit pas d'oublier son passé, ni de s'en débarrasser purement et simplement – il fait partie de soi, de sa vie – mais d'en laisser aller la lourdeur, les toxines, le venin, de se réconcilier avec la réalité de son histoire, de l'intégrer dans son présent.

L'expérience montre que beaucoup ne pourront accepter leur histoire qu'après un long trajet, qui inclut la mise au jour de la blessure, et la prise de conscience de l'éventuelle fausse route.

Le travail de deuil n'est complet que s'il se continue par l'accueil de la vie renouvelée, l'adhésion à la résurrection, à l'œuvre du Ressuscité en soi.

Celui ou celle qui va au bout du travail de deuil n'est pas un résigné car le chemin de la Pâque mène obligatoirement à la résurrection si on le poursuit jusqu'au bout.

Le devenir de la relation.

Lors des actes de déliance et de renoncement, qu'ils soient posés au début ou à la fin du trajet de deuil, la personne prend conscience de la véritable signification de la perte ; car c'est à ce moment qu'elle consent à perdre l'amour de la mère tel qu'elle le rêvait, et qu'en fait elle n'a jamais connu. Entretenir l'illusion de le trouver enfin lui a permis d'occulter la souffrance de la réalité. Renoncer à cette quête, cette espérance, lui paraît insupportable, impossible à surmonter. Sans se le dire clairement, elle pense qu'elle va en mourir. Le Seigneur l'assure cependant qu'elle ne mourra pas, elle vivra et publiera les œuvres de l'Éternel (Ps 117, 17).

On oublie fréquemment que l'acte de renoncement, de déliance, le travail de deuil n'ont pas pour but de détruire la relation mais de permettre de la reconstruire sur d'autres bases, d'autres fondements [1]. Le renoncement au but que l'on poursuivait, l'acceptation active de la réalité, vont libérer l'autre de la revendication qui pesait sur lui, l'enchaînait littéralement. Une véritable détente se produit dans la relation,

---

1. Simone PACOT, *L'Évangélisation des profondeurs*, t. II, *Reviens à la vie !*, voir « La Pentecôte de la relation », p. 157-175.

elle devient gratuite en quelque sorte. Il est alors possible d'utiliser ses forces vives pour la renouveler ; elle ne sera pas celle dont on rêvait, mais elle va peu à peu, dans la créativité de l'Esprit, trouver sa forme d'expression. Le point de départ de ce renouveau est bien ce lâcher-prise qui va permettre de vivre en liberté intérieure une situation que l'on n'a pas choisie. Le meilleur moyen d'aider celui ou celle qui est en désordre est d'être soi-même justement situé. Quand l'acte posé est juste, conforme aux grandes lois de vie, une graine de vérité est semée, elle ne peut que porter un fruit de vie d'une façon ou d'une autre.

Voici je fais toutes choses nouvelles (Ap 21, 5).

Viens des quatre vents, Esprit, souffle sur ces morts, et qu'ils vivent (Ez 37, 9).

Ainsi parle l'Éternel : vous saurez que je suis l'Éternel lorsque j'ouvrirai vos tombeaux et que je vous ferai remonter de vos tombeaux, mon peuple, et je mettrai mon esprit en vous et vous vivrez (Ez 13, 14 ; parole de l'Éternel à Ézéchiel pour la maison d'Israël).

Qui aura trouvé sa vie, la perdra.

Qui aura trouvé sa vie la perdra, et qui aura perdu sa vie à cause de moi la trouvera (Mt 10, 39).

Jésus ne dit pas qu'il est venu apporter la mort, mais la vie, et la vie abondante (Jn 10, 10). Il a signifié cette réalité durant toute son existence. Il a guéri les malades, ressuscité des morts, remis dans leur axe de vie ceux et celles qui étaient en grand désordre. Son message est un appel à la vie. En même temps, il annonce que pour trouver la vie il va être nécessaire de quitter, de perdre quelque chose.

Que peut signifier cette invitation à perdre sa vie alors que précisément nous sommes appelés à choisir la vie ? Comment comprendre cette parole du Christ ?

Qui n'accepte pas de renoncer à ce qui le détruit, celui-là perdra sa vie. Qui aura cru trouver sa vie en se fiant à sa seule sagesse, sans se laisser inspirer par l'Esprit, sans recevoir de grâce, dans la méconnaissance des grandes directions que nous donne le Père créateur, en se coupant de sa source de vie, celui-là perdra sa vie.

Qui se laissera engloutir par les parasites de son histoire, qui s'endormira dans la routine, l'ancien, l'habituel, la résignation, qui s'installera dans la fausse paix, la sécurité trompeuse, qui emploiera toutes ses forces vives à retrouver le paradis perdu au lieu de chercher à vivre le nouveau, qui trouvera son bonheur dans le fait d'être arrivé, plein, repu, qui arrêtera trop tôt le beau combat pour la vie, celui-là perdra sa vie.

Qui aura perdu sa vie à cause de moi la retrouvera.

Qui consent à perdre ce qui l'empêche d'aller vers la véritable vie que le Père lui propose, que le Christ apporte au monde, celui-là trouvera sa vie. Il lui sera donné de reprendre possession de la Terre promise, de sa propre terre intérieure qui lui a été confiée comme un trésor ; il trouvera sa vie, le sens de son passage sur terre ; il remplira sa tâche essentielle, recevra en lui la vie nouvelle, celle du Ressuscité.

Perdre sa vie ne signifie certainement pas ici qu'il serait bon de devancer l'heure de sa mort, de se laisser détruire, de s'orienter vers une forme de non-vie, plutôt qu'un déploiement de vie ; perdre sa vie ne nous autorise pas à laisser éteindre, réduire, notre élan vital, à devenir indifférent à la sauvegarde, la protection de notre vie. Cette interprétation serait contraire à tout le message biblique, à l'appel à la vie lancé par le Christ. Nous savons de certitude que Dieu ne nous mène jamais à la destruction de nous-même, que l'obéissance première, essentielle, est de choisir la vie.

L'approfondissement du juste sens du renoncement, du deuil, nous permet de comprendre cette parole de Jésus. Elle peut être entendue comme le fait de consentir à vivre les indispensables renoncements aux chemins de mort, les étapes du trajet de deuil qui vont permettre de ne pas s'immobiliser au tombeau, d'accepter la réalité, de retrouver la vie, d'entrer dans la fécondité et le don.

Qui entreprend la relecture de son histoire à la lumière de l'Esprit, dans la juste compréhension des lois de vie, découvre rapidement que, la plupart du temps, il s'est trompé de chemin : croyant trouver la vie, il l'a perdue en entrant dans des formes de mort destructrices qui vont à l'encontre du dessein de Dieu. Il comprend également qu'il est néces-saire de quitter les chemins de mort, de les lâcher, de les « perdre » pour trouver la vie, un « plus de vie ». L'Esprit Saint nous révèle le sens vital de la Parole du Seigneur. Il nous éclaire peu à peu sur la signification de la Pâque, de la Rédemption, du salut apporté par le Christ : il a vaincu la mort, il est vainqueur de la mort en chacun de nous, il nous aide à sortir de nos errances.

Il nous enseigne comment nous donner sans nous détruire.

Tu aimeras le Seigneur, ton Dieu, de tout ton cœur, de toute ton âme, de toute ta force et de tout ton esprit ; et ton prochain comme toi-même (Lc 10, 27 ; Dt 6, 5 ; Lv 19, 18).

C'est le commandement essentiel, le plus grand de tous, dit Jésus. Toutes les forces vives de l'être humain sont ainsi concernées. Mais avons-nous suffisamment exploré ce chemin de vie qui consiste à s'aimer soi-même de façon juste ?

Un obstacle au renoncement et au travail de deuil : la culpabilité mal située.

Les fausses culpabilités constituent un sérieux obstacle sur le trajet du renoncement, du deuil. Celui ou celle qui entre-tient une fausse culpabilité est comme englué dans une sorte de brouillard. Outre qu'il vit un tourment permanent, *il ne sait pas ce qu'il doit quitter, à quoi renoncer, car il confond le chemin de mort et le chemin de vie.* Comment pourrait-il quitter le chemin de mort s'il croit qu'il est chemin de vie ? Il est tourné à l'envers en quelque sorte. Au lieu de vivre les étapes du deuil, il se focalise sur une fausse culpabilité dans laquelle il s'immobilise : le travail de deuil ne peut s'accomplir.

Se situer face au sentiment de culpabilité paraît donc une étape essentielle sur la route du retour à la vie, de la remontée.

Culpabilité, chemin de vie ou chemin de mort ?

La culpabilité mal située entraîne des désordres souvent très graves ; elle peut barrer totalement le choix de la vie.

Beaucoup croient être en faute et ne le sont pas. D'autres ont véritablement commis une faute et se justifient ou ne parviennent pas à se croire pardonnés – comme ils le disent à tort car Dieu seul pardonne – « ils identifient Dieu à leur conscience accusatrice ; ils oublient que ce n'est pas ce que leur conscience juge péché qui est péché, mais ce que Dieu juge péché [...] et ceci est infiniment libérateur [1]. » S'ils ont réellement commis une faute, ils y ajoutent un mal qui est de ne pas croire au salut, de ne pas croire que *si notre cœur venait à nous condamner, Dieu est plus grand que notre cœur* (1 Jn 3, 20).

Ce pardon donné si largement à tous ceux et celles qui s'étaient perdus et sont retrouvés, qui étaient entrés dans la mort et deviennent des vivants (Lc 15, 24), leur apprend que, même si la réparation intégrale est impossible, ils peuvent néanmoins être délivrés, sauvés, retrouver la fécondité de leur vie et continuer à la transmettre. « Cela relève du devoir et du droit d'être heureux [2]. »

« Un être contraint de se regarder hors de la douce pitié de Dieu ne peut que tomber dans la haine et le mépris de soi » (Bernanos).

La culpabilité mal située est à l'origine de véritables maladies de la psyché ou du corps et bien entendu va avoir des répercussions sur la relation à Dieu. Elle est

---

1. Adolphe Gesché, *Dieu pour penser*, I, *Le Mal*, p. 117.
2. *Ibid.*, p. 116.

véritablement un chemin de mort. Mais elle peut aussi être un chemin de vie si l'on sait l'interroger.

La Parole de Dieu.

La lampe du corps c'est l'œil. Si donc ton œil est sain, ton corps tout entier sera dans la lumière. Mais si ton œil est malade, ton corps tout entier sera dans les ténèbres... (Mt 6, 22-23).

Malheureux ceux qui appellent le mal bien et le bien mal, qui changent les ténèbres en lumière et la lumière en ténèbres (Is 5, 20).

Si vous étiez aveugles vous n'auriez pas de péché ; mais maintenant vous dites « nous voyons », c'est pour cela que votre péché subsiste (Jn 9, 40).

Être aveugle sur soi-même n'est pas un péché, mais être en désordre, avoir pris une mauvaise direction et refuser de se remettre en question sous prétexte que l'on fait partie des justes, là est le péché. Quiconque est aveugle et affirme voir clair fait du surplace, ne peut plus avancer, s'installe dans une forme de mensonge.

La façon dont nous nous situons face à la culpabilité met au jour la qualité, la justesse de notre relation à Dieu, l'idée que nous avons de Dieu. Accueillons-nous le Dieu de Jésus Christ ? Quel Dieu servons-nous ?

Le sentiment de culpabilité peut-il être orienté vers la vie ? Comment ?

« Le sentiment de culpabilité est une réalité interne au psychisme qui donne à la conscience l'impression d'être accusée par un poids, de sentir la morsure du remords et d'être comme devant un tribunal intérieur prêt à juger, à infliger une punition [1]. »

---

1. Xavier Thévenot, *Les péchés, que peut-on en dire ?*, Mulhouse, Salvator, 1983, p. 51.

À quelles conditions peut-il devenir fécond, être occasion de croissance, de grandissement, de maturation psychologique et spirituelle ? Tout ce que nous vivons peut soit être occasion de fécondité, soit entraîner vers une forme de mort.

Affrontement de la culpabilité.

Il y a deux façons de se situer devant le sentiment de culpabilité : une façon saine et une façon malsaine [1].

La *façon saine* consiste à se laisser interroger par le sentiment de culpabilité, le mettre totalement au jour, se questionner sur la réalité de la faute. De quoi est-ce que je me sens coupable ? Cette culpabilité est-elle ou non fondée ?

La *façon malsaine* est de dénier le sentiment de culpabilité, de l'occulter, de l'enfouir sans l'affronter, ni se questionner à son sujet, ou encore de se déculpabiliser à tout prix, de se justifier systématiquement.

Il ne s'agit pas d'évacuer la culpabilité, mais de bien la situer, ce qui est un signe de responsabilité et de liberté. L'être humain n'a pas inventé le mal, il y consent, se laisse séduire, en est complice. Ce n'est pas la même chose. Il n'est pas foncièrement et totalement mauvais, il est coupable de telle ou telle action [2].

À tout moment, il risque de perdre sa direction, d'entrer dans le désordre, de se tromper de destin et de parcours, d'entrer dans l'errance. Mais le salut est toujours là. Va et remets-toi debout, dit Jésus, reprends ta route. Il ne s'agit pas de s'accuser pour se condamner, mais pour être libéré, délivré, retrouver la vie, reprendre la route, devenir un serviteur du Royaume.

L'Écriture met en lumière différents comportements possibles face à la culpabilité [3] :

---

1. Jean-Luc HETU, *Quelle foi ?*, Éd. Lemêac-Québec, 1978.
2. Adolphe GESCHÉ, *Dieu pour penser*, I, *Le Mal, p. 116.*
3. Le plan de ce tableau est inspiré de celui qui est présenté par Jean-Luc HETU, p. 114.

Je me sens coupable.

– *Je suis disposé à aller regarder cela de près* comme :

  – Zachée (Lc 19, 1-10) qui est un percepteur d'impôts, fraudeur, detesté des Juifs ; Jésus s'invite à dîner chez lui : *tous murmuraient et disaient : « Il est allé loger chez un pécheur ! » Mais Zachée, résolument, dit au Seigneur : « Voici Seigneur, je vais donner la moitié de mes biens aux pauvres, et si j'ai fait du tort à quelqu'un je lui rendrai le quadruple. »*
  – Pierre (Lc 22, 57, 61-62) renie Jésus par trois fois : *Je ne connais pas cet homme [...] comme il parlait encore, un coq chanta, et le Seigneur, se retournant, fixa son regard sur Pierre. [...] Sortant dehors, il pleura amèrement.*
  – Marie-Madeleine (Lc 7, 36-50) est connue comme une pécheresse de la ville. Ayant appris que Jésus était à table chez un pharisien, Simon, elle apporte un vase de parfum. *Se plaçant alors en arrière, tout en pleurs, elle se mit à lui arroser les pieds de ses larmes, puis elle les essuyait avec ses cheveux, les couvrait de baisers, les oignit de parfum.*
  – Le bon larron (Lc 23, 39-43), crucifié aux côtés de Jésus : *Pour nous c'est justice, nous payons nos actes, mais lui n'a rien fait de mal. Jésus, souviens-toi de moi quand tu viendras dans ton Royaume. Il lui répondit : En vérité, je te le dis, dès aujourd'hui tu seras avec moi dans le paradis.*

– *Je ne suis pas disposé à regarder cela de près* comme :

  – Adam : *L'Éternel Dieu appela l'homme : où es-tu ? dit-il. J'ai entendu ton pas dans le jardin, répondit l'homme, j'ai eu peur parce que je suis nu et je me suis caché* (Gn 3, 9-10).

Je ne me sens pas coupable.

– *Je suis disposé à aller regarder cela de près* comme :

- Job (le livre de Job) qui refuse de reconnaître dans les malheurs qui l'accablent les conséquences d'une quelconque faute de sa part. Mais il est prêt à éclairer sa situation. Il refuse de se laisser culpabiliser par les autres et s'en remet à sa propre conscience : *Bien loin de vous donner raison, jusqu'à mon dernier souffle, je maintiendrai mon innocence, je tiens à ma justice et ne lâche pas ; ma conscience ne me reproche aucun de mes jours* (Jb 27, 5-6).

– *Je ne suis pas disposé à aller regarder cela de près* comme :

- David (2 S 11, 12) qui convoite Bethsabée, la femme de l'un de ses officiers : *Mettez-le au plus fort de la mêlée, dit-il à Joab, chef de l'armée, et reculez derrière lui pour qu'il soit frappé et meure* (2 S 11, 15). Bethsabée devient la femme de David qui ne voit aucune faute en lui jusqu'à ce que le prophète Natân lui ouvre les yeux : *Alors David dit à Natân : J'ai péché contre l'Éternel* (2 S 12, 13).
- L'aîné des frères dans la parabole du père et des deux fils (Lc 15, 11-32). Il se mit en colère et refusa d'entrer à la fête organisée par le père pour célébrer le retour du cadet. *Voici tant d'années que je te sers sans avoir jamais transgressé un seul de tes ordres...* Il se croit juste, parfait, en fait il est aveugle sur lui-même comme beaucoup de pharisiens de l'entourage de Jésus.

La réalité de la faute.

Si le sentiment de culpabilité est fondé, si la faute a été consciemment, réellement commise, il importe de la reconnaître.

Refuser de se remettre en question, vouloir se justifier à tout prix est un manque à la vérité : beaucoup entrent alors dans une grande confusion intérieure, car la non-reconnaissance de la faute est mortifère.

Luce a une amitié très intime avec un homme marié. « Nous avons une merveilleuse communion spirituelle. Nous nous écrivons chaque jour. Mon cœur et mes pensées sont totalement centrés sur cet homme, sans relâche. C'est pour moi une très grande joie. Mon mari est affreusement jaloux, je ne comprends pas pourquoi ; nous ne faisons rien de mal. Je souhaiterais au contraire qu'ils deviennent amis tous les deux. » Luce ne partage plus rien d'elle-même avec son mari ; elle est en train de détruire son couple en justifiant une relation qui n'est pas en ordre, pas justement nommée. Luce appelle bien ce qui est mal, vie ce qui devient chemin de mort pour deux couples.

Le non-accueil du pardon du Christ lorsqu'on a chuté est également mortifère. Demeurer sous la condamnation de son propre regard impitoyable revient à s'enfermer dans un chemin de mort, à s'emprisonner soi-même et refuser d'être désenchaîné, de se resituer dans le courant de vie. Le Christ a toujours accueilli sans aucune restriction celui ou celle qui reconnaît avoir été en faute et reprend une juste direction : il le libère sans délai : *Moi non plus je ne te condamne pas, dit Jésus à la femme adultère, va, désormais ne pèche plus* (Jn 8, 1-11).

Agnès se dit damnée, elle vit un tourment indicible : « J'ai commis un adultère (très bref et tout à fait accidentel). Je savais que c'était mal et je l'ai fait quand même. Dieu ne peut donc pas me pardonner. » Elle a parlé à son mari de cet événement ; il a pardonné et l'entoure d'affection et de respect. Agnès estime qu'elle n'est pas digne de retrouver cet amour, elle le refuse et se replie sur elle-même. Elle s'est véritablement enfermée dans un chemin de mort. Elle découvre que le fait de ne pas accueillir le pardon de Dieu est une forme de toute-puissance totalement dévastatrice. Elle entend cette vérité, mais cet éclairage ne l'apaise pas car sa certitude est très profondément enracinée en elle.

Avant toute autre démarche, Agnès doit faire une relecture de son passé. Quand, comment, pourquoi s'est plantée en elle cette fausse croyance que l'on est définitivement rejeté, irrémédiablement perdu si l'on ne se maintient pas dans une perfection sans faille ?

Si le sentiment de culpabilité n'est pas fondé, il doit disparaître. On ne peut demeurer indéfiniment dans cette sorte de mort intérieure, dans ce flou qui est un poison dans l'organisme. C'est pour cela qu'il importe de s'arrêter, de se poser, de prendre du temps, de se faire aider pour éclairer le fondement du sentiment de culpabilité que l'on peut entretenir en soi.

Alors qu'il était enfant, Bernard a failli se noyer. La personne qui vient le sauver parvient à le ramener sur la berge mais meurt de l'effort fourni. Bernard, lui, est vivant. « Toute ma vie, dit-il, j'ai attendu la punition, je l'attends encore, et même je la crée. » C'est là un événement très difficile à assumer, très lourd, et cependant Bernard doit se rappeler l'ordre de vie, choisir malgré tout de vivre, ne pas ajouter un mal à une mort. En accueillant la consolation du Christ, il se confie à la miséricorde du Père qui peu à peu va apaiser son tourment.

Symptômes et racine.

« Je suis très violent, j'ai l'impression d'avoir en moi une sorte de rage ; en famille, j'explose tout à coup pour des riens, c'est plus fort que moi, c'est consternant. »

« Je suis horriblement jaloux ; je ne puis m'empêcher d'envier ce qu'a l'autre que je n'ai pas, ce qu'il est que je ne suis pas ; je sens qu'alors j'ai en moi une grande méchanceté ; c'est un vrai poison, rien n'y fait. »

« Je me suis créé un monde imaginaire, c'est mon refuge quand rien ne va plus ; je vois bien que je gâche mon présent mais je ne puis m'en libérer, c'est comme une drogue. »

Toutes ces personnes ont un très fort sentiment de culpabilité par rapport à ces comportements répétitifs qui sont en fait des symptômes d'un désordre plus profond. Le sentiment de culpabilité est ici un signal d'alarme qui signale qu'une blessure s'est infectée et déverse son poison dans tout l'organisme. Il peut demeurer stérile et désespérant, mais il peut aussi être réorienté vers la vie : il pousse la personne à s'occuper de la racine du désordre, à entreprendre – quelle que soit son approche – un trajet d'évangélisation de ses profondeurs. La blessure mal vécue, non éclairée, est alors désinfectée, assainie, apaisée.

C'est enveloppé dans la grâce du Christ, éclairé par la lumière de l'Esprit que l'être humain blessé descend dans cette profondeur-là, vit les étapes du trajet, sort peu à peu de sa prison. Le terrain peut rester fragile, mais le sentiment d'impuissance, l'impression de se trouver devant un mur infranchissable ont disparu. La grâce nous donne force, il devient tout à fait possible de gérer ses comportements. La vie est remise en route.

Ne nous condamnons pas trop vite ; n'oublions pas que le mal que nous avons commis vient la plupart du temps d'un mal que nous avons subi, et nous ne pouvons laisser à l'abandon, en friche, ce premier terrain. Le Christ est « le compatissant ».

L'alternative « bien-mal », « vie-mort ».

Dans son livre *La Loi de Dieu* [1], Paul Beauchamp propose de compléter l'alternative « bien-mal » par l'alternative « vie-mort ».

Par la façon dont Jésus réintroduit la vie, l'Esprit dans la loi du sabbat (Mc 3, 1-6), il « révèle l'opposition du bien et du mal comme n'étant pas le seul critère qui décide du chemin de l'être humain dans la vie ». Il présente deux alternatives, « deux critères de choix : "bien ou mal", "vie ou mort". Il apparaît que le premier n'est pas suffisant... ».

Le bien est ce qui conduit à la vie, le mal ce qui mène à la mort. Où se situe mon désir le plus authentique par rapport au choix de la vie ? Le désir de mort, très inconscient, se camoufle souvent derrière les fausses notions de Dieu, la loi légaliste et réductrice, les mauvais interdits.

Interroger la culpabilité à partir des lois de vie.

L'exploration des cinq lois de vie qui sont approfondies dans les chemins d'évangélisation des profondeurs nous permet d'y voir plus clair. Ces lois nous donnent les repères essentiels, un cadre sûr qui nous situe face à la vie et à la mort, donc au bien et au mal. Les reprendre une par une avec un œil sain va nous donner la possibilité de discerner clairement ce qui est chemin de vie et ce qui est chemin de mort, soit ce qui est bien et ce qui est mal. À partir de là, nous comprendrons aisément comment nous pouvons appeler mal ce qui est bien et bien ce qui est mal.

– Si je me culpabilise de prendre un véritable chemin de vie, j'appelle mal ce qui est bien.

– Si je prends un chemin de mort en croyant qu'il est conforme à la volonté de Dieu, à ce que je crois être l'amour, j'appelle bien ce qui est mal.

1. Paul BEAUCHAMP, *La Loi de Dieu*, p. 177.

Première loi de vie : Choisis la vie (Dt 30, 15-20).

Est-ce que je me culpabilise, et de quelle manière, de choisir délibérément de vivre, quelles que soient les circonstances dans lesquelles je me trouve, de fortifier sans cesse mon amour de la vie, de la transmettre, d'adhérer à la créativité de l'Esprit pour découvrir une issue de vie dans une situation gelée, bloquée ?

Mon cœur se tourne-t-il vers la vie ou vers la mort ? Est-ce que le fait de m'établir dans un chemin de mort, de me détruire ou de me laisser détruire ne me paraît pas si grave que cela, à la limite me semble normal ? Est-ce que je prends conscience que ce comportement est une désobéissance précise à la première loi de vie ? Est-ce que j'appellerais bien ce qui est mal, vie ce qui est mort ?

Deuxième loi de vie : Tu n'es pas Dieu ; accepte les limites de la condition humaine.

Est-ce que je me culpabilise d'avoir des limites, de ne pas pouvoir sauver l'autre, de ne pas être parfait, d'avoir des fragilités, de ne pas tout maîtriser, tout couvrir... d'avoir des émotions, de les exprimer, d'être vulnérable, de prendre le temps de les traverser jusqu'au bout ?

Est-ce que je considère comme un bien le fait de me débrouiller seul en toute circonstance, de n'avoir besoin ni des autres, ni de Dieu, de compter uniquement sur ma propre sagesse pour diriger ma vie et même bien souvent celle des autres ?

Troisième loi de vie : Deviens toi-même en Dieu,
dans une juste relation à l'autre.

Est-ce que je me culpabilise :
– de choisir de devenir moi-même, de développer mon

identité, ma liberté dans l'ordonnancement de Dieu dans une juste distance, relation à l'autre ?

– de refuser de me maintenir dans une situation fusionnelle – de me laisser dévorer ou écraser par un pouvoir abusif ?

– d'arrêter de prendre sur mes épaules un fardeau qui ne m'appartient pas ?

– de n'avoir pas tous les talents ou qualités d'un autre ?

Est-ce que j'appelle « bien » le fait d'être englouti dans une compassion destructrice, de demeurer dans les non-dits systématiques pour éviter les conflits, de faire des promesses, pactes, prières de substitution qui mènent à ma propre destruction ? Est-ce que j'appelle « bien » le fait de me perdre moi-même, parfois de ne plus savoir qui je suis au nom d'un amour mal situé ?

Quatrième loi de vie : Tu es un au travers de ton corps, ta psyché et du cœur profond qui les anime.

Est-ce que je me culpabilise :

– de tenir compte des signaux d'alarme que me transmet mon corps, d'être attentif à ma résistance nerveuse ?

– de prendre du temps pour découvrir ma forme de détente, et la vivre, me ressourcer en profondeur, déployer la vie du cœur profond ?

– de vivre un véritable « sabbat » chaque semaine ?

Cinquième loi de vie : Déploie la fécondité de ta vie,
n'enterre pas tes talents.

Est-ce que je me sentirais coupable de n'avoir qu'un seul
talent, au point d'en arriver à le mépriser ?

Est-ce que j'appelle « bien » le fait d'enterrer mes talents
sous prétexte d'humilité ? Est-ce que je me culpabilise de
mettre au jour mes dons spécifiques, de découvrir dans
l'Esprit comment les recevoir et les rendre féconds, d'oser
faire ce que je sais faire ?

Nous ne pouvons nous tromper en prenant comme base de
notre exploration les repères que nous donnent les lois de
vie. La source de ces lois est en Dieu. Chacun peut aisément
en comprendre le sens. Elles touchent la mort, la relation en
son entier, à soi, à l'autre, à Dieu ; en elles sont les premiers
fondements de la vie que le Père nous donne. En elles également
se situe la première et primordiale obéissance.

Culpabilité et responsabilité

Rappelons que la plupart du temps – et notamment si elle
a son origine dans une fausse route prise dans l'enfance –
la transgression d'une loi de vie n'est pas de l'ordre de la
faute volontaire et consciente. Cependant les conséquences
peuvent en être graves, car elles risquent d'entraîner la déso-
rientation d'une vie. C'est ainsi que beaucoup ont perdu les
repères qui balisent les chemins de vie, signalent les chemins
de mort, et se trouvent devant une sorte d'impuissance face
à leur mal-être : « Je ne comprends pas ce qui se passe en
moi » ; « Je ne sais comment sortir de là » ; « Je n'y puis
rien, je me trouve face à un mur, je ne sais par où commencer
un travail sur moi-même »…

Si l'on ne saurait parler de culpabilité au sens strict du
terme, la transgression des lois de vie s'analyse cependant en
une désobéissance à des lois fondamentales qui ne sont pas

facultatives, qui conditionnent la vie, en permettent le déploiement dans la fécondité, protègent les humains des chemins de mort.

Nous nous trouvons ici devant la première responsabilité de tout homme, toute femme : est-ce que je connais, est-ce que je mets en œuvre dans ma vie personnelle, ma famille, ma communauté de vie, mon engagement professionnel, civique, les directions de vie que Dieu donne à ses créatures ? Comment est-ce que j'assume ma tâche d'artisan de vie, de transmetteur de vie, à partir de quels critères ?

L'amertume des gâchis[1].

Beaucoup découvrent les lois de vie alors que les enfants sont élevés, que la relation de couple ou de communauté s'est construite depuis longtemps sur des bases pas toujours claires, qu'ils se retrouvent célibataires alors qu'ils souhaitaient se marier... Ils sont souvent profondément culpabilisés de la façon dont ils ont pu méconnaître les directions essentielles de vie et des conséquences que cela a pu ou risque d'entraîner. Ils s'en veulent, perdent l'estime d'eux-mêmes, s'établissent dans l'amertume d'un « gâchis ».

Il importe d'abord de ne pas oublier que l'on ne peut juger le passé à la lumière du présent. Chacun a fait certainement tout ce qu'il a pu avec ce qu'il était.

Jésus nous réconforte en nous parlant des ouvriers de la dernière heure (Mt 20, 1-16) : nous sommes invités à prendre la route à n'importe quel âge de la vie même tardivement, et les derniers arrivés sont aussi considérés, reçoivent le même salaire que ceux ou celles qui ont commencé leur trajet très tôt. Nous avons en outre la certitude que quiconque a suivi un chemin de libération ne se libère jamais seul : il devient un maillon sur le chemin de libération de beaucoup d'autres, et particulièrement de ses proches. Au fur et à mesure que

1. André DUMAS, *Cent prières possibles*, Paris, Éd. Cana, 1997, p. 79-80.

nous permettons à la grâce de Dieu de nous transformer, quelque chose de mystérieux se passe dans l'invisible qui va toucher ceux et celles que nous aimons, notre entourage...

Nous pouvons demeurer dans la confiance : le Christ a vaincu la mort, chacun peut à tout moment puiser de l'eau avec joie aux sources du salut (Is 12, 3), tout peut toujours repartir.

Il est impressionnant de constater comment Dieu fait porter un fruit de vie à un mal, qui demeure cependant un mal [1]. Cela nous est montré notamment dans l'histoire de Joseph (Gn 37). Joseph est le préféré de son père car il est le fils de sa vieillesse. Ses onze frères le jalousent et décident de se venger et de le mettre à mort. Sur l'intervention de l'un de ses frères, Ruben, ils acceptent de ne pas le tuer, mais de le jeter vivant dans une citerne du désert, puis décident de le vendre à des Ismaélites qui passent en caravane. Ceux-ci le transportent en Égypte et le vendent à leur tour au commandant des gardes de Pharaon. Joseph va avoir des fonctions prestigieuses à la cour de Pharaon. Par la suite, il retrouvera ses onze frères et sauvera sa famille de la famine.

Par trois fois Pierre renie Jésus. Il se repent amèrement, s'approfondit, apprend à se connaître dans sa réalité, mûrit dans son amour pour le Christ. Il se voit alors confier par celui-ci la charge de veiller sur ses frères et sœurs nouvellement convertis.

Lorsque le Christ retrouve ses disciples après sa résurrection, il ne se répand pas en reproches amers alors que tous – sauf un petit reste – l'ont abandonné. Il ne leur permet pas de s'asphyxier, de se paralyser, dans une attitude de reproches sans fin contre eux-mêmes, de condamnation de

---

1. A. Dumas, p. 127.

leur faiblesse. Il les appelle à sortir de ce tombeau-là ; il les lance vers la vie, le partage, le don, la transmission.

Si nous pensons avoir été occasion de « gâchis », ne nous enfermons pas dans des regrets sans fin, dans l'amerture, la tristesse. Demandons pardon au Seigneur et recevons joyeusement son amour : faisons-lui confiance pour l'avenir, donnons notre confiance à ceux qui nous entourent : dans sa grâce, ils vont trouver leur route comme nous avons trouvé la nôtre au travers de tant d'errances. Demandons au Christ de prendre en charge ceux et celles que nous aimons, comme il nous a pris en charge. Ne nous alourdissons pas de fardeaux pesants (Mt 11, 28.30), remettons-les-lui, laissons-le nous « alléger », et continuons à transmettre la vie du mieux que nous pouvons.

Les racines de la fausse culpabilité.

Quand, comment, pourquoi le sentiment de culpabilité s'est-il planté en soi ?

Les fausses notions de Dieu.

Une des causes essentielles d'une culpabilité mal située se trouve sans aucun doute dans les fausses notions de Dieu que nous pouvons entretenir. Nous transposons généralement sur Dieu la relation que nous avons eue avec nos proches – parents, frères, sœurs... En outre, nos blessures ont abîmé notre relation en toutes ses dimensions y compris vis-à-vis de Dieu.

Nous ignorons ou oublions que nous avons pu être profondément blessés [1] et que ces blessures vont avoir des répercussions sur notre vie spirituelle. En elles peut se trouver la

---

1. Enseignement de Marie-Madeleine LAURENT sur *La Culpabilité, quelle culpabilité ?*, septembre 1999.

cause d'une révolte contre Dieu, d'une impossibilité de lâcher prise, de laisser aller, d'une difficulté à accueillir la grâce ; nous nous culpabilisons de ne pas être, ni faire ce que nous pensons que Dieu attend de nous, alors que nous aurions besoin d'être consolés, remis en vie.

Nous vivons sur des idées fausses du rachat, de l'expiation, de la réparation, qui vont avoir des conséquences certaines sur le sentiment de culpabilité, car alors nous sommes persuadés que nous ne faisons pas tout ce que nous devrions faire pour l'autre.

Nous pensons que Dieu traque la moindre imperfection, nous veut sans péché, ce qui est impossible. Nous nous culpabilisons de déployer notre véritable identité, notre liberté la plus authentique.

Nous avons à « mourir » à toutes ces fausses notions de Dieu et à entrer dans la responsabilité de l'Amour.

« Seul l'amour libère, seul l'amour désaliène, seul l'amour plaît à Dieu [1]. » Si un raisonnement ne peut entrer dans ces trois termes, il n'est pas de Dieu.

Rappelons-nous les lois de vie : « Qu'est-ce qui me construit, qu'est-ce qui me détruit, qu'est-ce qui me remet en vie, qu'est-ce qui m'éteint [2] ? »

La fausse culpabilité peut avoir bien d'autres causes qu'il faut découvrir, ainsi notamment :

Le malheur de l'autre.

On peut se sentir coupable de désirer vivre, d'être heureux face à la dépression ou au malheur d'un ou d'une autre. Être attentif à vivre une véritable compassion, silencieuse ou agissante, et dans le même temps veiller à préserver son élan vital, ne pas réduire sa vie, demande souvent beaucoup de

1. Xavier Thévenot, entretien oral.
2. *Ibid.*

courage, mais il est bon de se souvenir que c'est la vie qui triomphe du mal, de la mort, et qu'il n'y a pas de meilleur moyen de lutter contre le mal que de créer de la vie.

Le mauvais climat familial.

Les interdits de toutes sortes : d'être heureux, d'affronter, de désirer... les schémas familiaux... vont être une source de culpabilité si on les transgresse. Les ordres contradictoires au travers desquels l'enfant se perd, les reproches infondés, exprimés ou non, les accusations injustes, l'incapacité de répondre à l'attente des parents, les paroles négatives qui entretiennent un trouble permanent – je ne vaux rien, c'est ma faute – peuvent susciter un sentiment de culpabilité dont la cause demeure souvent cachée, mais qui est très profondément enracinée chez un enfant.

Éclairer ce fondement-là va être précieux pour débusquer les culpabilités mal situées.

Un vécu traumatique.

Un accident dont on n'est en rien responsable mais dans lequel on a été impliqué peut induire un intense sentiment de culpabilité : une dépression grave de la mère au moment de sa propre naissance, la mort de son jumeau...

Les culpabilités qui ne nous appartiennent pas.

Le problème de la culpabilité des générations précédentes :

On touche là au *problème des liens transgénérationnels.* Le sentiment de culpabilité est éminemment « contagieux » et peut courir de génération en génération sans que cela soit même exprimé. Un parent qui vit une intense culpabilité peut la transmettre à ses enfants sans en avoir conscience [1].

Il s'agit de rendre à l'autre ce qui lui appartient afin de ne pas transmettre aux suivants, aux descendants, ce qu'ils n'ont pas à intégrer, ce qui n'est pas pour eux. On retrouve ici la loi d'identité de la personne : ne prends pas sur toi le chemin d'un autre, suis ton propre chemin.

Comment de victime on devient coupable.

C'est un vaste sujet qu'il est essentiel d'éclairer, de ne pas laisser en suspens car alors la perte de repères est totale, l'issue fermée. Tant que l'on reste dans cette confusion, on ne peut trouver d'issue. Comment cela peut-il arriver ?

Pour ne pas abîmer l'image parentale, beaucoup d'enfants préfèrent se croire en faute plutôt que de reconnaître celle de l'adulte. C'est ce qui arrive dans la plupart des cas d'inceste mais dans bien d'autres situations : dans une fusion qui dure et dont on veut se libérer : je suis coupable des larmes de l'autre ; dans le manque d'amour : je ne suis pas digne d'être aimé ; dans le fait de n'avoir pas été désiré : je suis responsable d'être venu au monde alors que mes parents ne voulaient plus d'enfants…

C'est alors comme si ce sentiment de culpabilité fondait la vie. Il prend toute la place, il « pompe » l'énergie, il est toujours là comme une ombre en soubassement, qui empêche la fécondité : il retient en quelque sorte la personne en arrière.

Dans une relation d'emprise perverse, c'est encore plus confus car la « victime » est alors totalement manipulée avec des arguments mensongers qui ont une apparence de vérité : culpabiliser l'autre est l'arme privilégiée de celui qui a un comportement pervers, et si l'on se culpabilise à tort, on perd tous ses repères, on risque de sombrer.

---

1. Anne SCHÜTZENBERGER, *Aïe mes aïeux*, Paris, Éd. Épi-La Méridienne, 1993.

Apprendre à se situer de façon saine devant la culpabilité permet de faire de la clarté en soi, de se fortifier, de retrouver son véritable axe, de se remettre en ordre. La conscience devient éveillée, éclairée, ce qui faisait barrage à la vie a sauté. On passe ici de la notion de faute à celle de responsabilité, d'invitation à la croissance. Toute culpabilité est une occasion qui est donnée de grandir dans la vérité sur soi-même, la liberté intérieure, une façon d'adhérer à la vie, de se resituer par rapport à autrui... C'est une véritable Pâque, la fécondité va pouvoir se déployer, la résurrection est là, toute proche.

LE TEMPS DE LA RÉSURRECTION
DIEU REND À LA VIE

L'ACCUEIL DE LA VIE DU RESSUSCITÉ :
L'ACCOMPLISSEMENT DU TRAVAIL DE DEUIL

Durant le cours de notre existence, l'Esprit du Dieu vivant nous pousse sans arrêt en avant, nous apprend à passer d'une forme de mort à la vie, de la tentation de s'arrêter, de s'immobiliser, au bonheur d'être en marche.

Notre vie est faite de Pâques successives et cela jusqu'à notre passage en vie éternelle.

Tout chemin de Pâque aboutit à la réalité inattendue, joyeuse, magnifique de la résurrection.

Il est question ici des résurrections que nous vivons dans notre quotidien au travers de nos limites. Elles sont différentes par nature de la résurrection du Christ mais elles constituent véritablement des formes de résurrection, on ne saurait s'y tromper. Le travail de deuil fait partie du « futur » de l'être humain qui met en œuvre une direction de vie ; mais « l'avenir », qui est à Dieu seul, est là qui l'attend : l'avenir est la vie qui revient, renouvelée ; c'est la résurrection.

C'est alors le moment d'apprendre comment permettre au Ressuscité, au Dieu de la Pâque, de faire en nous et avec nous le travail de résurrection. Cette vie nouvelle est donnée mais, comme toujours, l'être humain va devoir la saisir, y adhérer, découvrir comment l'intégrer dans son existence, la déployer.

Il nous arrive d'oublier le sens vital de la résurrection, de notre résurrection spécifique, de la forme de résurrection particulière qui nous attend à ce moment du trajet. Il importe d'en retrouver la signification profonde pour ne pas manquer ce passage essentiel, pour ne pas être tentés de nous arrêter en route avant d'être arrivés à cette dernière étape.

La vie renouvelée est donnée ; elle s'offre à nous. Nous allons demander à l'Esprit de nous enseigner ce double mouvement : d'une part, apprendre à recevoir pleinement le don de Dieu, la vie du Ressuscité, à permettre à Dieu d'accomplir son œuvre de résurrection en nous, car ce n'est pas l'être humain qui se ressuscite par ses propres forces ; d'autre part, mettre au clair ce qui va être notre part dans ce trajet d'adhésion à la vie nouvelle, la vie délivrée. Notre liberté est toujours interpellée en même temps que le don est entier.

Ce mouvement intérieur est vivifiant, il va être repris, approfondi, intégré chaque jour ; l'essentiel est de prendre clairement conscience de notre « nature résurrectionnelle », selon l'expression d'Adolphe Gesché, de cette potentialité de vie qui nous est donnée, de ne pas laisser en friche cette plénitude du don de Dieu. Il arrive en effet que l'on reste au seuil de ce passage, de cette Pâque, ne sachant comment les vivre.

LE CHOIX DU CHEMIN DE VIE

Tu m'apprendras le chemin de vie, devant ta face, plénitude de joie (Ps 15, 11).

L'être humain qui adhère à la vie renouvelée qui lui est donnée va découvrir les moyens de la mettre en œuvre. Sa terre intérieure commence à être remise en ordre, elle est labourée, les étapes les plus importantes sont traversées : il assume sa propre réalité, celle de sa famille, de l'événement, des blessures subies, de ce qui lui a fait – ou continue à lui faire – du mal. Il arrête de se battre contre un mur, il va utiliser cette réalité-là. Il va créer de la vie à partir de son histoire qui devient alors son histoire sainte. Même s'il sait que d'autres passages difficiles l'attendent, son cœur et son être entier sont enfin pacifiés de la paix que donne le Christ, car cette paix-là perdure à travers les tempêtes. Les forces vives sont libérées, réorientées vers la vie, insufflées, « inspirées » par l'Esprit qui est essentiellement mouvement de vie.

La détermination, celle de choisir la vie, de renoncer à la fausse route maintenant mise en mots, à toute connivence avec le chemin de mort mis au jour, et de reprendre possession de sa terre, va être claire, vigoureuse, sans ambiguïté, enracinée dans le cœur profond.

Si elle a été éclairée par l'Esprit, posée dans la grâce du Christ, reprise fidèlement chaque jour, elle va d'elle-même porter fruit : l'assurance que donne l'adhésion à une loi de Dieu, à un ordre de Dieu, la puissance de la parole de vérité, le bonheur de savoir que l'on est en marche pour redécouvrir son identité, sa liberté, la certitude que l'aide sera donnée en abondance chaque jour, vont peu à peu faire fondre la peur, la menace de ne pas exister, le sentiment d'impuissance. La révolte va laisser place à la joie de créer de la vie.

Le désir a émergé, a été réorienté ; il reprend sa fonction de moteur de vie ; les forces vives qui se perdaient dans des émotions et affects négatifs vont être libérées, devenir créatives ; l'imagination est mobilisée vers un but précis ; on se met en mouvement ; l'énergie revient, la direction est claire, « on ose » vivre : on met en œuvre la décision prise.

Dès que l'on ouvre la porte à la vie, elle commence à couler, d'abord goutte à goutte, puis à flots. Le mouvement est donné, il va se déployer.

Moi je suis venu pour que les brebis aient la vie et l'aient en abondance (Jn 10, 10).

Où arrivera le torrent il y aura de la vie (Ez 47, 9).

L'ÉVANGÉLISATION DES COMPORTEMENTS :
LE PAS SUR LE CHEMIN DE VIE

C'est le moment de choisir le pas que l'on va pouvoir poser pour vivre le nouveau à la place de l'ancien, de l'habituel, de l'impuissance. On découvre la possibilité de vivre en liberté intérieure l'événement qui autrefois emprisonnait. Cette recherche est un temps très joyeux.

C'est peut-être la première fois que l'on vit cette expérience, que l'on prend du temps pour découvrir le pas que l'on peut poser sur le chemin de vie.

Autant la détermination doit être vigoureuse, autant le pas sur le chemin de la vie peut commencer par être un petit pas. En effet, à ce moment, on se trouve entre l'absolu d'un désir tout à coup libéré, que l'on découvre légitime, autorisé, que l'on se doit d'entendre et de mettre en œuvre, et la réalité : d'abord la sienne propre, ses propres limites, et ensuite celles de l'autre, de son environnement. L'équilibre est à trouver entre ce que l'on aimerait vivre et ce qu'il est possible de mettre en œuvre.

Le pas à poser sur le chemin de la vie va être adapté à ce que l'on sait pouvoir assumer, de façon à être sûr de pouvoir le tenir chaque jour, de parvenir au but fixé. Il sera précis, pas trop grand ni ambitieux. Il peut paraître minime, l'essentiel est qu'il existe, que l'on n'en reste pas aux bonnes intentions.

En outre, celui ou celle qui chemine sur un trajet d'évangélisation des profondeurs risque de se trouver face à son prochain qui risque d'être surpris, désarçonné par un comportement nouveau. Il est bon de parler, d'expliquer ce que l'on est en train de vivre, sans agressivité ni rancœur, en disant « je » au lieu d'accuser. Ce n'est pas toujours possible. Il est nécessaire d'entrer dans un compromis. La détermination demeure entière, bien plantée, mais on va choisir les nouveaux comportements qui n'entraîneront pas de rupture de relation. Ces deux mouvements peuvent généralement coexister.

C'est parce que le cœur est apaisé, rassuré, fortifié dans la certitude d'un retour à la vie que l'on devient capable de trouver l'équilibre entre ce que l'on aimerait vivre et ce qu'il est possible de mettre en œuvre.

Trajets.

Cécile est mariée. Le couple a trois enfants. Elle exprime que son conjoint n'a aucun désir personnel, exige sa présence continuelle : « Il vit à travers moi en quelque sorte et me demande en fait d'être la source de sa vie. C'est comme s'il se nourrissait de moi pour combler son vide ; j'ai l'impression d'étouffer, je suis pour ainsi dire en prison. Je supporte cette situation tantôt dans une totale démission, emplie de culpabilité à l'idée que je pourrai le déstabiliser au moindre de mes actes de liberté, tantôt dans une sorte de rage intérieure qui me détruit. J'ai l'impression que je n'en sortirai jamais. »

C'est alors que Cécile découvre le sens de la loi d'identité de la personne. Elle reçoit l'ordre de Dieu de devenir elle-même dans un sentiment d'intense soulagement et de bonheur. Elle ne sait absolument pas comment elle va pouvoir mettre en œuvre cette invite mais son choix est clair : « J'avais perdu la direction, le sens de ma vie. Je l'ai retrouvé, j'ai pris conscience que mon désir le plus profond était bon et juste. »

Dans la lumière de l'Esprit, elle entreprend la relecture de sa vie. La compréhension du sens de la loi d'identité lui permet de mettre en mots l'état de fusion qu'elle a d'abord vécu avec sa mère. Elle prend le temps de se mettre en ordre par rapport à cette première fausse route : elle pose un acte de déliance, renonce à cet état de fusion, choisit clairement de se mettre en marche vers sa liberté, de devenir elle-même. De la même façon, elle ouvre ensuite à l'Esprit la situation de son couple : elle sort de la confusion ; « J'étais aveugle, dit-elle, et le Seigneur m'a guérie ; je vois clair. » Pendant plusieurs semaines elle se fortifie intérieurement, se nourrit quotidiennement de la Parole de Dieu, met au clair sa fausse culpabilité, se délie en silence de l'attente de son mari sur elle, affermit sa détermination.

Quand elle se sent prête, elle décide de parler sérieusement et paisiblement avec lui de ce qu'elle a découvert : en vain, elle se heurte à un mur. C'est alors qu'elle décide de ne pas sombrer dans le désespoir et de chercher une issue de vie dans la situation qu'elle doit affronter. Elle peut le faire parce qu'elle ne se sent plus menacée, elle demeure paisible, confiante, elle sait qu'elle ne se laissera jamais plus emprisonner intérieurement.

Elle choisit alors comme pas sur le chemin de vie de mettre au jour ses priorités, les points de sa vie sur lesquels elle ne cédera pas parce qu'ils sont essentiels pour elle : elle préservera ces lieux et temps de liberté – qu'elle a bien déterminés – quoi qu'il arrive. Et elle choisit également de céder sur d'autres plans de vie qui sont moins importants. Elle pourra l'assumer parce qu'elle n'est plus enragée, elle a retrouvé sa liberté intérieure, sa possibilité de choix. Elle a découvert sa vérité, elle cherche comment la vivre mais tout a changé : elle a retrouvé le « sens », la direction juste.

Laure a découvert sa fausse route : « Je suis la dernière de trois frères et sœurs beaucoup plus âgés que moi ; ils faisaient bloc avec les parents et je me suis sentie exclue du cercle familial. Je me rends compte qu'actuellement je m'exclus volontairement, je suis seule et isolée. Mon appartement est triste, encombré, en désordre, je ne peux donc recevoir personne, mais c'est là un alibi. Mon premier pas dans la vie est de commencer à imaginer dans quel décor, quel environnement, j'aimerais vivre et me mettre au travail pour le réaliser. Je vais me désencombrer, donner sans attendre ce qui peut l'être, faire de ma maison un lieu accueillant et ouvert. »

Bruno a pris conscience de l'état de toute-puissance dans laquelle il s'est établi. Il y a renoncé. « Je m'engage à vivre dans l'Esprit, à collaborer avec lui, à le consulter, à demander son aide. Pour y parvenir, chaque matin je prendrai un quart d'heure pour entrer dans cette expérience et mettre au point les repères que je prendrai dans la journée pour ne pas recommencer à fonctionner à ma façon. Je choisis également de me faire aider par un accompagnateur. »

Mathilde s'est totalement dépréciée. Elle a vu les racines de ce comportement et a posé un acte de renoncement. Elle se rend compte qu'elle a brouillé le dessein de Dieu et commence à prendre conscience de sa valeur spécifique, du talent qui lui a été donné. « Quand je suis dans un groupe, j'attends que tout le monde ait parlé avant de m'exprimer. Après avoir entendu les autres je trouve que mes arguments n'ont aucune valeur alors je me tais. Je choisis dorénavant de demander à parler la première pour être sûre de prendre ma place. »

Irène s'est complètement « gommée ». Le désir des autres a toujours passé avant le sien qui a fini par être inexistant. La loi de vie l'invite à devenir elle-même. « Le jour de mon anniversaire je me trouvais seule, j'ai choisi de me faire un cadeau et de m'offrir une belle fête. La prochaine fois j'inviterai quelqu'un pour partager ce temps de joie que je me donne le droit de vivre. »

Charles exprime qu'il a tout manqué dans sa vie, tout perdu, tout détruit. « Je comprends aujourd'hui que je peux consacrer mon cœur au Christ quel que soit mon état de vie : c'est un bonheur incroyable pour moi de savoir que je peux poser cet acte intérieur au cœur de l'échec de ma vie. Cela change tout. »

Pascale est âgée et handicapée. « Je prends conscience que chacun a une note spécifique, une couleur intérieure et que cela peut être comme un véritable ministère que le Père nous confie. Je sens que là est la vie pour moi. Je me mets en marche pour découvrir et recevoir mon ministère intérieur. »

J'étais descendu dans les pays souterrains vers les peuples d'autrefois, mais de la fosse tu as fait remonter ma vie... (Jon 2, 7).

LE COMBAT SPIRITUEL

Quelle que soit la profondeur des actes posés, des passages traversés, nous serons toujours appelés au combat spirituel : il fait partie du chemin normal de tous ceux qui s'engagent sur un chemin de vie.

Aller chaque jour boire à la source des eaux vives, demander et recevoir quotidiennement le don de lumière, de force, la grâce de vivre en amour et vérité, veiller à ce que la détermination demeure bien enracinée, repérer comment nous pouvons retomber dans les habitudes du passé, découvrir et ajuster les nouveaux comportements sur le chemin de vie, faire régulièrement une relecture de ce trajet, tout cela fait partie du choix de la vie.

Le piège est de croire que les choses sont faites une fois pour toutes : la nouvelle graine est mise au monde. Ce n'est pas nous qui la faisons pousser, mais il est nécessaire d'en prendre le plus grand soin pour qu'elle puisse se déployer, porter tout son fruit.

Il est indispensable de savoir que les fausses routes

peuvent réapparaître dans notre vie, même si elles ont été clairement mises en mots, si l'acte de renoncement a été posé. Elles surgissent souvent sous d'autres formes, ce qui explique qu'on ne les repère pas tout de suite. Mais celui qui est vigilant, alerté, va rapidement pouvoir les amener au jour et retrouver le trajet déjà effectué, la nouvelle issue. Tenir bon dans les nouveaux comportements est pour beaucoup un véritable combat pour la vie. La grâce, la Parole du Christ nous accompagnent sur cette route : *Courage, j'ai vaincu le monde* (Jn 16, 33).

On ne peut dire que ce trajet d'évangélisation de ses profondeurs est un jour terminé ; car l'être humain est en marche jusqu'à son dernier passage ; ce qui compte est de marcher dans la bonne direction. Cependant, il y a, à l'évidence, un avant et un après : être entré dans la compréhension des lois de vie, des conditions de la vie féconde, du sens vital de la Parole de Dieu, avoir pu nommer son chemin de mort, en avoir mis au jour la racine, se savoir en marche sur la route qui mène à la vie, tout cela est source de paix, sécurise profondément ceux qui cheminent sur ce trajet.

La compréhension de ce qui se passe en soi a été donnée, la collaboration avec l'Esprit est devenue familière, le temps de l'errance sans direction, de la solitude intérieure est définitivement révolu : on était aveugle ; comme il l'a promis, le Christ est venu nous rendre la vue (Lc 4, 18). Le chemin de mort est maintenant facilement repérable ; on peut retrouver rapidement le chemin de retour ; on est ancré dans la certitude que l'issue de vie sera donnée quelle qu'en soit la forme.

L'essentiel est probablement de ne pas se décourager, de ne pas trouver « anormal » de demeurer fragile. Accepter de rencontrer sur sa route le combat spirituel, de le vivre, est un acte de vie, on manifeste ainsi que l'on a véritablement choisi la vie, non la mort.

Demeurons dans la certitude que le Christ nous libère et fonde notre courage et notre joie : c'est sa promesse.

GUÉRISON ET SALUT

Il arrive que la relation à Dieu soit uniquement centrée sur une recherche de guérison. C'est un comportement que l'on comprend aisément, mais il n'est pas juste, d'autant plus que beaucoup ont de notions confuses de la guérison.

Nombreux sont ceux qui définissent la guérison comme la suppression définitive des symptômes physiques ou psychiques qui les font souffrir. Or elle a une tout autre dimension.

Jésus a guéri ceux et celles qui venaient à lui avec confiance. Cependant, aujourd'hui, il arrive souvent que la guérison, bien que demandée dans la foi, ne soit pas donnée, en tout cas dans la forme attendue. C'est alors que l'Esprit Saint va peu à peu amener l'être humain à accueillir un déplacement de sa foi vers la notion de salut plus large que celle de la guérison.

À la fin de cet essai d'exploration des chemins d'évangélisation des profondeurs, il semble utile d'éclairer ces deux notions essentielles de guérison et de salut, de prendre le temps de les questionner, de se demander ce qu'elles signifient pour soi-même.

Les théologiens[1] ont approfondi cette vaste question ; je

---

1. Voir notamment parmi tant d'autres : – Xavier THÉVENOT, « Guérison, salut et vulnérabilité », *La Maison-Dieu*, 1998. – Bernard UGEUX, *Guérir à tout prix*, Éd. de l'Atelier, 2000, où l'auteur traite d'une façon claire et simple, bien que complète et très documentée, de l'importante question de la guérison et du salut : notamment au chapitre VII, p. 159-188, il appro-

ne donne ici que quelques directions simples qui peuvent aider à situer la guérison et le salut à leur juste place. Les questions sont nombreuses et méritent que l'on s'y arrête :
  – Qu'est-ce que la guérison ? la santé ?
  – S'il est légitime de chercher à guérir, faut-il « guérir à tout prix » ? (selon le titre du livre de Bernard Ugeux).
  – En quoi consiste le salut ? De quoi avons-nous besoin pour être sauvés ?
  – Être sauvé signifie-t-il forcément être guéri ?
  – Y a-t-il dans l'être humain des obstacles qui l'empêchent d'accueillir pleinement le salut de Dieu ?

APPROCHE DE LA NOTION DE GUÉRISON

Ils touchèrent terre à Génésareth. Les gens de l'endroit l'ayant reconnu, mandèrent la nouvelle à tout le voisinage et on lui amena tous les malades : on le priait de les laisser simplement toucher la frange de son manteau et tous ceux qui touchèrent furent complètement guéris (Mt 14, 34-36).

Jésus a toujours eu une compassion très profonde pour les hommes et les femmes qu'il rencontrait sur sa route, et qui étaient accablés par des maladies physiques, des souffrances psychiques, des maux de toutes sortes. Il a accueilli avec tendresse et douceur ceux et celles qui s'adressaient à lui pour être guéris. Lui-même a souvent pris les devants, notamment lors des guérisons qu'il faisait les jours de sabbat.
  Cependant, il n'est pas venu que pour guérir. Dès le début

fondit la question de Jésus-Christ guérisseur ou sauveur ; au chapitre VIII, p. 189-219, il aborde le fait que le salut ne passe pas forcément par la guérison. – Jean-François CATALAN, *Expérience spirituelle et psychologie*, Paris, Desclée de Brouwer-Bellarmin, 1991, notamment au chapitre V, « Veux-tu être guéri ? Le vrai sens de la guérison », p. 95-106.

de sa mission, il annonce une libération beaucoup plus large que la notion de guérison telle qu'on l'entend habituellement.

L'Esprit du Seigneur est sur moi parce qu'il m'a consacré par l'onction, pour porter la bonne nouvelle aux pauvres. Il m'a envoyé annoncer aux captifs la délivrance et aux aveugles le retour à la vue, renvoyer en liberté les opprimés... (Lc 4, 18 ; 7, 22.)

Jésus touche là les oppressions, les enfermements, les emprisonnements dans lesquels l'être humain se débat, tout ce qui atteint l'intégrité de l'être, sa véritable liberté.

La guérison est avant tout un signe de la puissance créatrice de Dieu, de son amour pour l'humanité, de son désir de la ramener à la vie, de sa compassion pour les souffrants.

La guérison ne devrait jamais être demandée ou reçue pour elle-même ; elle invite à une conversion. Jésus fait toujours le lien entre la guérison et la foi, l'accueil du Royaume, bien souvent aussi avec le pardon du péché : *Va et ne pèche plus*, dit-il à l'infirme de Bethasda (Jn 5, 14) et à un autre paralytique, avant de les guérir ; *Confiance, mon enfant, tes péchés sont remis* (Mt 9, 1-8.)

En guérissant les malades, Jésus nous signifie que le salut qu'il apporte va atteindre l'être humain en toutes les dimensions de son être, de sa vie. Mais le fait qu'il n'a pas guéri tous les malades, de même qu'aujourd'hui il ne guérit pas tous ceux et celles qui le lui demandent avec foi, nous indique qu'il n'identifie pas guérison et salut.

Une notion essentielle va servir de fil conducteur dans cette approche de la guérison et du salut : celle de la vulnérabilité de l'être humain. L'existence de la souffrance, des maladies, nous rappelle sans arrêt cette réalité ; la vulnérabilité fait partie intégrante de la constitution de l'être humain. « On soigne une maladie, on ne guérit pas de la vulnérabilité [1]. » Le Christ va nous apprendre à vivre avec notre vulnérabilité, à remplir à travers elle notre condition de fils et filles de Dieu, car c'est bien cela que lui-même a assumé. C'est alors que va apparaître la notion de salut.

Qu'appelons-nous la guérison ?

Qu'est-elle pour nous ? quelle est notre demande, notre attente ? Avant d'aborder la question du salut, Xavier Thévenot approfondit la notion de santé [2]. Il nous rapporte une définition de la santé telle qu'elle est exprimée dans le texte établi par la commission préparatoire au VIIᵉ plan français : « La santé est capacité à s'adapter à un environnement qui change : capacité de grandir, de vieillir, de guérir parfois, au besoin de souffrir et finalement d'attendre la mort en paix. » Cette définition élargit singulièrement la conception habituelle de la santé [3].

L'auteur ajoute que l'être humain est en santé s'il a suffisamment pris conscience des perturbations de son histoire, reconnu sans peur ses pulsions et également les mécanismes de défense qu'il a mis en place pour se protéger ; s'il a appris à les gérer, s'il a consenti à sa réalité et à la réalité de sa vie en étant capable de s'y adapter, en la vivant sans craindre les réactivations d'anciennes émotions ou les régressions, le retour à des états anciens de honte, de peur... que peuvent amener les événements du présent.

En effet, si on peut ne pas être guéri dans le sens de la suppression d'un symptôme mais avoir cependant la possibilité d'exister face à autrui, tout en demeurant conscient de sa

---

1. Xavier THÉVENOT, article cité, p. 19.
2. Xavier THÉVENOT, *Guérison, salut et vulnérabilité*.
3. *Ibid., p. 2.*

vulnérabilité, et pouvoir entrer dans une joie de vivre qui n'est peut-être pas entière mais cependant bien présente.

Il est essentiel de ne pas céder à la tentation de s'évader de la réalité de la vie, des limites de la condition humaine, et de prendre conscience que :

– tout n'est pas entièrement réparable : l'être humain ne va pas retrouver une complète intégrité psychique ou corporelle ; l'équilibre psychique ou physique, à la manière de l'horizon, ne peut jamais être atteint complètement ;

– tous ne peuvent pas tout, mais

– tous peuvent recevoir la grâce de Dieu qui va transformer leur relation à Dieu, à eux-mêmes, à l'autre ;

– tous ne sont pas guéris au sens où ils l'attendent, c'est-à-dire par la suppression de tel ou tel symptôme pathologique ;

– mais tous sont invités à recevoir le salut, don gratuit de Dieu à l'humanité entière.

Cela ne signifie aucunement que nous ne pouvons pas adresser à Dieu dans une foi confiante une demande de guérison. Il est et demeure le « compatissant », proche des plus éprouvés. Sa grâce va accompagner chacun, chacune, dans l'épreuve. Il va les aider à la traverser, à se savoir aimés au cœur de la difficulté, à cheminer doucement vers la confiance, à retrouver la vie.

L'annonce du salut ne saurait en aucun cas nous permettre de minimiser la souffrance d'autrui, de ne pas essayer de la soulager par tous les moyens en notre possession ; remplir sa condition de fils, de fille de Dieu nous invite à accueillir la grâce de poser sur autrui le regard de tendresse et de compassion du Père sur son Fils crucifié.

En outre, en lui, rien n'est immédiatement perdu, tout peut repartir, sous une forme ou une autre, une issue de vie peut s'ouvrir dans les situations les plus fermées, le regard sur ce que l'on vit peut être transformé et apporter une paix profonde.

Qu'attendons-nous de Dieu ?

La tentation actuelle de beaucoup est d'utiliser Dieu comme un superguérisseur ou un superthérapeute, de mettre Dieu au service de la psychologie, de vivre la foi comme un service thérapeutique ou médical.

Il y a là une méconnaissance du sens du salut, de la relation à Dieu, une sorte de détournement de la mission du Christ.

Pour Jésus la véritable guérison est bien autre chose qu'un simple acte thérapeutique. Que cherche-t-on ? Seulement un mieux être physique ou psychique total et immédiat, qui a certes son importance et que l'on ne saurait mépriser ou dénier ? Ou quelque chose d'autre de beaucoup plus fondamental, un essentiel qui va toucher le sens de la vie, de sa propre vie, une aspiration que l'on ne sait pas trop comment situer, que l'on n'a pas encore mis en mots et qui pourrait bien s'appeler le salut ?

APPROCHE DE LA NOTION DE SALUT

Pour beaucoup, la notion de salut reste très floue, située après la mort, dans l'au-delà ; elle peut réveiller de vieilles terreurs, être trop rapidement considérée comme comprise, allant de soi, ou au contraire rejetée aussi vite.

Dans le langage courant, être sauvé c'est être tiré d'un danger où l'on risquait de périr. Suivant la nature du danger, l'acte de sauver va prendre des aspects différents [1] ; mais dans tous les cas, être sauvé est source de joie, d'émerveillement, d'apaisement, de responsabilisation aussi : on a failli

---

1. *Vocabulaire de théologie biblique*, p. 1185.

perdre la vie, elle a été redonnée ; elle paraît encore plus précieuse qu'elle n'était, on s'engage à en faire quelque chose d'utile, de bon.

Le mal.

La notion de salut nous renvoie immédiatement au problème du mal.

Le mal est redoutable, il entraîne les êtres humains vers la mort, quelle qu'en soit la forme, touche leur destinée même, risque de leur faire perdre leur orientation fondamentale.

La réponse de Dieu : Dieu sauve – la promesse du salut.

Dieu est le premier concerné dans le combat contre le mal. Le mal l'offense au premier chef et il s'en pose comme l'adversaire. Dès la transgression d'Adam et Ève (Gn 3, 14), il dit au serpent : *parce que tu as fait cela, maudit sois-tu entre tous les bestiaux*[1].

Dieu est amour et n'abandonne pas ses créatures. Il vient chercher ceux et celles qui ont perdu leur route. Il ne les abandonne pas à leur solitude, à leur errance.

Je suis l'Éternel ton Dieu qui t'ai fait sortir du pays d'Égypte, de la maison de servitude.

[Ex 20, 1-2.]

Il délivre son peuple de ce qui le maintient en esclavage : sa soumission à ce faux dieu, Pharaon. Il l'éduque à sa liberté pour qu'il puisse entrer dans l'Alliance, accueillir le salut qu'il lui propose.

---

1. Adolphe GESCHÉ, *Dieu pour penser*, I, *Le Mal*, p. 34-35.

Le salut qu'apporte Dieu à l'humanité est sa réponse personnelle au mal. Le salut est le don absolument gratuit de l'Amour de Dieu à l'humanité. Il est offert à tous sans exception. Il atteint toutes les zones de l'être humain, toutes les dimensions de sa vie, y compris son action dans le monde. Il le transforme peu à peu, le renouvelle, même si des fragilités, des handicaps de toutes sortes demeurent. C'est un peu comme si l'homme, la femme, retrouvant leur source essentielle, étaient remis dans leur axe, leur juste place, le chemin de la vie.

Le salut transcende la guérison, il n'implique pas obligatoirement une guérison visible, perceptible. Tous peuvent être sauvés ; tous ne sont pas visiblement guéris.

Il arrive que l'on reçoive une guérison et que l'on n'accueille cependant pas l'entièreté de l'amour offert par peur, ignorance, fausse notion de Dieu...

Jésus le Christ.

Selon la foi chrétienne, Jésus est l'unique Sauveur et médiateur. « Le salut est arrivé par un enfant offert à toute la terre [1]. »

La venue de Jésus marque un moment clé dans l'histoire du salut. En Jésus, Dieu récapitule toute l'histoire du salut envers les hommes depuis la création. Le nom de Jésus dans sa racine hébraïque signifie « le Seigneur sauve ». Jésus est aussi appelé l'Emmanuel qui signifie « Dieu avec nous » ; le mot Christ signifie l'oint de Dieu.

Jésus est au centre de la révélation chrétienne. Il est Fils de Dieu – c'est sa nature, il est pleinement Dieu et pleinement homme. Il est envoyé par le Père, consacré par l'Esprit, non pour condamner le monde mais pour le sauver (Jn 12, 47). Il

---

1. Véronique MARGRON, « Le fond secret des cœurs », *La Vie*, Supplément « les Essentiels » du 30 janvier 2003.

est venu chercher et sauver ce qui était perdu (Lc 19, 10).
C'est la raison pour laquelle sa naissance est annoncée
comme une source de joie pour tous (Lc 2, 10-15).

La réponse de l'être humain au don de Dieu.

Tout est donné, mais le fait que le salut soit gratuit n'induit
pas pour autant qu'il soit magique, automatique.

Dieu a toujours l'initiative. Dans sa liberté, l'être humain
(symbolisé par Adam et Ève) a rejeté Dieu. C'est également
dans sa liberté, dans la part de liberté de chacun, même si elle
est minime et quelle qu'en soit la forme, que désormais tout
homme, toute femme, va pouvoir accueillir le don de Dieu
qui va se réaliser en plénitude par le Christ.

Comme toujours, face au don de Dieu, chacun, chacune,
va apprendre de l'Esprit, dans la grâce, comment recevoir le
don.

La réponse consiste en la reconnaissance du besoin de
salut (sauvé de quoi), dans l'accueil du don, dans le consentement à l'amour d'un Autre, dans un acte de foi (le salut est
aussi pour moi, je suis aimé et sauvé), dans la participation à
la transformation qu'implique l'accueil du don.

Encore faudrait-il savoir en quoi consiste le salut.

COMMENT COMPRENDRE LA NOTION DE SALUT

Approche.

Le péché des origines est le fait pour les êtres humains de
vouloir être comme des dieux, de ne pas accepter leur condition et leur place de créature. Ils se sont alors coupés de leur
source de vie. Cette déchirure interne se répercute sur

l'ensemble de leurs relations – à eux-mêmes, aux autres, au monde.

Le salut est fait d'amour, de liberté, de gratitude, de réconciliation, de nouveauté. C'est une merveilleuse bonne nouvelle pour tous.

Le salut est donné une fois pour toutes à l'humanité et se déploiera dans son absolu en vie éternelle. Cependant, l'être humain est invité par la foi en Christ, à l'accueillir sans attendre ; il va alors entrer, étape par étape, dans une vie nouvelle, une transformation de tout son être, de l'entièreté de sa relation à Dieu, à lui-même, à l'autre, au monde et au cosmos.

En quoi consiste le salut.

Le salut est ce don de l'Amour de Dieu qui permet à tout homme, toute femme
  – d'accéder à une juste relation avec Lui,
  – de le découvrir non seulement comme Créateur mais aussi comme Père,
  – de vivre comme ses enfants bien-aimés, ses fils ou filles adoptifs.
  – Cette prise de conscience de la paternité de Dieu provoque un changement de regard : les êtres humains sont désormais frères et sœurs. Ils sont tous aimés de Dieu, appelés à la réconciliation.
  – Dans une gratitude infinie, chacun, chacune, reçoit le pardon de son péché. Il peut alors à son tour, fortifié par la grâce, pardonner à l'autre, le dé-lier, le désenchaîner, remettre la vie en route dans son essence ; le salut est réconciliation.
  – Les enfants de Dieu ne sont plus orphelins, laissés à leur solitude (Jn 14, 18). Ils reçoivent l'Esprit Saint que le Père envoie au nom de Jésus (Jn 14, 15-18). L'Esprit va les enseigner, vivifier leur humanité, les fortifier, leur apprendre à

collaborer justement avec lui, les inspirer dans leur tâche essentielle : celle de devenir chacune, chacun, selon leur forme spécifique, leur mesure propre, des serviteurs du Royaume, de la vie selon l'ordonnancement de Dieu, des artisans de paix, de réconciliation, engagés dans un amour réaliste.

C'est par, avec et en Christ que le salut se réalise, c'est par sa vie tout entière,
sa mort et sa résurrection que Jésus sauve l'humanité.
Le Christ est l'unique médiateur.

La fonction essentielle de Jésus est de conduire
les êtres humains au Père [1].

Jésus révèle de façon éclatante ce qui était déjà connu dans l'Ancien Testament, mais qu'il porte à son accomplissement : Dieu est Père. Il parle de la nature de Dieu de façon tout à fait nouvelle. Il vit avec celui qu'il appelle Abba (père dans un sens familier) une relation spécifique. Il est véritablement la Parole faite chair, le Fils de Dieu par nature ; c'est par lui que les êtres humains peuvent devenir fils ou filles de Dieu (Jn 1, 18) – on exprime cette réalité en disant qu'ils sont fils ou filles de Dieu par adoption –, mais ils sont aimés du même amour que le Père a pour Jésus.

Je ne vous dis pas que je prierai le Père pour vous,
car le Père lui-même vous aime parce que vous m'aimez,
et que vous croyez que je suis sorti de Dieu.
[Jn 16, 26-27.]

---

1. Adolphe GESCHÉ, *Dieu pour penser*, VI, *Le Christ*, chap. 4, « Jésus fils de Dieu », p. 196-222. L'auteur approfondit une découverte du salut à partir des épîtres de saint Paul.

« Par, avec et en Christ, dans l'Esprit, ils peuvent appeler Dieu Abba, père » (Rm 8, 15). Ils sont libérés de la crainte de Dieu, et ne sauraient assez en rendre grâce. *Quand vous prierez, dites : Père...* (Lc 11, 2). Ceux et celles qui entrent pleinement, avec joie, dans leur condition de fils et filles de Dieu retrouvent leurs racines essentielles. Ils passent de la coupure d'avec Dieu, de la fracture interne qui est décrite dans le récit de la transgression d'Adam et Ève (Gn 3) à une relation vitale, vivante avec le Père : ils connaissent une sécurité profonde, la joie que jamais personne ne pourra leur ravir (Jn 15, 9-11).

Jésus ne vient pas pour accabler l'homme, mais pour le sauver. « Il lui permet de revenir à Dieu en lui parlant de Dieu dans des termes qui ne lui sont pas étrangers, ni effrayants, ni décourageants [1]. »

C'est là, la fonction essentielle du Christ ; cette annonce du salut qu'il a mené à son accomplissement en le vivant dans sa chair même, en donnant sa vie pour l'humanité est une constante de son message, de sa vie.

Il arrive que l'on s'arrête au Christ en oubliant qu'il nous mène au Père. Il convient de veiller à accueillir l'annonce du salut dans son entièreté, à ne pas s'arrêter en route.

Fils et filles adoptifs de Dieu-Père.

La découverte de cette relation nouvelle à Dieu, de sa paternité va avoir pour les êtres humains des conséquences incalculables dans toutes les dimensions de leur existence.

Ils vont réellement pouvoir vivre « non comme des esclaves mais comme des fils et filles adoptifs de Dieu » (Rm 8, 15). « Ils sont enfants de Dieu, donc héritiers de Dieu, donc cohéritiers du Christ » (Rm 8, 17).

Ils vont passer d'un rapport d'esclaves, de soumission, de peur, d'ignorance, de contraintes, à une nouveauté de

---

1. Adolphe GESCHÉ, *Dieu pour penser*, VI, *Le Christ*, p. 65.

relation emplie de liberté, de confiance, de paix. Ils se savent accueillis quels que soient leur état, leur histoire, leurs failles, leurs errances, ils vivent le bonheur d'être pardonnés, aimés. Face à un monde qui tente d'établir une fraternité sans père, ils vont aimer à partir de la source d'amour qui renouvelle leur vie.

L'amour du Père transforme peu à peu leur cœur de pierre en cœur de chair. Ils entendent autrement la parole essentielle : *Tu aimeras le Seigneur ton Dieu de tout con cœur, de toute ton âme, de toute ta force et de tout ton esprit, et ton prochain comme toi-même* (Lc 10, 27).

Ils entrent dans le bonheur d'être et de servir.

Dans la grâce de Dieu, poussés et fortifiés par l'Esprit, ils se lèvent joyeusement, portent courageusement leur grabat (Jn 5, 8) et prennent la route.

Le Christ s'est toujours très clairement situé. Il a avec le Père une relation aimante, chaleureuse, intime, confiante, en même temps que dans sa condition humaine il se reçoit entièrement de Lui, tout en demeurant dans une totale liberté intérieure. S'il est bien le Fils de Dieu (Je Suis) cela renvoie au Père : « Lorsque vous aurez élevé le Fils de l'homme, vous connaîtrez que "Je Suis" et que je ne fais rien de moi-même : je dis ce que le Père m'a enseigné (Jn 8, 28) [1]. »

Ne crois-tu pas que « Je Suis » dans le Père et que le Père est en moi, dit-il à Philippe : les paroles que je vous dis ne viennent pas de moi-même : le Père qui demeure en moi accomplit les œuvres (Jn 14, 10).

En demandant à l'Esprit de nous aider à contempler la vie du Christ, sa relation au Père, à méditer sa Parole, le sens de son message, nous comprenons comment il nous conduit au Père. Nous pouvons alors nous ouvrir pleinement au salut qu'il nous apporte, nous établir en gratitude, transmettre la Bonne Nouvelle de la réconciliation, de l'amour offert à tous.

1. *Ibid.*, p. 24.

Le fait de prendre conscience de notre filiation divine ne devrait pas nous effrayer si nous laissons le Christ nous révéler qui est le Père.

Certains, certaines, peuvent craindre de perdre leur humanité en vivant comme des fils ou des filles de Dieu. « Vouloir être comme des dieux », l'état convoité par Adam et Ève, va effectivement dénier, dissoudre leur humanité. Mais remplir sa condition de fils ou fille de Dieu a une tout autre dimension. Le Verbe, le Christ, s'est incarné, il a vécu pleinement sa condition humaine. L'humanité des fils, des filles de Dieu ne sera jamais mutilée ni déniée mais au contraire vivifiée par l'œuvre du Christ, de l'Esprit, en eux. N'oublions pas que le corps, la psyché, le cœur profond, sont indissolublement reliés, et non superposés, et que l'histoire de l'être humain est indivisiblement profane et sacrée.

Chacune, chacune, va vivre cet état de fils, de fille de Dieu à sa manière selon sa mesure, ses possibilités, au travers des lourdeurs de son histoire ou de son présent. Il ne nous est pas demandé d'être parfaits mais de croire de tout notre être que Dieu est Père et qu'il l'est pour tous.

L'Esprit nous fera découvrir comment vivre cette relation filiale dans la situation qui est la nôtre aujourd'hui et dans notre forme spécifique.

Par ailleurs, nous ne saurions entrer dans la toute-puissance du fait de notre condition de fils ou fille adoptifs de Dieu. La vie de Jésus nous manifeste qu'il n'a jamais dénié la vulnérabilité de son humanité ; du début à la fin de sa vie, il a refusé les armes de la toute-puissance – notamment lors des tentations au déset (Lc 4, 1-13) et de sa passion.

Jésus est le chemin en même temps que la Vérité et la Vie (Jn 14, 6). Nous le rencontrons dans les médiations : Écriture, sacrement et liturgie, Église corps du Christ, visage du prochain – *ce que tu as fait à l'un de ces petits qui sont mes frères, c'est à moi que tu l'as fait* (Mt 25, 31-46) – réalités du cosmos – tout a été créé par lui et pour lui… et tout subsiste en lui (Col 1, 16-17). « C'est bien lui qui nous conduit à l'origine de toutes les origines, la fin de toutes les fins : le Père [1]. »

Selon la formule de saint Irénée : « Telle est la raison pour laquelle le Verbe s'est fait homme : pour que l'homme en recevant la filiation adoptive devienne fils de Dieu [2]. »

Le salut aujourd'hui.

Aujourd'hui cette maison a reçu le salut (Lc 19, 9).

Cette parole de Jésus nous assure que le salut est là, à l'œuvre dans le présent de nos vies.

Zachée (Lc 19, 1-10) est chef des publicains, c'est-à-dire des fonctionnaires juifs qui se sont mis au service des Romains, des conquérants, pour percevoir impôts et taxes sur le peuple juif qui les déteste et les considère comme pécheurs et infidèles à la loi juive. Effectivement, Zachée s'est enrichi en fraudant.

Zachée cherchait à voir qui était Jésus – qui traversait Jéricho *– mais il ne le pouvait à cause de la foule, car il était petit de taille. Il courut donc en avant et monta sur un syco-more pour voir Jésus, qui devait passer par là. Arrivé en cet endroit, Jésus leva les yeux et lui dit : « Zachée, descends vite, car il me faut aujourd'hui demeurer chez toi. » Et vite il descendit et le reçut avec joie.* Dès que Jésus pénètre chez Zachée, *celui-ci résolument dit au Seigneur : « Voici Seigneur, je vais donner la moitié de mes biens aux pauvres, et si j'ai extorqué quelque chose à quelqu'un, je lui rends le quadruple. »* C'est alors que Jésus proclame que le salut est entré aujourd'hui dans la maison de Zachée.

Ainsi, le salut vient d'un tiers mais il passe au cœur d'un mal, d'une torsion. Il ne s'agit pas ici simplement de morale,

1. Xavier THÉVENOT, p. 254.
2. Adolphe GESCHÉ, *Dieu pour penser*, VI, *Le Christ*, p. 209.

mais de bien autre chose. Zachée se sait fraudeur ; sa vie est centrée sur un enrichissement malhonnête. C'est sa réalité et c'est donc au cœur de sa fraude que le salut va l'atteindre. Il est bouleversé, plein de joie : alors qu'il est perché sur son arbre, perdu dans la foule, Jésus le repère, s'invite chez lui, à sa table, et traite en ami celui qui est considéré par tous comme un ennemi à la solde de l'oppresseur !

Jésus ne prononce pas une parole. Cependant Zachée vit un retournement de tout son être ; il a pris de l'argent qui ne lui appartenait pas, il va donner la moitié de son propre argent, réparer abondamment tous ses torts. Le but de la vie de Zachée était de s'enrichir par tous les moyens, c'est maintenant terminé. En un instant la présence de Jésus lui ouvre un autre horizon. Le salut l'a atteint au cœur de son métier, de sa réalité. Il va se découvrir et se déployer jour après jour dans sa vie, jusqu'à trouver sa plénitude en vie éternelle.

Le salut n'est pas donné de l'extérieur de façon anonyme.

Par sa vie entière Jésus nous signifie que le salut n'est pas donné de l'extérieur, de façon anonyme. Il est inscrit dans le nom d'un homme vivant, Jésus, fils de Dieu. Jésus va introduire le salut au cœur de la pâte humaine, comme un levain, au centre de la vie même des hommes, des femmes, du peuple de Dieu, et cela par sa vie entière, sa façon de vivre relié au Père : *Toi, Père en moi et moi en Toi* (Jn 17, 21), *moi en eux, et Toi en moi* (Jn 17, 23), son amour pour les êtres humains, ses paroles, ses actes, sa passion, sa mort, sa résurrection.

Le salut s'instaure dans une relation de personne à personne, dans une participation de l'être humain à la vie du Christ qui a vécu pleinement son humanité de fils : jusqu'au bout, uni au Père, donné au monde il a été affronté au mal.

En traversant la mort, il a vaincu toutes les formes de mort dans lesquelles l'être humain s'engouffre, souvent sans s'en rendre compte ; il a vaincu l'esprit du monde, l'impuissance, l'apathie, l'habitude, l'ignorance, la fausse croyance que la mort est plus puissante que la vie qu'il nous donne. C'est en descendant jusqu'au fond de nos chemins de mort, lui, l'innocent sans péché, qu'il va nous en libérer.

Voici l'agneau de Dieu qui ôte le péché du monde, dit Jean-Baptiste, alors que Jésus est venu à lui pour recevoir le baptême d'eau (Jn 1, 29).

Quel est le but de la libération apportée par le Christ ? (Lc 4, 18)

Le Christ ne libère pas l'être humain simplement pour le libérer, s'il est permis de s'exprimer ainsi. Il va le délier et le dégager de ses liens, de tout ce qui s'est inscrit en lui à la suite de blessures mal vécues, les blocages, nœuds, enfermements, peurs, ce que saint Paul appelle l'esclavage, et qui l'empêchent d'adhérer au salut[1]. Il va le rétablir dans sa liberté intérieure. C'est cette liberté retrouvée qui va permettre à chacun, chacune d'accueillir et de vivre avec bonheur sa relation à Dieu Père, de recevoir et de choisir consciemment de déployer son identité de fils ou fille de Dieu. Elle va aussi lui permettre d'ouvrir sans crainte l'entièreté de son être, son cœur profond, son corps, sa psyché à la grâce du Christ. Il va apporter le salut dans toutes les parties de sa terre, y compris les plus blessées, les plus meurtries, les plus violentes. Elles vont être apaisées, fortifiées, rendues à la vie. Dans la grâce de ce salut, il devient alors possible de se réconcilier peu à peu avec soi-même, avec son histoire, d'entrer doucement dans le pardon.

Comme toujours, la grâce nous précède, nous est donnée mais nous avons notre part dans ce trajet.

1. Adolphe GESCHÉ, *Dieu pour penser*, VI, *Le Christ*, p. 199-222.

Il arrive qu'une personne reçoive une véritable guérison physique. Ce n'est pas pour autant qu'elle peut accueillir le salut. Les conséquences de blessures non assainies pèsent peut-être encore lourdement sur elle – la peur d'être dévorée, de ne plus exister, de perdre son identité sa liberté... – et peuvent faire barrage à l'accueil du don de Dieu qui est beaucoup plus large que la seule guérison visible.

La grâce est libre. Certains, certaines sont tout à coup entièrement saisis par la révélation de la paternité de Dieu, de leur condition de fils ou filles de Dieu : c'est une grâce merveilleuse, mais elle ouvre un chemin de conversion : ils vont avoir à apprendre de l'Esprit comment laisser ce don se répandre dans toutes les zones de leur être, dans toutes les dimensions de leur vie.

Peut-être serait-il possible de dire que l'être humain est « délié » par le Christ de ce qui l'empêche d'accéder au salut et que le salut le « relie ».

Guérison, salut et vulnérabilité.

L'impérieuse nécessité pour l'être humain d'accepter sa vulnérabilité est une condition essentielle de l'accueil du salut.

Vivre dans l'illusion que l'on est tout-puissant ferme la porte à l'attente, au désir, au besoin du salut.

Celui ou celle qui a véritablement pris conscience de sa propre vulnérabilité, ainsi que des limites de la condition humaine, qui accepte profondément cet état, vit en même temps en lui une aspiration à un « mieux », sur le plan de l'amour, de la paix, de l'unité, de la relation... C'est une bonne et saine aspiration qui va vers la vie. Il entre alors dans une quête, demeure disponible et ouvert. Il arrive qu'il ne sache pas que chercher ni où chercher. Dans le fond de son être peut-être aspire-t-il au salut ?

Lorsque l'on parle de l'acceptation de la vulnérabilité, il ne s'agit en aucune façon de résignation, de sentiment d'impuissance, de réduction de vie ni de « victimisme ». Il est vrai que pour beaucoup d'hommes, de femmes qui sont confrontés à des situations difficiles, cette acceptation des limites de la condition humaine ne va pas de soi. Ils ont besoin de toute la grâce de Dieu et de l'amour de ceux et celles qui les entourent pour cheminer vers une forme d'apaisement, et aussi pour essayer de découvrir la meilleure issue de vie possible pour eux.

Pour un croyant, accepter sa vulnérabilité se vit avec et en Dieu : il s'agit d'apprendre à se recevoir de Dieu-Père, se fortifier dans la grâce du Christ, se laisser inspirer par l'Esprit dans toutes les dimensions de sa vie, en découvrant comment collaborer justement avec lui, et en se gardant de croire qu'on peut échapper aux réalités de l'existence. Il devient alors possible d'entrer dans un nouveau mode d'être, une qualité de vie spécifique, emplie de cette sécurité et cette joie qu'apporte une juste relation au Père. Se savoir aimé dans sa réalité, que les circonstances soient heureuses ou non, ne pas se croire obligé de vivre des performances épuisantes, avoir retrouvé le sens de sa vie, la certitude de l'aide de Dieu qui ne manque jamais dans les passages qu'il est nécessaire de traverser, est un apaisement. L'acceptation en Dieu de sa vulnérabilité achemine l'être humain vers un bonheur de vivre qui pourrait bien se nommer le salut.

Le salut au cœur de nos limites.

L'accueil du salut va, à l'évidence, apporter un mieux-être sur le plan psychique et également bien souvent sur le plan physique, et cela qu'il y ait ou non guérison visible.Certains, certaines vont vivre des libérations profondes, une remise en ordre fondamentale, souvent après un long et douloureux trajet. On pourrait dire qu'ils vivent une véritable guérison au sens le plus profond du terme. Ils auront cependant toujours à demeurer vigilants.

D'autres gardent de grandes fragilités, des séquelles parfois irréparables de leur histoire, des handicaps, ou ont à assumer des situations difficiles qui ne changent pas. Mais ils ont vécu une profonde transformation, ils sont apaisés, ont éclairé leur histoire, sont réconciliés avec leur passé ; ils ont découvert leur filiation divine, se savent aimés de Dieu de façon unique, très personnelle, découvrent jour après jour leur tâche essentielle : ils n'ont plus peur de leur réalité, ni de Dieu. Dans l'amour du Père [1], ils apprennent à gérer leur réalité avec un cœur pacifié et confiant.

Le serpent d'airain [2].

Xavier Thévenot exprime que l'essentiel de la vision chrétienne du rapport entre guérison, salut et vulnérabilité se trouve dans la Parole de Jésus à Nicodème, dans l'évangile de saint Jean (3, 14-15) :

Comme Moïse éleva le serpent dans le désert,
ainsi faut-il que soit élevé le Fils de l'homme
afin que quiconque croit, ait par lui la Vie éternelle.
                                              [Jn 3, 14-15.]

À première vue, cette parole peut paraître mystérieuse, difficile à comprendre. Cependant, elle nous donne une clé pour comprendre en quoi la reconnaissance par l'être humain de sa vulnérabilité est une condition essentielle du salut.

---

1. Jean-François CATALAN, « Équilibre humain et maturité spirituelle », chap. 8, p. 141-182.
2. Les pages qui suivent, relatives au commentaire du texte de Jean (3, 14-15) qui fait allusion au serpent d'airain et du récit de la guérison des dix lépreux suivent de très près l'étude qu'en fait Xavier THÉVENOT dans l'article déjà cité « Guérison, salut et vulnérabilité ».

Les Hébreux, qui récriminent toujours contre Dieu et Moïse, doivent vivre dans le désert une épreuve supplémentaire et terrifiante : la présence de serpents dont la morsure est mortelle. Ils demandent à Moïse d'intercéder pour eux. Dieu répond en demandant à Moïse de fabriquer un serpent en métal, de le mettre sur un étendard et de proclamer au peuple : *Quiconque aura été mordu et le regardera restera en vie* (Nb 21, 4-9).

Le serpent est en airain car faire face à un véritable serpent serait terrifiant. Ainsi les serpents continuent à exister et à mordre. Dieu ne supprime pas la vulnérabilité des êtres humains qui l'appellent à leur secours, mais il promet que celui ou celle qui en lui, avec lui aura le courage de regarder en face ce qui peut le faire mourir, celui-là sera sauvé. C'est avec Dieu et en Dieu qu'ils osent poser cet acte : avec la force et la lumière qu'il leur donne, ils reconnaissent le mal pour ce qu'il est : il mène à la mort. Ils le nomment, le débusquent mais ils ne le laissent plus les terrifier car Dieu est là, Il veut que les êtres humains trouvent la vie, non la mort.

L'homme, la femme ont déjà eu affaire au serpent, le père du mensonge (la transgression d'Adam et Ève, Gn 3). Mais ils sont tombés dans le piège, ils ont été séduits par ce qu'il leur faisait miroiter : ne croyez pas ce que Dieu vous dit, moi je vous dis « vous serez comme des dieux », vous n'aurez plus de limites « et vous ne mourrez pas ». Vous n'avez aucun besoin de Dieu, vous pouvez vous suffire à vous-mêmes ». Adam et Ève dénient alors leur condition de créature humaine, ils se méfient de Dieu, entrent dans la honte, le soupçon, la peur : ils se coupent de la source de vie.

Au contraire, dans le récit du serpent d'airain, les Hébreux entrent dans une humble démarche de foi : ils reconnaissent leur péché ; « nous avons péché en parlant contre l'Éternel et contre toi », disent-ils à Moïse. Ils se savent exposés à la mort, Dieu est leur seul recours. Ils obéissent à ce qu'il leur propose, ils ne se défient plus de lui, ne le soupçonnent plus d'intentions malveillantes à leur égard.

Comment comprendre ce rapprochement que fait Jésus entre l'élévation du serpent dans le désert et sa propre mort sur la croix ?

Jésus a été crucifié, il a vécu un ignoble supplice, il a traversé les derniers jours de sa vie dans une extrême vulnérabilité. Le Père l'a fortifié, mais a laissé les événements suivre leur cours. Lui, le Christ, le sauveur du monde, n'a pu se sauver lui-même ainsi que le clament ceux qui se moquent de lui. Il est mort dans la détresse et le questionnement, en remettant son esprit au Père dont il demeure si proche.

Cependant, contre toute attente, un officier romain qui participait à l'exécution, en voyant l'agonie de Jésus entre dans une foi vivifiante : « vraiment cet homme était fils de Dieu », s'exclame-t-il (Mc 15, 39). Cette parole, surprenante, nous montre une fois de plus comment dans son amour créateur, Dieu tire toujours un bien d'un mal.

Et Jésus va ressusciter. Mais sa résurrection n'efface en rien la vulnérabilité de la condition humaine. Car elle se vit en silence, de nuit, en secret. Jésus ne se manifeste qu'à ses proches. En outre, il ressuscite avec ses plaies encore ouvertes ; les cicatrices seront là pour rappeler à l'être humain qu'il est capable de tuer l'innocent, par ambition, peur de la concurrence, légalisme sclérosé…

C'est ainsi que le Seigneur nous invite à regarder par et en Christ notre réalité dans toutes les manifestations de notre vulnérabilité pour lui permettre d'y apporter la vie. La vulnérabilité de l'être humain peut apparaître comme une réduction de vie, son acceptation va être un deuil difficile à vivre pour certains, en fait, elle ouvre la porte au plus merveilleux des dons : le salut dans son sens le plus profond.

Le combat contre le mal.

Nous ne saurions être naïfs et croire que tout est résolu parce que le salut nous est donné. Le mal continue à exister, l'être humain est toujours vulnérable car cela fait partie de sa constitution même, de sa condition de créature.

Mais le Christ nous sauve de la tyrannie du mal, de la fausse croyance en une sorte de fatalité du mal, d'un déterminisme qui nous encerclerait [1]. L'annonce du salut nous assure que le mal doit être combattu, qu'il peut l'être : il est « battable » selon l'expression d'Adolphe Gesché. Cela ne signifie pas qu'il va disparaître mais que nous ne pouvons plus lui donner le droit de nous réduire en esclavage [2].

Le rapport de l'être humain au mal a changé ; désormais, dans la grâce du Christ, l'homme est capable de débusquer le mal, de le nommer, le regarder en face, en demeurant dans la confiance en Dieu, dans la certitude que le Christ a vaincu la mort.

À partir du moment où nous remplissons notre condition de fils et filles de Dieu, que nous sommes profondément enracinés dans cette certitude, dans la découverte de Dieu-Père, que nous avons appris à vivre à partir de notre centre essentiel, le cœur profond, nous participons à notre tour à ce combat contre le mal, nous allons participer au combat de Dieu et demander à l'Esprit de nous révéler comment Jésus l'a vécu, et comment nous pouvons le vivre par et en lui.

Il est essentiel de ne pas oublier que, *comme en tous domaines, Dieu nous précède dans ce combat contre le mal* [3]. Nous ne pouvons combattre le mal en nous et autour de nous qu'après que Dieu lui-même, dans la personne de Jésus, l'a porté. Le Seigneur est passé là avant nous, il a pénétré au fond de ce domaine du mal, en a été atteint, l'a vaincu. Le salut qu'il apporte est premier, sinon notre combat est vain. *C'est parce que le Christ a déjà vaincu le mal, l'esprit du monde que nous pouvons nous mettre en route* et devenir serviteurs de la vie, du Royaume. Si nous oublions ou ignorons

---

1. Adolphe GESCHÉ, *Dieu pour penser*, I, *Le Mal*, p. 151-152.
2. *Ibid.*, p. 131-134.
3. *Ibid.*, p. 87-88.

cet essentiel, nous risquons fort de combattre le mal avec une série de recettes, de techniques diverses, mais nous n'entrerons pas dans cette merveilleuse dimension du salut qui renouvelle toute relation, et nous ne la transmettrons pas.

Adolphe Gesché nous rappelle que nos actes, notre engagement ont eux aussi besoin d'être sauvés : ce ne sont pas nos actes qui vont apporter le salut, c'est le salut apporté par le Christ qui va donner sens à nos actes, les remplir d'une sève nouvelle, créatrice, inventive, porteurs de cette qualité de vie qu'est la vie éternelle.

À quelles conditions la guérison mène-t-elle au salut ?

Jésus se rend à Jérusalem. Pour ce faire, il passe aux confins de la Samarie et de la Galilée. C'est là que se situe sa rencontre avec dix lépreux. Ce récit, comme tant d'autres relatés dans les évangiles, manifeste les étapes qui peuvent faire de la guérison une étape vers le salut (Lc 17, 11-19).

La venue du Christ dans une région est toujours une très bonne nouvelle, une source de joie. Tous, toutes, savent qu'il est proche des souffrants, des plus malheureux, qu'il ne rejette personne, que rien ne le rebute, qu'il guérit tous ceux et celles qui viennent à lui et le lui demandent. La lèpre est une très grave maladie de la peau ; la peau est l'enveloppe extérieure du corps, elle le protège, mais elle est aussi en contact avec l'intérieur : elle est la frontière entre l'intérieur et l'extérieur. La lèpre est souvent le signe de conflits psychiques et sociaux : elle mène souvent à un sentiment de souillure, de honte. Ainsi à l'époque de Jésus, les lépreux sont exclus de la communauté humaine. Ils doivent se cacher, se taire ; ils sont considérés comme répugnants, impurs ; ils sont en quelque sorte intouchables, infréquentables, laissés de côté, dans une solitude absolue. C'est la raison pour laquelle ils vivent souvent en groupe.

Ces dix lépreux savent que Jésus va passer et ils se

préparent à l'aborder. Ils ont besoin de lui encore plus peut-être que tant d'autres souffrants. Comme toujours la grâce les précède, est déjà à l'œuvre en eux. Elle les oriente dès le début de leur démarche vers la foi ; ils osent sortir de leur cache, parler. Ils entrent dans l'audace et la liberté d'aborder Dieu, la pureté même, eux les impurs par excellence. Ils se tiennent néanmoins à distance de Jésus car tous se défient d'eux, fuient à leur approche ; ils osent faire confiance, appeler au secours, croire que quelqu'un va s'intéresser à eux. La grâce commence à les délier de leur enfermement, de leur prison intérieure. Ils crient « Jésus, Maître aie pitié de nous ». Jésus s'arrête, les accueille : *allez vous montrer aux prêtres.*

Cette parole de Lévitique (14, 3-9) précise le rituel à suivre en cas de guérison de la lèpre. Les dix lépreux vont se présenter aux prêtres, ils font confiance à la Parole de Jésus qui leur annonce la guérison, mais cependant ne leur en donne aucun signe visible.

On pourrait dire qu'ici, la guérison intérieure précède la guérison physique. En cours de route, ils sont tous guéris. Un seul, un Samaritain revient en arrière pour remercier Jésus : lui qui se taisait, cherchait à ne pas attirer l'attention, glorifie Dieu à haute voix, plein de joie. Il se prosterne devant Jésus, le visage contre terre. *« Relève toi »*, lui dit Jésus, pars [n'arrête pas ta marche], *ta foi t'a sauvé.*

Cet homme est passé de la guérison au salut. Il a humblement reconnu devant Jésus, visage humain de Dieu, l'étendue de sa détresse, physique et intérieure. Il a exposé son extrême faiblesse : il a besoin de lui, il ne peut pas se sauver tout seul. Il n'a rien à offrir que cette humble reconnaissance et sa foi. Tout d'un coup, par sa rencontre avec le Christ, la grâce envahit l'entièreté de son être. Il découvre l'abondance, la gratuité de l'amour du Père pour chacun de ses enfants, il n'a pas été oublié. Il retrouve sa place, il n'erre plus, il a un véritable Père qui le connaît par son nom, il est fils, aimé, remis en vie, il retrouve une bonne et saine image de lui, il est réinséré parmi les humains, sa foi l'a sauvé. Et c'est cette humble foi devant Dieu, cette ouverture totale de l'être au cœur de la détresse qui a fait de sa guérison une étape du salut car ce sont elles qui permettent à la puissance d'amour du Christ de se déployer dans l'être tout entier et d'apporter le salut, jusqu'au cœur de ce qui a été le plus atteint, abîmé, parfois brisé (2 Co 12, 9), et c'est bien là l'essentiel de la vie en Christ, qu'il y ait ou non guérison perceptible, visible.

« La célébration eucharistique, centre de toute la liturgie, les prières et rites tels que le sacrement des malades, relient entre elles les demandes de guérison, de libération du péché, et de la vie éternelle. Elles nous rappellent comment le salut du Christ va nous atteindre dans la réalité de notre condition humaine. Elles nous font clairement comprendre que « Dieu ne nous protège pas de notre vulnérabilité, mais nous sauve dans notre vulnérabilité [1]. »

Pour conclure, une brève définition du salut.

Que signifie l'idée judéo-chrétienne du salut ?
En Dieu, par, en et avec le Christ, « tout peut toujours être repris ; rien n'est jamais irrémédiable et fatal ; tout, justement, peut être sauvé ; il n'y a rien de définitif, tout peut toujours recommencer : « Va, et (simplement) ne pèche plus [2]. »

Le salut ne serait-il pas la guérison la plus profonde qui soit ?

1. Xavier THÉVENOT, article cité, p. 8.
2. Adolphe GESCHÉ, *Dieu pour penser*, I, *Le Mal*, p. 131.

TROISIÈME PARTIE

LE SENS DU TRAJET : LA PÂQUE

La Pâque, c'est étymologiquement le passage, le passage d'un lieu de mort, sous quelque forme qu'elle se présente, à l'adhésion à la vie, à l'accueil de la résurrection.

Le chemin de tout croyant, de tout chercheur de vérité est une Pâque, une succession de Pâques. Chacun, doit apprendre à vivre dans la présence vivante du Christ, dans la lumière de l'Esprit, le trajet du désordre à la remise en ordre ; de l'inconscience, de l'aveuglement à la prise de conscience de la réalité – la sienne et celle de toute situation – de l'oppression à la liberté intérieure ; de l'inertie et de l'habitude à l'éveil, à la décision d'être vivant, debout ; du morcellement intérieur à l'unité de l'être ; de la solitude intérieure face à ses problèmes à la certitude que l'on n'est plus orphelin (Jn 14, 18).

La Pâque est une marche. Elle comprend des étapes. Vivre consciemment la Pâque va permettre de relancer le dynamisme de vie, aider à vivre les moments difficiles : la vie reprend sens, on comprend ce que l'on traverse, on pressent que l'on est en train de vivre quelque chose d'essentiel.

C'est un moment béni que celui où l'on comprend que sa vie est une suite de Pâques car on entre alors sur un autre plan, dans une autre vision : « Ce que je vis n'est plus absurde, ce n'est plus uniquement un problème personnel, je vis le trajet de tout humain appelé à quitter quelque chose, pour naître à autre chose. »

Nous trouvons là un enseignement profond, vital ; il est à la fois personnel et collectif, de l'ordre d'une marche, d'un mouvement vers la vie, vers la réalisation de sa condition de fils ou fille de Dieu, dans l'adhésion à l'alliance proposée.

L'INVITE

L'invite à vivre un chemin de Pâque est adressée à tous. L'initiative vient toujours de Dieu, l'être humain est prêt à entendre ou non, à répondre ou non. C'est par et en Dieu que les êtres humains se mettent en route sur ce chemin de la Pâque. L'Esprit leur permet d'en comprendre la signification vitale, le Christ leur donne sa grâce, les accompagne sur le trajet.

S'engager dans un trajet d'évangélisation de ses profondeurs en se centrant uniquement sur ses difficultés ou savoir que l'on répond à un appel adressé à tous les humains sont deux approches totalement différentes : entendre l'appel et se mettre en marche sur le chemin de la Pâque, quel que soit son état, sa difficulté, est un acte qui est déjà en lui-même moteur de vie, c'est un grand pas dans le choix de la vie, une façon de devenir « disciple ».

LES TROIS PÂQUES :
LA PÂQUE DES HÉBREUX,
LA PÂQUE DE JÉSUS CHRIST,
LES CHEMINS DE NOS PÂQUES :
POUR NOUS AUJOURD'HUI

La Bible peut être lue à plusieurs niveaux : c'est l'histoire du peuple de Dieu, c'est aussi l'histoire de chaque humain. Les ennemis que l'on retrouve à chaque page sont nos ennemis intérieurs ; les obstacles et les murs sont ceux que nous avons érigés en nous-mêmes : les situations dans lesquelles nous sommes nous paraissent accablantes, la tentation est grande de demeurer dans le train-train des comportements du passé.

Les deux Pâques essentielles qui nous sont rapportées dans la Bible sont la Pâque des Hébreux lors de la sortie d'Égypte et la Pâque de Jésus.

Le chemin qui mène à la Pâque comprend des étapes qui nous concernent directement. La parole est vivante et actuelle. Il ne s'agit donc pas de se cantonner à une connaissance historique de ces événements, mais de les méditer pour comprendre comment vivre notre propre chemin de Pâque.

C'est pourquoi, en même temps que nous faisons mémoire de ces grands passages de vie, nous nous questionnerons et demanderons à l'Esprit Saint de nous enseigner : pour nous aujourd'hui, quel passage, quel sens ? Comment pouvons-nous vivre notre Pâque d'aujourd'hui ?

LA PÂQUE DES HÉBREUX

À l'origine, la Pâque est une fête de famille, célébrée au printemps. Mais le grand printemps d'Israël est celui où Dieu le libère du joug égyptien (Ex 12) par l'intermédiaire de Moïse. La sortie des Hébreux hors d'Égypte, cette longue pérégrination de quarante années qui les mena d'Égypte en Terre promise à travers le désert, se trouve dans le livre de l'Exode qui signifie « chemins de sortie », donc action de sortir, départ. Les diverses étapes de cette longue marche sont également détaillées dans le livre des Nombres et le Deutéronome.

La sortie d'Égypte. Le combat avant le départ.

Les Hébreux sont esclaves de Pharaon en Égypte. Pharaon symbolise ce qui asservit, c'est-à-dire les liens et les prisons intérieures de tout humain, ses enfermements, les fausses croyances qui le lient et l'entraînent vers des directions erronées.

L'Éternel dit à Moïse :

J'ai vu, j'ai vu la misère de mon peuple qui est en Égypte. J'ai entendu son cri devant ses oppresseurs : oui, je connais ses angoisses. Je suis descendu pour le délivrer de la main des Égyptiens et pour le faire monter de cette terre vers une terre plantureuse et vaste, vers une terre qui ruisselle de lait et de miel... Maintenant va, je t'envoie auprès de Pharaon, fais sortir d'Égypte mon peuple, les Israélites (Ex 3, 7.8.10).

Dieu entend la plainte de ceux qui vivent sous l'oppression, quelle qu'elle soit. Sa grâce va pénétrer l'expérience des humains et les amener à la libération. Guidés par Moïse, les Hébreux vont quitter l'Égypte.

Le combat qui précède le départ d'Égypte est terrible (les dix plaies d'Égypte, Ex 7-12) ; ce qui signifie que quitter l'asservissement, les habitudes, est le lieu d'un rude combat. Cela ne se fait pas tout seul. C'est la première étape.

La Pâque est célébrée par un repas rituel pris avant le départ [1]. En acceptant de préparer ce repas selon le rite proposé par Moïse et en y participant, les Hébreux manifestent leur choix décisif de répondre à l'appel de Dieu qui les invite à quitter le chemin de mort, l'esclavage, et à aller vers la vie, la liberté. Cette démarche de liberté est essentielle pour le peuple juif, c'est pourquoi, il en fait mémoire chaque année (la Pâque : Pesah) ; ils manifestent ainsi que « la liberté ne se joue pas une fois pour toutes ». Le rite, chargé de sens, en est établi à jamais, le récit de la libération du peuple rappelle toute la richesse de ce passage, la force libératrice de l'événement. « La Pâque est mémorial au sens où elle inscrit dans le présent le signe vivant qu'une histoire est en marche [2]. »

Pour nous aujourd'hui.

Quitter l'Égypte consiste d'abord à entendre l'appel de Dieu à choisir la vie, et à se mettre en route. Il va alors être nécessaire de quitter le chemin de mort qui a pu être pris, de renoncer à l'asservissement à un pharaon, quel qu'en soit le nom : l'écrasement de sa liberté, de son identité d'enfant de Dieu, la comparaison mortifère, une dépendance affective excessive et aliénante, la façon dont on s'est laissé construire par des paroles mensongères, freiner par des interdits non fondés…

Le récit de l'affrontement entre Moïse et Pharaon, l'histoire des dix plaies d'Égypte nous montrent bien que ce temps est celui d'un combat spirituel, tant est fort

---

1. André WÉNIN, *Pas seulement de pain*, Paris, Éd. du Cerf, 1998, p. 183-208.
2. *Ibid.*, p. 196.

l'attachement au passé même s'il est très lourd, et l'influence qu'il a sur notre présent.

Le long chemin vers la Terre de la promesse.

Les Hébreux ne sont pas passés directement d'Égypte à la Terre de la promesse. Ils ont eu une traversée du désert de quarante ans, au cours de laquelle ils se sont trouvés confrontés à la réalité des limites et au dur chemin qui les a amenés à grandir dans leur liberté, à choisir d'entrer dans l'alliance que leur propose le Dieu vivant, à renoncer définitivement à se laisser réduire en esclavage par un faux dieu, à servir une idole.

Le passage de la mer Rouge.

Ils commencent par la grande épreuve : le passage de la mer Rouge (Ex 14, 5-31) : ils sont encerclés. À l'arrière, ils sont menacés par Pharaon qui regrette de les avoir laissés partir et s'est lancé à leur poursuite avec ses troupes ; en avant ils sont arrêtés par la mer Rouge. L'Éternel leur permet de la traverser à sec, les soldats de Pharaon sont engloutis. À ce moment, les Hébreux ont véritablement plongé dans la confiance, ils ont pris le risque de croire à la Parole de Dieu.

Pour nous aujourd'hui.

Nous sommes arrêtés par la mer Rouge quand nous nous trouvons dans une situation complètement bloquée, une difficulté intérieure insurmontable, une relation qui se meurt ; le passé nous rattrape mais nous ne pouvons plus repartir en arrière, et nous ne savons comment avancer : nous sommes immobilisés, découragés, en proie au doute.

C'est alors que le Seigneur va intervenir : nous savons maintenant comment ouvrir la porte de toute situation, toute difficulté à sa présence. Elle va s'établir au cœur de ce blocage : il fait entendre sa voix et la mer s'ouvre, un passage est possible. Le Père ne laisse pas ses enfants s'engloutir dans un tombeau ; en Christ il y a toujours une issue de vie, l'Esprit va nous la faire découvrir : cela nous mènera peut-être à faire le deuil de certains rêves ou illusions ; mais ce sera réellement une issue de vie.

Les troupes de Pharaon représentent l'attachement au passé, et le passage dans le lit asséché de la mer symbolise l'acceptation du nouveau, du risque, de l'inconnu. C'est une véritable naissance.

La traversée du désert.

Elle est rude et longue. Elle va durer le temps d'une génération. À plusieurs reprises, les Hébreux ont failli être engloutis :

– par la peur : la peur de manquer, de mourir, la peur de l'inconnu, du risque ;

– par le doute : Dieu est-il ou non au milieu de nous ? (Ex 17, 7.)

À plusieurs reprises, ils accusent Moïse et Aaron de les avoir conduits dans le désert pour les faire mourir ;

– par le regret des avantages de l'esclavage : finalement ils ne vivaient pas si mal que cela en Égypte. Ils sont prêts à renier leur choix de vie, à rechoisir le chemin de mort, à refuser les limites qu'impose toute vie dans le désert ; ils murmurent et se plaignent sans arrêt, il leur manque toujours quelque chose.

Tout au long du trajet, la nourriture est un lieu de conflits [1] où s'expriment les revendications, les lamentations, la panique, la convoitise, la frustration, les oscillations et les tentations de revenir sur le choix qui a été posé. Le cœur des Hébreux est partagé, ils n'ont pas vraiment pris position, le

1. André WÉNIN, p. 216-225.

choix ne s'est pas enraciné dans la profondeur de leur cœur. Ne vont-ils pas connaître le manque et la mort ? Cependant les signes de la présence de Dieu abondent ! Mais vont-ils durer ?

Dès le départ d'Égypte, pendant le jour, une colonne de feu les éclaire à l'avant et à l'arrière, pour que leur marche puisse se poursuivre jour et nuit (Ex 13, 21-22). L'Éternel transforme l'eau amère en eau douce (Ex 15, 22-25). Puis c'est le don quotidien du pain (la manne, Ex 16) qui a le goût d'un gâteau à l'huile, reçu en abondance chaque jour : il ne saurait manquer, car l'Éternel est là ; chacun ne doit prendre que selon son besoin. Mais cette nourriture est monotone. Le peuple va recommencer à se lamenter : *Les Israélites eux-mêmes recommencèrent à pleurer, en disant : « Qui nous donnera de la viande à manger ? » Ah ! quel souvenir ! le poisson que nous mangions pour rien en Égypte, les concombres, les melons, les laitues, les oignons et l'ail ! Maintenant nous dépérissons, privés de tout ; nos yeux ne voient plus que de la manne !* (Nb 11, 4-6.)

L'Éternel leur envoie alors de la viande, des cailles, à satiété (Nb 11, 31-35). Beaucoup se précipitent pour les dévorer et meurent de leur gloutonnerie. Cet événement nous signifie qu'il y a une manière de recevoir le don de Dieu. Tout est donné mais on ne reçoit pas les dons de Dieu n'importe comment. Il y a une façon de recevoir le don : l'enjeu en est vital [1].

Pour nous aujourd'hui.

La traversée du désert est très éclairante. Elle met en lumière l'étape qui s'ouvre à soi dès que l'on a choisi de quitter le chemin de mort, de retrouver la vie.

C'est le temps de la remise en ordre fondamentale de sa propre terre intérieure, du renoncement au chemin de mort,

1. André WÉNIN, p. 216-225.

du deuil, de l'acceptation du manque, de la perte, de la rencontre de sa réalité, de sa vérité, dans la miséricorde toujours attentive et présente du Seigneur, le temps de l'évangélisation de ses profondeurs.

La traversée semble parfois longue, avec des avancées, des piétinements, des retours en arrière, des doutes, des douleurs, des révoltes. On voudrait tellement aller plus vite, échapper à cette descente dans l'épaisseur de son humanité, entrer tout de suite dans la Terre promise, dans la liberté. Chacun va suivre son rythme, son temps spécifique, selon son histoire, car le temps fait partie des limites de la condition humaine.

Celui ou celle qui s'engage sur ce chemin de la Pâque va rencontrer sur sa route les mêmes tentations que celles qu'ont connues les Hébreux dans le désert. C'est ainsi qu'il peut avoir peur des chemins inconnus qui s'ouvrent à lui : l'habitude est prise de souffrir, d'être malheureux, non créatif, de se résigner, de baisser les bras devant les difficultés, de vivre avec ses seules forces humaines, de demeurer soumis, écrasé, d'être esclave de sa violence, parfois de sa haine... Que va-t-on trouver si l'on quitte ses vieux vêtements ? Beaucoup ont alors à s'affronter à la peur de l'abandon, du rejet, de l'insécurité, de la solitude, comme s'ils étaient sans appui, alors qu'il est dit que *pas un passereau n'est en oubli devant Dieu ! Bien plus, vos cheveux mêmes sont tous comptés* (Lc 12, 6-7).

Les tentations fondamentales des Hébreux : douter de Dieu et repartir en arrière sont bien là [1]. Elles pointent dans cette oscillation permanente entre la confiance et le doute, le sentiment d'impuissance, la très grande difficulté à s'établir dans l'assurance définitive que l'on n'est plus seul, ce balancier entre l'attente du miracle immédiat, total, qui résoudrait toutes les difficultés, et l'écoute de l'Esprit qui

---

1. Ex 14, 11-12 : *Laisse-nous tranquilles*, disent-ils à Moïse. *Il nous plaît de servir les Égyptiens. Mieux vaut pour nous les servir que de mourir dans le désert.*

nous guide pas à pas, l'accueil de la grâce du Christ qui ne nous manque jamais au creux des passages les plus difficiles.

La tentation de retourner en arrière, dans un passé où « l'on se tenait au chaud » finalement, avec le risque de s'arrêter en route, de laisser avorter le mouvement de conversion par manque de vigilance, de persévérance, par impatience d'arriver au but est bien présente.

La question demeure posée : comment recevons-nous les dons de Dieu ? Il importe de les reconnaître, de les rendre conscients, d'en rendre grâces, de les bénir, d'en faire mémoire, de ne pas les mépriser comme les Hébreux qui pleuraient parce que la manne quotidienne, ce don magnifique, cette largesse de Dieu, était une nourriture monotone. Doutons-nous de sa présence dans l'épreuve ?

L'entrée en Terre promise. La traversée du Jourdain. La prise de Jéricho.

À la fin de ces quarante ans de marche dans le désert, les Hébreux arrivent enfin en vue de la Terre promise (livre de Josué, chapitres 1-6). Ils ont encore un rude passage à vivre ; une fois de plus, ils se retrouvent devant le doute, les hésitations, la peur de ce qui les attend dans ce pays inconnu.

Moïse envoie des espions pour reconnaître le pays de Canaan (Nb 13). Ils reviennent enthousiastes mais en même temps totalement découragés :

Nous sommes allés dans le pays où tu nous as envoyés. En vérité, il ruisselle de lait et de miel (Nb 13, 27)...

Toutefois le peuple qui l'habite est puissant ; les villes sont fortifiées, très grandes (Nb 13, 28)...

Nous y avons aussi vu des géants... Nous nous faisions l'effet de sauterelles (Nb 13, 33).

À ces mots, alors qu'ils sont si près du but, les Hébreux reviennent à leur habituelle tentation : *Donnons-nous un chef et retournons en arrière en Égypte* (Nb 14, 4). Moïse et

Aaron manquent d'être lapidés, mais ils sont toujours là pour se tourner vers Dieu, remettre dans le droit chemin, calmer, intercéder.

Moïse, qui a cent vingt ans, sait qu'il va mourir et n'entrera pas en Terre promise. Mais Dieu l'assure de la victoire. Josué est chargé de guider le peuple. Il reçoit force et assurance (Dt 31) : *Sois sans crainte ni frayeur car l'Éternel ton Dieu est avec toi dans toutes tes démarches* (Jos 1, 9). Il envoie à nouveau en terre de Jéricho des espions qui remettent les choses à de justes proportions ; les Hébreux passent alors le Jourdain mais arrivent au pied de la citadelle imprenable de Jéricho : *Jéricho s'était soigneusement barricadée contre les Israélites : personne n'en sortait et personne n'y entrait* (Jos 6, 1).

L'Éternel promet à Josué de lui livrer cette citadelle imprenable. Il lui demande de faire appel à tous les *combattants et vaillants guerriers*, aux prêtres qui vont avoir des actes précis à poser : contourner une fois par jour la forteresse pendant six jours et le septième jour faire sept fois le tour de la ville ; lorsque la trompe sonnera [1], le peuple entier poussera un formidable cri de guerre, montera à l'assaut, chacun droit devant soi. Effectivement, *le peuple poussa un cri de guerre formidable et le rempart s'écroula sur lui-même* (Jos 6, 20). L'Éternel est fidèle en ses promesses, et il livre Jéricho au peuple hébreu.

Les Hébreux entrent dans la Terre de la promesse. Ils vont l'habiter, se mettre au travail, construire. Ils ne peuvent adopter les mêmes coutumes que les païens qui les entourent car ils sont le peuple de l'alliance. Il leur est demandé de ne jamais oublier les dons de Dieu : ils devront vivre dans la reconnaissance, l'action de grâces et aussi le partage des dons reçus. Mais la richesse qui abonde est pleine de pièges, le risque est grand d'oublier le fondement de l'alliance. Les prophètes sont là pour le rappeler inlassablement.

---

1. Sept prêtres portent sept trompes en avant de l'arche et sonneront de la trompe le septième jour (Jos 6, 2-6).

Pour nous aujourd'hui.

La Terre de la promesse est l'image de la propre terre personnelle donnée à chacun comme un trésor. *Va pour toi – va vers toi – de la terre de ton enfantement... de la maison de ton père vers la terre que je te ferai voir* (Gn 12, 1), dit l'Éternel à Abram.

Jéricho est l'image des verrouillages intérieurs, des forteresses que l'on a construites en soi et dans lesquelles on peut être enfermé. Une fois de plus se vérifie cette réalité que la libération est donnée mais qu'elle n'est pas magique. Elle passe par un choix, une adhésion aux démarches nécessaires ; l'Éternel nous assure de la victoire – qui n'a pas toujours la forme que nous attendons – mais il a besoin des guerriers et vaillants combattants que nous sommes si nous nous mettons en route sur le chemin de la Pâque, des prêtres, du peuple entier ; chacun a sa part dans ce combat.

Le cri de guerre est un cri de foi, de louange, de confiance absolue dans l'œuvre de Dieu. Notre Dieu vient nous libérer. Il est vainqueur de l'immobilisme, de la mort, de la destruction. Il nous mène à la vie, mais ne nous dispense pas du combat que nous vivrons en totale confiance.

Avec lui, tu peux t'en sortir, découvrir une issue de vie même si tu es face à la forteresse de Jéricho.

Cette troisième étape, l'entrée en Terre promise, place l'être humain devant un acte de foi : la certitude que la promesse du Seigneur se réalisera ; elle donne à chacun le pouvoir d'entrer dans sa propre terre intérieure – la terre qui lui est promise – de découvrir sa part de liberté, son identité, de retrouver l'entièreté de son être.

Elle le met aussi devant son choix : comment répondre à l'appel à la vie. Un enseignement essentiel est alors donné : le simple désir ne suffit pas. Le désir est à la base du choix mais le choix est plus que le désir : il implique un engagement de tout l'être. N'oublions jamais que la liberté de Dieu transfigure, « transdynamise », notre propre liberté donc notre choix qui va être fondé, fortifié.

Les Hébreux n'ont pas reçu miraculeusement la Terre promise à leur sortie du désert. Ils ont encore eu à vivre une étape qui a demandé courage et décision d'aller jusqu'au bout, de ne pas baisser les bras, de ne pas se réinstaller dans l'apathie.

Il est nécessaire de regarder en face les obstacles, de ne pas croire que le passage est insurmontable, d'avoir la certitude que la grâce de Dieu ouvrira une brèche dans les murailles de Jéricho, nous permettra de découvrir une issue.

C'est Dieu qui œuvre, mais le serviteur doit être là : dans la foi, la certitude de la présence de Dieu, il remplit sa tâche. Dieu a eu besoin d'un Moïse, d'un Aaron, du peuple qui a fait ce qu'il a pu dans le désert, mais aussi, au moment du choix de vie, de ce même peuple qui a poussé un cri de guerre, est monté à l'assaut, chacun droit devant soi (Jos 6, 20). La place de l'être humain est bien là : celle du serviteur de la vie.

La marche de l'être humain va se poursuivre durant toute son existence, mais après la traversée du désert, après le travail de remise en ordre de son humanité conformément aux lois de Dieu, il sait comment devenir lui-même en Dieu, comment choisir sa propre trajectoire ; c'est alors que sa tâche particulière va pouvoir se déployer pour le service, le don, la construction du monde.

Il importe de bien comprendre le sens des différentes étapes du parcours des Hébreux de la sortie d'Égypte à la Terre de la promesse. Lorsqu'ils quittent l'Égypte, ils sont fragilisés par des années d'asservissement à Pharaon, à l'idole. Ils ont perdu leur autonomie, leur créativité, le sens même d'une véritable liberté. Leurs désirs les plus authentiques sont enfouis, éteints : ils sont depuis si longtemps au service du désir d'un autre. Ils se sont endormis dans la fausse sécurité de l'habitude, dans une dépendance mortifère. Ils sont infantiles. C'est pourquoi, pendant les quarante années de désert, ils vont être portés, nourris, par l'Éternel qui assure leur protection. Ce qui est nécessaire à leur vie leur est directement donné en abondance sans aucun travail de leur part ; c'est le temps du miracle : la nuée qui les éclaire, les enveloppe jour et nuit, la manne, les cailles, l'eau fraîche et pure en plein désert...

Ils vont mettre quarante ans à entrer dans leur maturité – à découvrir une relation à Dieu pleine de confiance et d'abandon, mais dégagée de l'infantilisme, de l'irresponsabilité, de l'indécision –, à devenir adultes dans leur foi, capables d'un choix libre, d'une réponse positive à l'invite qui leur est faite d'entrer dans l'alliance.

Si cette marche dans le désert a duré si longtemps, c'est à cause de leurs doutes, de leur tentation permanente de retourner en arrière, de leur résistance devant l'inconnu, de leur peur de mourir, d'être abandonnés de Dieu, de leur manque total de créativité.

L'entrée en Terre promise marque une autre étape : l'Éternel est toujours avec eux, il les accompagne pas à pas, ses dons sont toujours abondants, mais ils n'ont pas la même forme que dans le désert ; ce n'est plus le temps du miracle tel qu'ils l'ont expérimenté mais le temps de la construction, de la tâche à remplir : la terre ne peut produire son fruit que si l'eau du ciel lui est donnée, mais ils devront défricher, labourer, cultiver, récolter les fruits. Ils vont avoir à structurer, organiser leur communauté mais pas de la même manière que les peuples qui les entourent. Ils ont à se conformer aux commandements, lois et coutumes que l'Éternel leur donne, aux grandes directions du décalogue, ils vont devoir se garder des chemins de mort qui ont failli les détruire, se confronter à la réalité dans l'écoute des indications de l'Esprit, entretenir des relations avec les peuples qui les entourent, apprendre à gérer les dons de Dieu, ne pas se les approprier, ni les thésauriser...

Là se trouve un grand enseignement pour nous. La tentation est grande d'en rester au temps du miracle qui abonde souvent lors de la première rencontre avec Dieu, de la révélation de son amour. Il devient alors très tentant de continuer à attendre que tout nous soit donné sans que nous ayons à nous mettre en route, à construire de la vie, à changer notre relation au monde sans le quitter, à nous impliquer dans l'histoire comme des fils et filles de Dieu. N'oublions pas que la traversée du désert mène à la responsabilité, à la tâche, au don, au service et qu'il nous appartient de laisser l'Esprit nous révéler le sens du véritable service. Sa lumière, la grâce et la force du Christ, la présence vivante du Père vont accompagner jour après jour la marche des êtres humains.

LA PÂQUE DE JÉSUS CHRIST

La deuxième Pâque est celle de Jésus avec ses quatre jours d'une extrême densité, quatre étapes qui, pour nous, durent bien sûr plus longtemps que quatre jours.

Les fausses notions de la Croix. La dérive sacrificielle.

Toute tendance qui élimine la Croix, cherche à la contourner, n'est pas chrétienne. On ne peut aborder la façon dont Jésus a vécu les derniers jours de sa vie que dans la contemplation, dans la prière et le silence du cœur : elle ouvre sur une telle profondeur de l'amour qu'il est problable que l'on n'en épuisera jamais toute la sève. Seul l'Esprit peut nous introduire dans l'approfondissement du sens réel de la Croix.

Tout en sachant que n'est abordée ici qu'une part infime de son sens vital, il est nécessaire de s'assurer que l'on n'entretient pas d'idées erronées. On ne saurait se résigner à demeurer dans de fausses notions de Dieu, notamment celle d'un Dieu pervers, sur une question aussi essentielle.

Faut-il rappeler que Dieu Père n'a pas programmé la mort de Jésus [1], qu'il n'est pas conforme à sa volonté que Jésus meure d'une mort violente, si cruelle. Jésus Christ a été condamné à mort parce qu'il a annoncé jusqu'au bout un message extrêmement dérangeant : sa parole heurte de plein fouet les pouvoirs de son époque. Il a le choix entre se taire pour protéger sa vie ou remplir jusqu'au bout sa mission en s'exposant avec tous les risques que cela suppose.

Le cardinal Ratzinger exprime clairement que « la conscience chrétienne a été très largement marquée par une présentation extrêmement rudimentaire » du mystère de la Croix [2]. « Certains textes de dévotion, écrit-il, semblent suggérer que la foi chrétienne en la Croix se représente un Dieu dont la justice inexorable a réclamé un sacrifice humain, le sacrifice de son propre fils. Autant cette idée est répandue, autant elle est fausse. » François Varillon précise qu'il est malheureusement courant de penser qu'étant donné que c'est Dieu lui-même qui a été offensé par l'humanité pécheresse, il appartient au Christ qui est homme mais aussi Dieu de se substituer aux êtres humains – incapables de fournir une réparation suffisante – pour offrir à Dieu une expiation digne de lui [3].

Le cardinal Ratzinger exprime avec force que « l'on se détourne avec horreur d'une justice divine dont la sombre colère enlève toute crédibilité au message de l'amour […] car cela voudrait dire que Dieu ne peut pardonner, donner libre cours à sa miséricorde, que s'il est préalablement vengé ».

1. Bernard SESBOÜÉ, *Croire*, p. 285. Voir les chapitres XII et XIII, « La passion et la croix de Jésus » et « Le sacrifice de la croix », p. 271-301.

2. Cardinal RATZINGER, *Foi chrétienne hier et aujourd'hui*, Paris, Éd. du Cerf, 1985, p. 197.

3. François VARILLON, *Joie de croire, joie de vivre*, Le Centurion, 1990, p. 68-79.

Bernard Sesboüé explique « qu'au cours des siècles, [...] la pensée théologique et pastorale s'est laissé parasiter par l'idée commune du sacrifice présente dans l'histoire des religions. L'attention se fixera alors de manière unilatérale sur l'immolation sanglante, et la notion d'expiation véhiculera une image vindicative de Dieu. Cette dérive sacrificielle conduira ainsi à comprendre à tort la personne du crucifié non plus comme l'expression de l'amour bouleversant de Dieu, mais comme le puni de la justice divine », au lieu d'y voir le témoignage d'une solidarité avec l'être humain menacé par le mal, d'une fidélité à son message, d'un amour seul capable de nous retourner le cœur. « À la question inévitable : "Pourquoi le salut du monde passe-t-il par la mort sanglante de Jésus ?", il faut répondre sans hésiter : "Parce que le péché et la violence des hommes ont rejeté le juste et le saint qu'était Jésus" [1]. » On ne saurait être plus clair. Ces affirmations vigoureuses nous rassurent sur la réalité de l'amour d'un Dieu proche des hommes, de leur fragilité, au travers des risques qui jalonnent leur vie.

La Pâque de Jésus est le sacrement de l'amour.

Qui me voit voit celui qui m'a envoyé, dit Jésus (Jn 12, 45).

C'est ainsi qu'en contemplant la vie du Christ, en nous imprégnant de son message, nous connaissons Dieu comme Père, nous comprenons qu'il est amour. En méditant les évangiles, nous voyons Jésus le cœur ouvert, donné à tous, transmettre à pleines mains l'amour du Père, partout où il passe : il accueille et respecte de façon étonnante ceux et celles qu'il croise sur sa route, quel que soit leur état, il les considère capables d'être enseignés des grandes vérités du Royaume, qu'ils soient riches, instruits ou pauvres et

---

1. Bernard SᴇꜱʙᴏüÉ, *Croire*, p. 293-294.

simples, dénués de tout ; il s'émerveille devant la foi des uns et des autres ; il est ému de compassion devant toute forme de malheur qui peut atteindre un être humain ; il guérit, réconforte, rassure et aussi interpelle, enseigne, il remet la vie en route partout où il passe. Le message est toujours là, sous-jacent, présent à chaque minute de vie : voyez combien le Père vous aime. Vous pouvez compter sur son amour même si vous vous êtes perdus en cours de route : il vient vous chercher, vous tirer du trou dans lequel vous êtes tombés, vous aide à repartir dans la vie.

Jésus ne va pas se dérober devant ce qui l'attend : sa mort. Il aura ainsi traversé toutes les sphères de l'existence humaine. C'est une très grande preuve d'amour de sa part car, avec la puissance divine qui l'habite, il aurait parfaitement pu échapper à l'épreuve de la mort.

Il accepte de plonger dans l'inconnu, dans cette dernière détresse : il se fie au Père, il croit toujours à son amour, même au cœur de ce désert qu'il traverse. L'amour du Père ne peut pas abandonner sa créature dans la mort, dans le néant. C'est impossible.

Si le Christ n'avait pas traversé la mort, nous ne connaîtrions pas vraiment l'amour du Père, nous ne saurions pas qu'il ne nous abandonne jamais, nous accompagne dans la mort, quelle qu'en soit la nature, et nous ramène à la vie, à la résurrection. C'est l'ultime message que Jésus délivre à ses amis et aussi à ses ennemis car nul n'est exclu de l'amour.

Il nous dit jusqu'à son dernier souffle : voyez comment le Père vous aime.

Jeudi saint.

Jésus sait qu'il va mourir.

Il est encerclé d'une telle haine, la menace est si forte qu'il ne peut qu'être condamné à mort, avoir le destin de ceux dont la parole gêne. Tous les éléments du drame sont en place. Il apporte une notion nouvelle, révolutionnaire, de la relation de l'être humain et de Dieu, une autre idée de Dieu ; c'est en grande partie pour cela qu'il va être condamné à mort. « Ce que Jésus le Christ nous apprend de Dieu est un nouveau langage : "Il faut se mettre à croire à autre chose" [1]. » Il introduit le flux de l'Esprit au cœur d'une structure sclérosée, immobile, devenue une idole, et cela on ne le lui pardonnera pas.

Paul Beauchamp écrit des pages magnifiques sur la façon dont Jésus a rétabli la vérité de la loi du sabbat [2]. « Le désir de faire le bien n'a de fondement que dans le désir de donner ou sauver la vie. La propension à ne rien faire n'a de racine que dans le refus de vivre, de donner la vie, de l'avoir reçue. »

Jésus dénonce le « ni oui ni non » de ses adversaires, leur temporisation, comme une complicité avec la mort. Lui-même va exposer sa propre vie par compassion pour les souffrants.

Le dernier repas fraternel.

Le jeudi saint est le temps où Jésus habite de liberté ce qu'il subit – selon l'expression de Xavier Thévenot. Il transforme en don pour le monde l'épreuve qu'il ne peut éviter : *Ma vie on ne me l'ôte pas, c'est moi qui la donne* (Jn 10, 18).

Jésus n'est pas un résigné. Sa façon de se situer devant la souffrance est à l'opposé de la résignation. Il n'est pas non plus un révolté. Il accepte profondément et activement la réalité, il consent à vivre ce qui est inéluctable. Il ne s'évade pas « au ciel » en chantant « Alleluia ». Il va traverser l'épreuve comme un vivant, en pleine conscience, relié au

1. E. WIECHERT, *Missa sine nomine*, coll. « Le Livre de poche », 1965, p. 234, cité par A. GESCHÉ, *Dieu pour penser*, VI, *Le Christ*, p. 40, 72.
2. Paul BEAUCHAMP, *La Loi de Dieu*, p. 171-190.

Père, le cœur empli d'amour pour tous les humains, au plus profond de la détresse. Dans la douleur, il va descendre au cœur de la réalité du mal.

Jésus n'a pas devancé l'heure de sa mort mais il ne la fuit pas.

Il ne la provoque pas. Il n'a jamais eu aucune connivence avec la souffrance qui demeure pour lui un adversaire.

Il est monté à Jérusalem, le fief de ses adversaires, car son message doit aussi être annoncé au cœur de la structure religieuse qui s'est rigidifiée.

Il garde le sens profond de sa mission au cœur d'une situation complètement fermée. Il va la vivre jusqu'au bout. Il a vécu pour le Père, pour les hommes et femmes qu'il est venu libérer. Il mourra également pour : c'est la loi de sa vie [1]. Il aurait pu se mettre à l'abri, édulcorer son message, céder aux pressions de ses adversaires, se taire.

Il maintient dans son intégralité, sans en rien retirer, le message qu'il doit vivre et annoncer. Il sait qu'il va devoir le transmettre d'une autre manière que lorsqu'il pouvait parler et s'exprimer librement. Il choisit de déployer la vie au cœur même de l'enfermement. Il manifeste ainsi l'immense amour qu'il a pour tous les humains. « Le temps de sa mort est un temps de haute vérité, où il montra qu'il allait au bout de ce qu'il était venu dire et faire, où il alla au bout de sa vérité [2]. »

Il choisit de parachever, d'accomplir : « Accomplir n'est pas faire plus mais c'est seulement faire jusqu'au bout [3]. »

Lors de ce dernier partage avec ses proches, il fait par avance don de sa vie pour le monde : il livre son corps qui va être brisé, son sang qui va être répandu, sous la forme du pain et du vin, nourriture non violente par excellence, symbole de douceur (Mt 26, 26-29) [4].

1. Bernard SESBOÜÉ, *Croire*, p. 277-278.
2. Adolphe GESCHÉ, *Dieu pour penser*, VI, *Le Christ*, p. 159.
3. Paul BEAUCHAMP, *La Loi de Dieu*, p. 129.
4. André WÉNIN, *Pas seulement de pain...*, p. 97-98.

Face à l'extrême violence, à la haine aveugle et meurtrière, il oppose le sommet de l'amour :

*Ayant aimé les siens qui étaient dans le monde, il les aima
jusqu'à la fin* (Jn 13, 1).

*Il n'est pas de plus grand amour que de donner sa vie pour
ses amis* (Jn 15, 13).

Sa liberté intérieure est totale, c'est la liberté de l'amour.
En lui tout est don, tout est amour, même au travers de ce
qu'il vit au cœur du mal. Il continue, comme il l'a toujours
fait, à transmettre la vie en inventant les gestes du don.
Manger le pain et boire le vin est accueillir en soi, assi-
miler, faire siennes la douce puissance, la force aimante du
Christ qui donne accès à la vie de Dieu. Il ne s'agit pas ici
d'un accaparement avide, comme dans le récit de la transgression d'Adam et Ève, mais de l'accueil d'un don qui
scelle une alliance et va permettre à l'être humain de se
donner à son tour, d'entrer dans ce grand mouvement de
l'amour [1].

Mais la réalité est là : partage, nourriture signifient relation. Jésus annonce que l'un de ceux qui a partagé le pain et
le vin avec lui va le livrer. C'est alors qu'une discussion
éclate entre les disciples pour savoir lequel d'entre eux est
le plus grand. Jésus se lève et leur lave les pieds, y compris
ceux de Judas qui va le trahir, et ceux de Pierre qui va l'abandonner. Peut-être pour les éveiller à une ultime prise de
conscience, en tout cas pour leur signifier une fois encore par
ce dernier geste la disposition du cœur du véritable serviteur,
la façon de servir sans volonté de puissance ni emprise sur
l'autre (Jn 13, 1-20).

La nuit à Gethsémani.

Après ce repas, Jésus se rend au mont des Oliviers où il
avait coutume de prier. *Mon âme est triste jusqu'à la mort,*

1. *Ibid.*

dit-il à ses disciples. Restez ici tandis que je m'en irai prier là-bas (Mt 26, 36).

Il vit l'épreuve qui l'attend comme un homme sensible et vulnérable. Il n'occulte pas la douleur intense, il la traverse en étant profondément affecté par elle, au point d'avoir une sueur de sang. Il vit un va-et-vient bouleversant entre une demande d'aide à ses plus proches et une solitude impressionnante à laquelle il ne peut se résoudre : aucun de ses disciples ne répond à son appel : ils sont « endormis de tristesse » (Lc 22, 45). Il souhaiterait échapper à ce drame (Lc 22, 42). Dieu se tait. Mais il est là. Il accompagne, il veille, il envoie un ange pour fortifier Jésus dans sa détresse : « Alors lui apparut, venant du ciel, un ange qui le réconfortait » (Lc 22, 43). Jésus retrouve la force dont il a besoin : *Levez-vous, allons* (Mt 26, 46).

C'est alors qu'il est arrêté *par les envoyés des grands prêtres et des anciens du peuple* (Mt 26, 47).

Il refuse d'employer les armes de la toute-puissance : il aurait facilement pu, avec la force de Dieu qui l'habitait, massacrer ses adversaires. Il va traverser cette épreuve dans les limites de tout humain qui doit faire face à un procès inique.

Pour nous aujourd'hui.

Le jeudi saint est le temps de l'acceptation active de l'événement, de son histoire, d'un consentement très profond, d'une adhésion à la réalité.

Le Christ nous apprend comment trouver la liberté intérieure au travers d'un passé difficile, d'un présent peut-être lourd, enfermant. Il ne s'agit en aucun cas d'avoir une connivence avec la souffrance, de la rechercher, mais de vivre autrement ce que l'on n'a pas choisi de vivre, le mal que l'on subit, qui nous atteint, nous encercle.

Ce consentement induit le choix de ne pas dénier, ni fuir, ni survoler la réalité, ni attendre passivement que l'épreuve s'estompe pour passer à autre chose. Elle va permettre de vivre pleinement et activement le présent en accueillant la compassion du Christ. Elle est à l'opposé de la résignation qui entraîne stérilité, immobilisme, impuissance. Qui est résigné fait du surplace, n'avance plus, enterre la graine de vie, éteint la mèche qui fume encore. Il se couche en quelque sorte dans son malheur. Qui accepte la réalité peut aussi avoir des moments d'épuisement total. C'est la disposition du cœur qui est différente. Il se laisse alors aller dans l'amour qui l'accueille et le réconforte dans l'épreuve.

Le consentement à l'événement va permettre à la graine de vie mystérieusement présente en tout de germer et de grandir. Il ne supprime pas douleur et détresse, mais le cœur se pacifie peu à peu, la grâce est à l'œuvre.

Chez Jésus, c'est l'amour qui est plus fort que la mort, qui va vaincre la mort, qui demeure vivant au cœur de la réalité du mal qui écrase.

En lui, le temps du consentement a précédé l'événement. Il savait ce qui l'attendait.

En ce qui nous concerne, nous traversons des périodes difficiles à l'issue souvent incertaine. Il arrive que notre jeudi saint, le moment du consentement à l'événement, à notre histoire, se situe après la douleur du vendredi saint ou la visitation du Christ dans nos profondeurs, au temps du samedi saint. Un long trajet est souvent nécessaire avant de parvenir à cette liberté intérieure qui va changer la disposition du cœur et du regard ; et cela ne signifie pas que nous allons baisser les bras ; nous avons à créer de la vie jusqu'à notre dernier souffle, à habiter de vie tout ce que nous traversons.

L'Esprit nous éclairera et nous indiquera comment vivre ces jours-là. Le pain et le vin, signe du don du Christ, vont nous donner la force de traverser ce passage, dans l'assurance que nous ne sommes plus orphelins, dans le réconfort de nous savoir accompagnés, consolés, fortifiés par l'amour et la compassion du Père.

Jésus a été jusqu'au bout de ce qu'il avait à vivre : c'est un puissant enseignement pour tous.

Vendredi saint.

Jésus l'innocent devant le mal.

Jésus meurt jeune, en pleine mission, victime du mal, de la violence qui s'abattent sur lui.

Le vendredi saint est le temps de la douleur, du choc, de la violence qui se déchaîne, de la trahison, du doute, de la déstabilisation, de la solitude, de l'abandon. C'est aussi pour Jésus le temps de l'humiliation ; son message est tourné en dérision de la façon la plus cruelle. Lui qui, du temps de sa vie publique, a combattu le mal sous toutes ses formes, ne répond plus à ce que l'on attend de lui : il semble impuissant devant le malheur qui le frappe, perd apparemment toute crédibilité. *Nous espérions, nous, que c'était lui qui délivrerait Israël* (Lc 24, 21). La profondeur de son message semble oubliée ou incomprise. Tous l'ont abandonné, trahi, sauf un petit noyau de fidèles. Personne ne s'attendait à une fin aussi lamentable. Cela a dû être pour Jésus une terrible épreuve.

Au cours de son procès, il prononce à peine quelques mots : la mauvaise foi est telle qu'il est inutile de tenter de s'expliquer, la volonté de l'éliminer est farouche. Jésus ne retire rien de son message, il demeure dans son axe, suit toujours sa trajectoire. Il va entrer dans la mort comme un vivant, un vivant profondément atteint, douloureux. La douleur n'est pas que physique ; il a déçu tout le monde.

Dieu semble l'avoir abandonné : *Mon Dieu, mon Dieu, pourquoi m'as-tu abandonné ?* (Mt 27, 46)[1]. Il ne comprend plus.

---

1. Xavier THÉVENOT, « Le combat de Jésus à Gethsémani. Les sept paroles du Christ en croix », *Souffrance, bonheur, éthique*, p. 40-47.

Cependant au cœur de ce désert intérieur il est toujours dans le déploiement de sa mission. Il reste relié au Père, il se plaint à lui et non de lui, comme un témoignage vivant de la relation filiale qui demeure malgré l'épreuve. Il va mourir le cœur ouvert. Il s'adresse à sa mère, à Jean, les confiant l'un à l'autre (Jn 19, 25-27), il accueille sans aucune restriction le truand crucifié à côté de lui et qui le reconnaît pour ce qu'il est : *En vérité, je te le dis, dès aujourd'hui tu seras avec moi dans le paradis* (Lc 23, 43). Il n'oublie pas ses bourreaux, responsables religieux, créatures de Dieu : il voudrait les aider à sortir du mal dans lequel ils se sont enfermés, de leurs terribles certitudes : *Père, pardonne-leur, ils ne savent ce qu'ils font* (Lc 23, 34). Il prononce une phrase qui résume toute sa vie : *Tout est accompli* (Jn 19, 30).

« Accomplir-parachever » est un terme magnifique, plein, dense. Jésus a tout perdu et il n'a rien perdu. Toutes les étapes de sa vie ont été vécues jusqu'au bout. Il a vécu pleinement le temps de l'enfance, de l'adolescence, de la longue et silencieuse préparation à Nazareth, de ses trois années de mission, de la joie de la présence guérissante du Père, de la reconnaissance éperdue de ceux et celles qui l'accueillaient au cœur de leurs misères. À Gethsémani, il vit la douleur la plus profonde, dans la même présence et densité. C'est par sa vie entière que Jésus sauve l'humanité.

Sa dernière parole est pour le Père. Alors qu'il sait que le fait d'appeler Dieu son Père a été un des motifs de sa condamnation, il exprime une parole publique, entendue de tous, signe d'une certitude, d'une confiance absolue au cœur de la nuit : *Père, je remets mon esprit entre tes mains, et ce disant, il expira* (Lc 23, 46).

Alors qu'il vient de mourir, sans comprendre le sens de son geste, un soldat va lui transpercer le cœur de sa lance (Jn 19, 34), comme un symbole de ce cœur qui demeure ouvert sur le monde entier au travers du mal qui s'est abattu sur lui ; c'est ainsi qu'il vient sauver ce qui est perdu.

Le temps du mal subi.

Jésus est totalement innocent du mal qui s'abat sur lui. Il est victime de la violence, de l'intolérance, de l'aveuglement, de la recherche de pouvoir, de l'ambition, de la peur, de la concurrence d'une partie des responsables religieux de son époque. Il est véritablement l'agneau de Dieu qui ôte le péché du monde (Jn 1, 29).

Au cours de leur existence, les êtres humains sont affrontés au mal qui est là, dans le monde. La question du mal ouvre un abîme de questionnement chez tous les êtres humains.

Bernard Sesboüé écrit que « la réflexion sur le mal ne peut être que modeste, et elle nous laissera toujours sur notre soif. Il y a pourtant quelque chose à dire à propos du mal [1] ».

Le problème du mal ne saurait être traité brièvement. Ceux qui souhaitent aller plus loin dans leur questionnement se reporteront avec profit – entre autres écrits – aux études qu'en font des théologiens contemporains [2]. « Dieu ne reste pas étranger au problème du mal, il le prend sur lui dans toute sa violence, il acquiert ainsi le droit de nous en parler. La souffrance du Christ ne vient pas justifier la souffrance : elle lui ouvre un sens possible », celui que l'on peut donner à sa vie au travers du non-sens qu'est la souffrance. « Le Christ nous annonce et réalise déjà pour une part la libération du mal par le salut qu'il vient nous apporter. Cette promesse

---

1. Bernard SESBOÜÉ, *Croire*, p. 178.
2. Adolphe GESCHÉ présente une très profonde réflexion sur le mal dans *Dieu pour penser*, I, *Le Mal*. Xavier THÉVENOT lit avec un regard neuf la transgression d'Adam et Ève pour cerner en quoi réside le « commencement » du péché, sa nature, ses conséquences, dans *Les péchés, que peut-on en dire ?*. Dans son livre *Compter sur Dieu* et dans les chapitres traitant de « La compassion, une réponse au mal » (p. 1123-1140), il approfondit la compassion, les caractéristiques du mal, le Christ compatissant et le triduum pascal. Bernard SESBOÜÉ dans *Croire* au cours des chapitres « Mais alors pourquoi le mal ? » (p. 178-195) et « De l'excès du mal à l'excès d'amour, l'origine du mal » (p. 197-213), traite de l'origine du mal et de la réponse qu'y apporte le Christ.

est gagée sur des arrhes suffisamment fortes pour être cré-
dibles : la personne de Jésus, sa mort et sa résurrection [1]. »
    La Bible nous signifie que la Création est bonne. « Le mal
ne tient pas à la volonté d'un Dieu pervers » : Dieu n'est pas
la cause du mal. « Le mal est un malheur. » Le mal n'a pas
non plus son origine dans les êtres humains qui n'en sont pas
« les initiateurs absolus ». En revanche, s'ils n'ont pas
inventé le mal, ils peuvent en être complices, y consentir, lui
ouvrir une brèche, comme Adam et Ève, au lieu de le
combattre. À tout instant, ils risquent de se « désorbiter », de
perdre leur axe, leur direction. Le mal peut et doit être
combattu, c'est la part de responsabilité de tout homme, de
toute femme.
    Le combat contre le mal est d'abord celui de Dieu. Il n'est
pas seulement celui des êtres humains [2]. Dieu prend le parti
des victimes. Jésus lui-même a été victime du mal. Il
s'engage totalement dans une entière solidarité, avec les
hommes, les femmes, qu'il est venu libérer, sauver, enseigner. « Sur la croix, Jésus qui s'est proclamé le Fils par
excellence, nous parle par sa manière de vivre et de mourir :
le problème du mal qui vous écrase, m'écrase moi aussi. Il
n'est pas seulement le vôtre, il est aussi le mien. J'ai voulu
l'assumer jusqu'au bout. Le mal, la souffrance, la mort, oui,
je sais, je connais, je les ai vécus [3]. » Cela nous manifeste que
le salut ne vient pas purement et simplement de l'extérieur,
comme un acte magique. Il se passe bien au cœur de la réalité du mal [4], et c'est bien au cœur de notre réalité, de notre
désordre, de ce qui nous empêche de devenir ce que nous
pourrions être, qu'il va se déployer.

1. Bernard SESBOÜÉ, *Croire*, p. 213.
2. Adolphe GESCHÉ, *Dieu pour penser*, I, *Le Mal*, p. 36.
3. Bernard SESBOÜÉ, *Croire*, p. 198.
4. Adolphe GESCHÉ, *Dieu pour penser*, I, *Le Mal*, p. 79.

Pour nous aujourd'hui.

Comment vivre le temps de l'épreuve.

Le Christ nous apprend à ne fuir aucune étape de vie, à aller au bout de ce que nous avons à vivre, que ce soit le temps de la joie ou celui de l'épreuve. Vivre pleinement le présent avec lui et en lui, dans l'épaisseur de notre humanité, portera un fruit de vie. Autant nous n'avons jamais à rechercher la souffrance, autant nous avons à ne pas nous détourner de la dure traversée du désert quand elle se trouve sur notre route. C'est pourtant ce que beaucoup d'entre nous ont fait dans le passé : pour contourner la souffrance de la blessure, ils ont pris, sans le savoir, des chemins de traverse. Mais rien n'est jamais définitivement perdu, tout peut être rattrapé, sauvé.

La plupart de ceux qui entreprennent un trajet d'évangélisation des profondeurs sont d'abord des souffrants. Dans le passé, ils ont été victimes de blessures dont les conséquences pèsent encore lourdement sur eux. Beaucoup ont connu l'abandon – sous quelque forme que ce soit – le rejet, l'injustice, la violence, le manque de reconnaissance ; pour certains il n'est pas exagéré de dire que l'innocence a été massacrée. Bien souvent des blessures qui paraissent légères ne sont pas aussi anodines que l'on pourrait le croire.

L'épreuve est aussi le temps des grandes douleurs du présent, la mort d'un être cher, la rupture, la trahison, une grave maladie...

Le fait que Jésus le Christ a assumé la réalité de sa vulnérabilité dans une forme de nuit intérieure, est pour tout homme, toute femme, une profonde libération. Il les autorise en quelque sorte à vivre leur propre vulnérabilité, à ne pas se culpabiliser de leur fragilité, à prendre le temps de parcourir en son entier le long trajet du deuil, à pleurer, à être déstabilisés.

Ceux qui ont un lourd passé, un présent difficile, comprennent alors comment ils peuvent déposer leur plainte dans le

cœur du Père, laisser le Christ habiter ce qu'ils vivent, la douleur, la violence, la haine, la révolte, tous ces grands remous
qu'ils ont peut-être relégués au fond d'eux-mêmes parce que
trop durs à affronter. Ils ont le droit de se questionner, d'être
déchirés, tout en gardant la certitude, peut-être très ténue,
qu'ils ne sont pas seuls dans la détresse : ils semblent être
abandonnés et cependant le Père les accompagne à chaque
seconde de vie au cours de l'épreuve ; sa présence est bien
vivante ; il les console, les fortifie, les aide à traverser l'incompréhensible, l'impensable.

C'est ainsi qu'ils vont peu à peu apprendre du Christ
comment traverser le mal en enfants de Dieu, comment
donner sens à leur vie malgré la souffrance qui les atteint.

Porter sa croix.

*Quiconque ne porte pas sa croix et ne marche pas à ma
suite ne peut être mon disciple* (Lc 14, 27). Une mauvaise
interprétation de cette parole pourrait être catastrophique.
« Porter » est un verbe actif et non passif. Nous retrouvons
ici la même vigueur que dans l'invite à se lever, porter son
grabat et non le jeter avant l'heure (Jn 5, 8). Il ne s'agit pas
ici du supplice de la croix qu'a subi Jésus mais du sens que
Jésus a donné à sa vie et à sa mort. C'est l'Esprit Saint qui
nous apprend à contempler l'événement que furent la
condamnation et la mort de Jésus. Il nous fait peu à peu
« avancer en eau profonde », il nous aide à approcher du
véritable sens de la croix en même temps que de ce sommet
de l'amour devant lequel nous ne pouvons être qu'à genoux.

Pour essayer de comprendre cette parole de Jésus :
« porter sa croix », nous pouvons commencer humblement,
en nous limitant au symbolisme des deux branches de la
croix, et en gardant à la conscience que nous n'explorons là
que l'un des aspects de la croix. Cette première approche
peut nous permettre de ne pas nous enfermer dans une interprétation mortifère de la parole du Christ, de ne pas nous

établir dans ce que l'on appelle la dérive sacrificielle. Il sera plus facile ensuite d'approfondir le sens vivifiant, spécifique que va avoir pour chacun, chacune, cette interpellation de Jésus, de découvrir dans la lumière de l'Esprit la sève de la parole qui nous appelle toujours à la vie véritable, et non à la destruction.

Les deux branches de la croix mettent sous nos yeux le croisement de deux dimensions. L'horizontale représente la terre, la matière, la chair, le monde des formes. La verticale représente le monde de Dieu, l'invisible infini, la parole et la lumière éternelle, la grâce, la force de l'amour du Dieu trinitaire qui visite, pénètre, la terre. L'Éternel entre dans le temps, le fini. La parole, le verbe, descendent dans la chair. Le Christ est crucifié à l'intersection de ces deux forces, en leur exact milieu où l'une rencontre l'autre, où le rayon éternel traverse la résistance terrestre. Jésus le Christ est réellement homme et en même temps il est « le Fils » ; il participe pleinement à la vie du Père ; il est là en ce lieu, au sommet de l'amour, dans le don de sa vie en toutes ses dimensions. L'aube de sa résurrection verra la victoire du Père sur le mal, le monde de violence, de lourdeur, d'inertie, de résistance de toutes sortes, volontaires ou non, à l'irruption de la vie nouvelle.

L'être humain est par le Christ, en lui et avec lui, à cette même place, à l'intersection de l'Esprit et de la matière. Sa tâche essentielle est d'aller au bout de son humanité, sans rien survoler, ni gommer, ni dénier – la dimension horizontale – en laissant vivifier par le souffle de l'Esprit, la grâce du Christ – la dimension verticale – aussi bien sa terre intérieure en son entièreté que son monde extérieur : il est aussi faux de se réfugier dans le monde spirituel en méprisant la matière que de s'attacher à la matière en reniant le monde de l'Esprit, en se coupant de la source de vie, en ignorant comment la laisser féconder la terre.

Beaucoup se demandent comment porter leur croix,

s'inventent des croix alors qu'ils vivent déjà pleinement cet appel, ce passage à la vie.

Tout au long du parcours d'évangélisation des profondeurs, nous nous trouvons à cette place d'intersection des deux dimensions verticale et horizontale.

Si nous répondons à l'invite (Ap 3, 20) et ouvrons la porte de notre terre intérieure en toutes ses dimensions (l'horizontale) à celui qui vient nous apporter le salut, nous sortir du chaos, de la confusion, de l'absence de sens, alors, la présence vivante du Christ (la verticale) pénètre au cœur de l'épaisseur de notre humanité, de nos résistances, au cours de chacun des passages que la grâce nous propose.

Qui ne se fie pas à sa seule sagesse, à ses propres lois pour la conduite de sa vie, qui adhère au dessein du Père, en commençant par mettre en œuvre les lois de vie, porte sa croix car il renonce alors à la toute-puissance : la loi première, fondamentale, va éclairer les lois humaines, leur donner sens. Qui permet à l'Esprit Saint de visiter l'intégralité de son être, d'éclairer ses obscurités, de l'amener à la vérité sur lui-même, porte sa croix. Qui accueille activement la grâce du Christ, accepte et reçoit la force de quitter les chemins de mort, celui-là porte sa croix. Qui adhère à l'œuvre du Dieu de la résurrection qui éveille ses ressources les plus profondes fortifie ses choix, ses désirs les plus authentiques, sa volonté, porte sa croix.

Ceux et celles qui répondent à l'invite d'élargir l'espace de leurs tentes (Is 54, 2) pour devenir artisans de vie, serviteurs du Royaume, qui se mettent en route sur le chemin de la Pâque, du passage d'une forme de mort à la vie, qui acceptent de traverser en Christ, dans l'Esprit, les étapes qui s'ensuivent, se trouvent bien au croisement des dimensions verticales et horizontales de la croix : ils portent alors leur croix, comme des vivants, ils se mettent debout, ils deviennent des disciples.

C'est ainsi que les œuvres de l'être humain seront libérées de l'immobilisme, de la pesanteur, de la répétition, de l'absence de sens, que le Royaume sera mis au monde, là où il n'est pas encore né.

Donner chaque instant de vie.

Jésus s'est certainement entièrement donné au monde dès que sa conscience s'est éveillée. En lui tout est don : à douze ans, lors d'un voyage à Jérusalem, au moment de la fête de la Pâque, il a exprimé qu'il était au service du Père et donc de tous les humains, car l'un ne saurait aller sans l'autre. À l'insu de ses parents qui le cherchent en vain pendant trois jours, il reste au Temple, il écoute et interroge les docteurs de la loi. *Pourquoi me cherchiez-vous ?* répond-il à ses parents angoissés ; *Ne savez-vous pas que je me dois aux affaires de mon Père* (Lc 2, 41-50). Il a fait don de chaque instant de sa vie, que ce soit dans les longues années silencieuses de Nazareth, dans les débuts joyeux de sa mission, dans le terrible affrontement avec les chefs religieux et le temps de sa condamnation à mort. C'est le même mouvement, qui se vit aussi bien dans l'accueil et le partage de la vie abondante qu'au moment de la mort physique que tout humain devra traverser. Le Christ est le chemin, et nous sommes appelés en tant que fils, filles de Dieu au don et au partage, à l'image du Père. Nous aussi, nous sommes invités à donner le temps de notre vie. C'est ainsi que nous pouvons faire don des derniers instants de notre existence. Nous offrons la façon dont, par la grâce de Dieu, nous pouvons vivre nos derniers instants dans l'amour, la certitude de la présence, de la résurrection.

En aucun cas cela pourrait signifier que nous allons devancer l'heure de notre mort, chercher à mourir avant notre temps, désirer mourir ou souffrir. Il convient de veiller à demeurer parfaitement juste, à ne pas planter dans son inconscient un désir de mort qui n'est certainement pas dans le dessein de Dieu.

C'est un élargissement considérable, un grand réconfort, une vision dynamique de savoir que nous pouvons librement faire un don des derniers instants de notre existence.

Samedi saint.

La descente de Jésus au séjour des morts.

Le samedi saint, le Christ descend aux enfers, au séjour des morts[1]. Cela signifie qu'il a véritablement traversé la mort jusqu'au bout, la vraie mort, l'épaisseur de la mort. Il n'a pas échappé à ce passage. Le terme « les enfers » est symbolique. En effet, « les enfers ne sont pas un lieu mais un état, celui de la mort en tant que vie séparée de Dieu. Il ne s'agit pas d'une descente et d'une remontée matérielle, mais d'un passage [la Pâque] de la mort à la vie, acte de Dieu envers Jésus et de Jésus envers nous[2] ».

Pratiquement tous les credo anciens, toutes les liturgies baptismales et eucharistiques (orientales aussi bien qu'occidentales) ainsi que les discours de saint Pierre et de saint Paul, qui sont rapportés dans les Actes des Apôtres, mentionnent la descente aux enfers comme faisant partie du parcours pascal de Jésus[3].

Le samedi est ainsi le temps où Jésus descend dans nos lieux de mort : si nous lui ouvrons la porte, il va pénétrer jusqu'à la racine des chemins de destruction que nous avons pu prendre. Il vient alors visiter et sauver ce qui est perdu, nous aider à sortir de nos captivités, nous libérer de nos chaînes. C'est le temps où la promesse s'accomplit.

---

1. Adolphe Gesché a écrit des pages superbes sur la descente de Jésus au séjour des morts dans, *Dieu pour penser*, VI, *Le Christ*, notamment p. 164-193.

2. *Ibid.*, p. 193.

3. *Ibid.*, p. 164-167.

*Je suis l'Éternel, ton Dieu, qui t'ai fait sortir du pays
d'Égypte, de la maison de servitude* (Dt 5, 6).

L'Esprit du Seigneur est sur moi, parce qu'il m'a consacré
[par l'onction,
pour porter la bonne nouvelle aux pauvres.
Il m'a envoyé annoncer aux captifs la délivrance
et aux aveugles le retour à la vue,
renvoyer en liberté les opprimés,
proclamer une année de grâce du Seigneur.
[Lc 4, 18-19.]

Pour nous aujourd'hui.

Le samedi saint est pour nous un temps magnifique, le
temps de l'évangélisation de nos profondeurs, un temps
d'amour, de foi vivante, d'espérance. Jésus Christ vient nous
chercher là où nous avons perdu la route. Il nous manifeste
que nous ne sommes pas laissés pour compte, oubliés de
Dieu : le Père connaît chacun par son nom. La bonne nouvelle est annoncée dans des lieux où elle ne l'avait jamais
été, le courage revient, l'élan vital est mobilisé dans la certitude d'une issue de vie, la joie pointe ; il devient possible
d'être libéré de ses liens, de sortir du tombeau.

Comment vivons-nous le samedi saint ? Comme une
pause entre le vendredi saint, parfois source de tension intérieure, et la joie du dimanche de la Résurrection ? Savons-
nous vivre pleinement ce temps où la bonne nouvelle de
la libération est annoncée à ceux et celles qui se sont ou ont
été enchaînés, où la présence de Dieu vient habiter les parties
de nous-mêmes les plus enfouies, les plus archaïques, les
plus verrouillées, l'endroit même où la torsion, le nœud ont
pris naissance, se sont formés ?

Adolphe Gesché souligne que, dans ce lieu symbolique du
séjour des morts, Jésus a vécu un véritable combat pour

arracher l'être humain à la mort dans laquelle il a pu s'enfermer, pour l'amener à sortir de ses tombeaux intérieurs [1].

Entendre l'appel à se lever d'entre les morts.

L'Écriture en son entier nous manifeste que l'homme, la femme ne sont pas des marionnettes entre les mains de Dieu : il les a créés libres. Il fonde leur liberté : s'ils entendent l'appel à la vie qui revient, à la résurrection, ils vont avoir la potentialité de répondre, de choisir, de déployer leur part de liberté.

Veux-tu guérir ? [...] Alors lève-toi, prends ton grabat et marche (Jn 5, 6.8).

Lazare, Lazare, viens ici, dehors, sors du tombeau (Jn 11, 43).

Prendre conscience de ce combat du Christ contre la mort dans laquelle nous avons pu nous enfermer est source de dynamisme, de courage, car nous allons avoir notre part dans ce combat pour la vie. La parole vigoureuse de Deutéronome 30, 15-19, *choisis la vie*, renonce à toute connivence avec la mort, se retrouve ici avec force.

Laisser le Christ entrer dans nos tombeaux.

Le premier pas que nous allons pouvoir poser est de répondre au désir que le Christ exprime : celui de visiter notre terre, de descendre dans les lieux de nous-mêmes où la vie s'est arrêtée ; c'est une demande qui respecte totalement notre liberté. Nous sommes appelés à poser un acte précis qui ne ressemble à aucun autre : lui ouvrir la porte ; nous retrouvons ici l'invite pleine de tendresse du Christ, de l'Esprit.

Voici, je me tiens à la porte et je frappe ; si quelqu'un

---

1. *Ibid.*, p. 187.

entend ma voix et ouvre la porte, j'entrerai chez lui pour souper, moi près de lui et lui près de moi (Ap 3, 20).

Si quelqu'un ouvre la porte, le Christ va entrer doucement, sans rien forcer, il va visiter l'angoisse, les questionnements, l'impuissance, la honte, la douleur, la violence, les torsions, les oscillations… La vie même de Dieu va alors pénétrer tout ce qui en nous s'est enfermé, immobilisé dans la mort, nos tombeaux.

Jésus vient rassurer, réconforter les souffrants, ceux qui n'y croient plus, qui croulent sous le fardeau, qui sont « couchés sur leur grabat » (Jn 5, 6), qui sont épuisés d'avoir si longtemps cherché en vain une issue à leurs difficultés. Il assouplit ceux qui se sont durcis, fermés ; il libère de la peur, de la peur de Dieu, de la peur de soi. C'est un temps béni, pacifiant.

Mais c'est aussi un temps d'éveil, d'intense activité spirituelle en même temps que de laisser-faire car l'amour de Dieu est inséparable de la lumière, de la vérité. Qui se laisse guider par l'Esprit sera peu à peu éclairé sur sa réalité la plus profonde. Un piège fréquent est de demeurer en périphérie, de n'ouvrir à la visitation du Christ que les symptômes de son mal, les conséquences de la fausse route prise, c'est-à-dire la jalousie, la colère, la souffrance… de se contenter de demander à être libéré de toutes ces manifestations qui empêchent de vivre pleinement. On oublie souvent que le Christ nous invite à ne pas nous fixer sur les symptômes de notre désordre, à avancer en eau profonde.

Avancer avec lui en eau profonde (Lc 5, 4).

Avancer en eau profonde dans ce trajet du samedi saint, cela signifie que nous allons laisser le Christ cheminer jusqu'à la racine de la torsion, de la fausse route, jusqu'au lieu, au temps où elles ont pris naissance. Si l'on veut que la plante reprenne vigueur, il ne sert à rien de ne nettoyer que les feuilles car c'est la racine qui doit être assainie. C'est de là, de ce nœud que le Christ va nous faire repartir pour nous permettre de faire volte-face, de changer de direction, de quitter le tombeau, qui est très précisément nommé, pour revenir à la vie. Il nous appelle à vivre ce trajet avec lui.

C'est le moment où nous nous laissons imprégner par la puissance de la parole, de la vie du Christ, où nous accueillons le salut qu'il nous donne, où nous consentons à abandonner le tombeau, à renoncer à la racine de nos fausses routes, à la transgression, à quitter les anciennes habitudes, les vieux comportements qui ne servent plus à rien : nous arrivons à la fin du deuil :

Viens, suis-moi, dit Jésus (Jn 1, 43), *je suis la résurrection, qui croit en moi fût-il mort vivra* (Jn 11, 25).

Dimanche de Pâques. La résurrection du Christ.

La nuit se termine, l'aube est là. Le tombeau est vide, la pierre est roulée. *Pourquoi cherchez-vous le vivant parmi les morts ? Il n'est pas ici ; mais il est ressuscité* (Lc 24, 5-6).

Jésus a ramené à la vie plusieurs morts : la fille de Jaïre (Mc 5, 21-42), le fils de la veuve de Naïm (Lc 7, 11-17), son ami Lazare (Jn 11, 1-44). Ces résurrections rappellent les miracles de certains prophètes. Elles ne sont pas de même nature que sa propre résurrection, les morts qu'il a ressuscités reviennent à la vie qui était la leur avant de mourir. Ils devront une nouvelle fois mourir, vivre leur dernier passage.

La résurrection du Christ [1].

Jésus n'est pas passé du tombeau à la terre, mais du séjour des morts au Père, à la vie éternelle. La résurrection de Jésus

---

1. Sur le sens de la résurrection du Christ on pourra utilement se reporter au livre de François VARILLON, *Joie de croire, joie de vivre*, p. 80-105, 173-191, et également *Croire* de Bernard SESBOÜÉ, p. 303-329.

est en même temps continuité et rupture [1]. C'est bien Jésus de Nazareth qui est ressuscité, il y a donc continuité d'identité, mais on constate une rupture du mode d'être dans l'espace et le temps. Le corps de Jésus ressuscité n'appartient plus à notre univers physique de l'espace et du temps, il vit désormais dans un autre monde [2]. « Nous voudrions beaucoup pouvoir décrire ce monde mais comme il s'agit du monde de Dieu, il nous échappe totalement [3]. » La résurrection de Jésus est une véritable transformation, c'est une vie transfigurée. Elle nous signifie que la vie ne peut mourir : l'existence humaine se situe entre la naissance et le décès, et non entre la vie et la mort. Car la vie est éternelle et ne meurt pas.

Lors de la résurrection, la vie entière de Jésus prend tout à coup tout son sens.

La résurrection n'est pas un prodige mais une victoire [4].

À force de célébrer trop facilement la victoire de Jésus sur la mort, on oublie que, comme la Passion et la Croix, elle est un combat contre le mal qui maintient les humains en captivité.

La Résurrection est un acte de Dieu arrachant le Christ à la mort tout entière pour le faire passer à la vraie vie. « Jésus en ressuscitant est en même temps le Ressuscité et le Ressuscitant... Sa résurrection est dans le même temps sa

---

1. « La Résurrection s'est faite par la Puissance du Père qui a ressuscité le Christ, son Fils par l'œuvre de l'Esprit. Jésus le Christ est ainsi définitivement révélé Fils de Dieu » (*Catéchisme de l'Église catholique*, n° 648, p. 170).

2. François VARILLON, *Joie de croire, joie de vivre*, p. 81.

3. Bernard SESBOÜÉ, *Croire*, p. 305.

4. Adolphe GESCHÉ, *Dieu pour penser*, VI, *Le Christ*, p. 129-193. Dans cette approche de la Pâque de Jésus, et notamment du combat de la Résurrection, je me suis beaucoup inspirée de l'étude qu'en fait Adolphe Gesché. Pour ne pas alourdir le texte, je ne me réfère pas tout le temps à son livre. Que le lecteur sache combien sa pensée est présente dans ces pages.

résurrection et celle des autres. Elle n'est pas seulement victoire personnelle… elle entraîne victorieusement dans la vie ceux et celles qui en restaient éloignés » ; mais c'est au prix d'un « arrachement onéreux » un peu comme les douleurs et les affres de l'enfantement. « La résurrection, comme la croix, est un combat, un arrachement au mal. » « La résurrection n'est pas une mince affaire… Il y a une agonie de la résurrection comme il y a une agonie de la passion et de la croix. » Adolphe Gesché se réfère à l'icône de la sortie des enfers qui se trouve dans l'église de Saint-Sauveur-in-Chora à Istanbul pour saisir ce caractère de lutte, de victoire difficile de la résurrection. « C'est avec effort, à grand ahan, avec la force et la puissance de Dieu que Jésus – qui est sorti des liens de la mort par la même force et puissance du Père – tire littéralement les premiers parents des enfers, les entraînant à sa suite [1]. »

Jésus nous sauve par sa vie entière, mais à cette étape de sa vie, il est juste de dire qu'il nous sauve et par sa mort et par sa résurrection.

La Résurrection est une victoire de la vie sur la mort.

Le futur et l'avenir [2].

L'être humain prépare un projet, un futur cohérent avec la notion qu'il a de la justice, de la vérité, de l'amour. Dieu soutient le futur de l'être humain. Mais l'avenir vient de Dieu seul. Ce n'est pas l'être humain qui se donne la résurrection par ses propres efforts. La résurrection est l'avenir qui vient de Dieu seul.

1. Adolphe GESCHÉ, *Dieu pour penser*, VI, *Le Christ*, p. 186-187.
2. Arthur RICH, *Éthique économique*, Labor et Fides, 1994, p. 138, n. 43, utilisé d'abord par Émile Brunner puis par Rich, puis par Moltmann et Rahner.

L'inattendu, la surprise, le don gratuit.

La Résurrection, la Pâque surviennent avec une totale gratuité. La Résurrection est un événement inattendu, une surprise, c'est « la surprise d'un inattendu lui-même surprenant, mais qui fait signe en avant et au-delà de lui-même [1] ». Elle est trouvaille, selon l'expression de Xavier Thévenot, émerveillement, révélation, éveil à un plus. *Il n'est pas un Dieu de morts, mais de vivants* (Lc 20, 38). Jésus est le ressuscité et le ressuscitant.

La véritable douleur des enfers est pour l'être humain d'être séparé de Dieu. La merveilleuse bonne nouvelle de la Résurrection est qu'il est sauvé de cette situation, il ne vivra pas séparé de Dieu. Jésus vient annoncer aux humains que la Résurrection est une réalité, qu'il a vaincu la mort, désenchaîné ceux qui se trouvaient enserrés dans des liens destructeurs : ils ont désormais la potentialité d'accueillir cette Résurrection, de laisser le Dieu du dimanche de Pâques accomplir en eux et avec eux le travail de résurrection.

Pour nous aujourd'hui.

Le dimanche de Pâques, la vie reprend souvent doucement ; le germe de vie est là et va pouvoir refleurir. Il importe de savoir comment accueillir la visitation du Christ ressuscité qui est sorti de la mort.

Ressusciter au quotidien.

Nous savons que la résurrection ne sera totale qu'à la fin des temps. Nous voyons bien que nous ne pourrons éviter le passage de la mort physique à la fin de notre existence.

Lorsqu'on aborde le thème de la résurrection dans le trajet d'évangélisation des profondeurs, on ne traite pas de la

---

1. Adolphe GESCHÉ, *Dieu pour penser*, VI, *Le Christ*, p. 151.

résurrection de la fin des temps mais des résurrections qui peuvent se vivre quotidiennement, car la vie, le chemin de la Pâque est une suite de morts et de résurrections. C'est ainsi que la résurrection a commencé et va se poursuivre tout au long de notre existence. Mais la nature de nos résurrections quotidiennes est très différente de la résurrection de Jésus qui a quitté la terre, est véritablement entré dans la plénitude de la vie éternelle.

Le Nouveau Testament traduit le terme de « résurrection » par les verbes grecs « se lever », « se relever des morts », « se redresser ».

Lazare, viens dehors ! Le mort sortit, les pieds et les mains liés de bandelettes, et son visage était enveloppé d'un suaire. Jésus leur dit : « Déliez-le et laissez-le aller » (Jn 11, 43-44). Chaque fois que le Christ invite quelqu'un à se lever, il l'appelle à une forme de résurrection : ne reste pas couché sur ton grabat, relève-toi d'entre les morts, sors du tombeau dans lequel tu t'es enfermé. C'est bien là l'appel à la Pâque.

Il éveille chaque matin, il éveille mon oreille pour que j'écoute comme un disciple. L'Éternel m'a ouvert l'oreille (Is 50, 4-5). C'est alors que l'appel à la résurrection est entendu dans ces parts de nous-mêmes qui sont parties loin de la vie. Chacun, après avoir quitté la forme de mort spécifique dans laquelle il était entré, être sorti de son tombeau, peut se lever à sa manière et retrouver la vie.

L'accueil en soi de la vie du Ressuscité, la façon dont nous allons laisser le Dieu de la Pâque accomplir en nous et avec nous l'œuvre de résurrection va se vivre en plusieurs temps.

L'acte de foi. L'adhésion au retour à la vie.

La résurrection du Christ est au cœur de la foi du chrétien ; elle en est la vérité centrale culminante.

La résurrection s'est produite de nuit et dans le secret, ce qui signifie probablement qu'elle ne va pas de soi. Le

Ressuscité n'est pas celui que l'on croit – de prime abord, les disciples ne le reconnaissent pas – mais celui auquel on croit.

« Le témoignage des apôtres se présente comme un témoignage de foi. Les apôtres sont des témoins qui parlent au nom de leur foi. S'ils ont reconnu Jésus ressuscité, ce n'est pas seulement avec les yeux du corps mais aussi avec les yeux de la foi [1]. »

Cette foi vivante en la résurrection du Christ va se traduire de façon concrète par notre adhésion à la vie nouvelle qu'il nous apporte.

Nous retrouvons ici l'interpellation de Jésus à l'infirme de Bethasda : *veux-tu ?* (Jn 5, 6).

Il importe d'adhérer à sa propre résurrection. Elle est donnée bien sûr, mais comme pour tout don de Dieu, il s'agit de choisir d'accueillir ce don, de le développer, comme la potentialité d'une vie particulière qui porte déjà en elle une part d'éternité. Nous savons que la liberté de Dieu précède la liberté de l'être humain, elle la fonde, la transfigure, la fortifie, lui permet de se déployer. Tout homme, toute femme peut ainsi répondre selon sa part de liberté au don qui lui est fait.

Ceux qui entreprennent un trajet d'évangélisation des profondeurs vivent une forme de résurrection lors de chacun des passages d'un chemin de mort à un chemin de vie. Mais le temps du dimanche de Pâque est celui où le Christ nous révèle notre « nature résurrectionnelle [2] », cette capacité qu'ont tous les humains de permettre au Ressuscité d'accomplir en eux le travail de la Pâque.

Ce qui compte, c'est cette détermination de choisir la vie offerte, comme une option définitive, un oui à l'alliance proposée à l'être humain par le Dieu vivant : Je te donne la vie,

---

1. Bernard SESBOÜÉ, *Croire*, p. 304.

2. Adolphe GESCHÉ, *Le Christ*, p. 192. « Le Fils de Dieu ressuscite la Création. Et il fait de l'homme un être résurrectionnel, au même titre que le Père a fait de l'homme un être créationnel. »

choisis donc la vie, accueille en toi, à l'intérieur même de la forme de mort qui est la tienne, la vie du Ressuscité, la vie renouvelée. Je compte sur toi pour créer de la vie partout où tu passes, pas n'importe quelle qualité de vie, celle que je te donne, celle du Ressuscité.

Qui a découvert et compris le sens de cette vie-là va porter un fruit qui demeure en vie éternelle, va pouvoir semer selon l'Esprit.

Peu avant de mourir Jésus a dit que la vie éternelle commence dès ici-bas, *la vie éternelle, c'est qu'ils te connaissent, toi, le seul véritable Dieu, et celui que tu as envoyé, Jésus Christ* (Jn 17, 2-3). La vie éternelle est une qualité de relation à Dieu qu'éprouvent ceux et celles qui découvrent sa présence vivante en eux, qui prennent conscience de leur « je », renouvelé par la vie même de Dieu, de leur part éternelle, qui entrent dans « l'alliance », dans le grand mouvement du don reçu et partagé. C'est alors qu'ils deviennent le sel de la terre, la lumière du monde (Mt 5, 13-14).

En entrant dans notre humanité, le Christ redonne sens à tout ce qui est humain, permet de se situer dans une autre dimension. Il encourage, vivifie, fait grandir. Rien n'est perdu, tout ce que l'on vit s'inscrit dans un devenir, se rattache à la notion de salut.

Pourquoi avons-nous tant de mal à croire à la réalité de la résurrection pour nous-mêmes ? Pourquoi douter encore après tant de signes du passage du Seigneur dans nos vies ? Pourrait-il nous abandonner ? Demandons au Christ de fortifier notre foi, de l'éclairer, de nous donner la grâce de sortir de l'oscillation permanente, de la frilosité. Il est vrai que beaucoup ne savent pas comment situer la résurrection au cœur de leur présent. Ils ignorent ce que cela peut signifier. D'autres attendent une résurrection sous forme d'une guérison totale, définitive ; n'étant pas exaucés, ils n'y croient plus. C'est ainsi que l'on peut arrêter son cheminement alors que l'on se trouve au seuil même de la vie renouvelée.

L'accueil de la résurrection.

Nous ne sommes plus ici dans le domaine de la foi en la résurrection, mais dans la possibilité de l'accueillir. En effet beaucoup croient en la résurrection, mais ne parviennent pas à la recevoir.

La résurrection est offerte, donnée, elle se reçoit. L'accueil de la résurrection est une expérience vitale. Apprendre à la recevoir en soi, l'accueillir dans l'intégralité de son être, corps, psyché, cœur profond, permettre au Dieu de la Pâque d'accomplir en nous et avec nous le travail de résurrection est un temps essentiel.

Renaître devient possible, une porte s'ouvre au cœur de ce qui apparaissait sans issue, les murailles de Jéricho s'effondrent, la mer Rouge s'écarte, permet de passer à pied sec. Il est donné de franchir ce qui paraissait infranchissable.

Pourquoi – alors que les étapes indispensables au retour à la vie ont été vécues – demeurons-nous si attachés aux toxines du passé, avons-nous tant de mal à les laisser aller ? Quelle est cette dernière difficulté, cet ultime combat où l'on retrouve la peur des Hébreux au seuil de la terre de la promesse, devant la forteresse de Jéricho, verrouillée, barricadée, apparemment imprenable ? Quelle est cette prison dans laquelle nous nous maintenons ? De quoi avons-nous peur ? Qu'est-ce qui nous encercle encore ?

• *Les conditions de l'accueil.*

Il semble essentiel :
– de renoncer à la prétention de se ressusciter par ses propres forces ;
– de ne pas imaginer à l'avance la forme de l'exaucement, de se fier totalement, inconditionnellement à l'amour du Père, de consentir à se désagripper d'un fruit précis, de vivre cette insécurité-là, d'entrer dans cette confiance fondamentale ;

– de ne pas oublier que la résurrection va se vivre au travers de nos limites.

• *Les obstacles.*

– Beaucoup ne croient pas à la puissance de l'amour de Dieu pour eux-mêmes, ils ne pensent pas que l'appel à ressusciter leur est adressé très personnellement, qu'ils sont appelés par leur nom pour vivre ce passage.

– Certains vivent encore sous le coup d'un interdit contraire aux lois de vie : il a été mis en mots mais il est toujours là, comme incrusté dans la chair, comme un obstacle insurmontable : interdit d'être heureux, d'être soi, d'arriver au bout de sa route, de prendre son envol... Le mauvais interdit doit être levé, il n'a rien à faire chez soi. Ceux qui se sont mis en marche possèdent maintenant assez de justes notions de l'idole pour pouvoir refuser énergiquement d'obéir à ce faux dieu, à cette parole mensongère qui empêche la vie.

Lever l'interdit qui n'est pas juste est un acte de courage : on sort enfin de prison, le Christ nous en a définitivement libérés, il est alors possible de suivre sa trajectoire propre, d'entrer librement dans une juste collaboration avec l'Esprit.

– Peut-être aussi se heurte-t-on à la peur de ce que l'on n'a jamais vécu : l'habitude a été prise de vivre malheureux, accablé, emprisonné, ou rebelle, farouchement indépendant, n'ayant besoin de personne...

L'accompagnateur, l'accompagnatrice, va aider la personne à discerner ce qui se passe en elle. C'est peut-être le lieu d'un combat spirituel ; demandons à l'Esprit de nous éclairer. Il suffit parfois de nommer exactement la nature du combat pour trouver l'issue ; la grâce est là, elle ne manque jamais, et il est bon de savoir en quel endroit précis de nous-mêmes nous avons à la laisser œuvrer.

Accueillir la résurrection est un passage essentiel. Ce passage a été précédé des quarante jours, des quarante mois ou des quarante ans de désert. Et voici le temps où la vie revient en plénitude. Ne le laissons pas passer. Le Père nous attend sur la route après cette longue errance. *Tu étais mort et tu es vivant, tu étais perdu et tu es retrouvé*, et la joie est grande au ciel et sur la terre (Lc 15, 24).

Les formes de la résurrection.

Chacune, chacune, va avoir dans l'aujourd'hui de sa vie une forme de résurrection.

La résurrection est essentiellement renouvellement, passage de l'ancien au nouveau, de l'immobilisme au mouvement de vie, de l'oscillation à la certitude.

Chacun, chacune, va vivre tout au long de son existence différentes formes de résurrection, étape par étape.

Chaque fois que l'on quitte un chemin de mort pour prendre un chemin de vie, on entre dans le temps de la résurrection. Elle est partielle, mais bien réelle. C'est ainsi que l'existence va être une suite de Pâques où nous mourrons à ce qui nous empêche de vivre pour naître à nouveau dans une forme de résurrection.

Mais il semble que la forme essentielle de résurrection va toucher la racine de l'être humain, le cœur profond ; elle va se trouver dans le passage du cœur de pierre au cœur nouveau dont nous parle Ézéchiel ; car alors tout est changé. Le regard que l'on porte sur soi, l'autre, Dieu, le cosmos ; les forces vives sont renouvelées pour mener le bon combat de la vie, une jeunesse intérieure est donnée : on ne la perdra jamais. Le mouvement est lancé. Il part du Père et revient au Père.

Il semble que l'on puisse dire que cette touche-là est

définitive ; là est le fondement du retournement qui va se vivre sous une forme ou une autre, étape par étape dans l'entièreté de l'être, même s'il n'y a pas de guérison visible, perceptible.

Ainsi selon les personnes l'élan vital est touché, remis en route ; il devient possible de quitter l'apathie, de choisir la vie, d'entrer dans le bonheur de vivre.

D'autres entrent dans la paix, ils vivent alors un apaisement, une détente très profonde, d'une qualité tout à fait inconnue ; les émotions s'apaisent, l'énergie revient, la joie chasse la lourdeur.

Une des sources de la paix se trouve dans le fait d'avoir véritablement adhéré à cette réalité que la vie est faite d'une succession de Pâques, de morts et de résurrections ; on comprend alors ce que l'on vit, pourquoi on le vit, on sort de l'impatience, de la fébrilité, de l'amertume ; on sait que la résurrection d'aujourd'hui va être suivie d'un passage plus profond, que le cycle de vie va se poursuivre dans l'accompagnement du Père.

La certitude remplace la recherche anxieuse : le Christ vit véritablement en soi, l'Esprit est là, on peut compter sur lui pour être guidé, éclairé, fortifié, une juste collaboration avec lui devient comme naturelle. Dieu est amour, il est réellement Père : on ne peut plus en douter, ces réalités s'inscrivent au creux de la chair, deviennent tangibles en quelque sorte, on vit autre chose qu'une simple croyance, on est établi dans la présence de Dieu.

Le regard sur l'autre change radicalement : on se demande comment on a pu avoir un cœur aussi dur, la compassion s'installe, on peut aimer là où l'on se raidissait, se fermait.

Les passages se vivent, la promesse s'accomplit : il est donné de reprendre pas à pas possession de sa terre, on est assuré de son « je », on sait maintenant qu'on est aimé unique, on découvre avec émerveillement le déploiement de sa propre liberté intérieure ; on sort de l'impuissance, le courage et la force sont donnés ; le mur est derrière soi et non plus devant.

La louange jaillit : Dieu est Dieu ; il œuvre avec la puissance de son amour en toute situation.

Il devient possible de se laisser regarder sans peur par le Christ dans une méditation paisible, de s'accepter dans sa vérité, de s'aimer de façon juste, de se réconcilier avec soi-même, avec son histoire qui devient son histoire sainte, le terreau de sa tâche spécifique.

Certains vivent une libération très profonde, ils ont l'impression de passer la mer Rouge, de voir tomber les murailles de Jéricho : ils doivent savoir qu'ils auront à approfondir ce passage au cours des mois à venir, ils sont à la fin d'un chemin et à l'entrée d'un autre. D'autres cheminent beaucoup plus lentement ; mais ils acceptent paisiblement leur rythme ; la certitude qu'une issue de vie, quelle qu'elle soit leur sera montrée, une façon de gérer sans inquiétude leur difficulté sont leur forme de résurrection.

Le ministère intérieur de chacun, sa couleur particulière, sa note spécifique vont se découvrir et devenir féconds.

Qui a vécu les chemins de sa Pâque va pouvoir aider, devenir artisan de vie, semer la vie partout où il passe.

Résurrection et limites.

N'oublions pas que dans notre présent, sur cette terre, la résurrection se vit au travers de nos limites ; elle ne les supprime pas. Le risque est grand de retomber dans le vieux rêve de toute-puissance qui est toujours là et nous guette. Ce serait si merveilleux d'échapper une fois de plus aux limites de la réalité, d'être dispensé de vivre ce que nous ne voulons pas assumer. La résurrection qui aura lieu après notre mort sera différente. Nous entrerons alors dans une vie autre.

L'œuvre du Dieu de la Pâque en soi peut être barrée lorsque l'on s'agrippe à un à-venir bien précis, à une forme de résurrection que l'on fixe soi-même : trouver un emploi après être sorti de la dépréciation, guérir totalement sur tous les plans, voir l'autre changer de comportement... On attend un miracle mais la résurrection qui est la sienne ne sera peut-être pas donnée sous la forme espérée. C'est alors que l'on peut entrer dans le découragement, ne plus savoir comment se situer dans ce trajet d'accueil de la vie du Ressuscité.

Par la puissance du Christ nous allons ressusciter de la forme de mort qui a pu être la nôtre ; nous pouvons nous retrouver avec des cicatrices, des trous, des bosses, peut-être avec un œil, un pied, une main en moins (Mt 5, 29-30). Peu importe, la vie est revenue là où elle était arrêtée ; des séquelles vont peut-être demeurer dans le corps, des fragilités dans le psychisme, des difficultés dans la relation, mais on est debout, vivants, prêts à vivre à fond, jusqu'au bout, avec ce que l'on a et ce que l'on est, avec tout ce qu'il est en son pouvoir de déployer. C'est bien cela la résurrection.

Certains expérimentent, après un trajet d'évangélisation de leurs profondeurs, que la situation dans laquelle ils se trouvaient évolue, s'harmonise, se débloque : le don de Dieu est là, l'inattendu, la gratuité. Mais il arrive aussi qu'après avoir effectué le même trajet, d'autres se trouvent face à une situation qui demeure fermée ou enfermante et ne change pas. Ils peuvent alors s'épuiser dans des prières qui semblent ne porter aucun fruit, attendre que la situation change au lieu de découvrir en soi comment la vivre telle qu'elle se présente, sans demeurer dans la frustration, l'amertume.

Sur un plan strictement extérieur, la situation de Jésus ne s'est pas arrangée au moment de son arrestation et de sa condamnation à mort. Il a eu à traverser le douloureux passage de l'acceptation de la réalité de l'événement, les étapes du deuil : la perte de sa vie à trente-trois ans et l'arrêt brutal de sa mission : on lui ferme la bouche, la Parole ne peut plus être annoncée directement. Il va vivre cette épreuve en demeurant dans sa liberté intérieure, il va quand même livrer son message jusqu'au bout par sa façon de vivre un événement dramatique, et le Père va l'arracher à la mort qu'il n'évite pas, qu'il va traverser en son entier.

C'est ainsi que bien souvent la résurrection va porter son fruit : la situation demeure inchangée mais le regard, la disposition du cœur se modifient, on entre peu à peu dans l'acceptation profonde de la réalité, elle signe le retour à la vie : on accepte la réalité de l'événement pour en faire quelque chose de constructif, pour le vivre autrement que dans la résignation ou l'impuissance ; l'Esprit nous apprend alors comment vivre en liberté intérieure ce que l'on subit, qui est imposé, que l'on n'a pas choisi. Mais ce que l'on choisit c'est la façon dont on va vivre la réalité. Le don de Dieu est bien là, dans ce que l'on n'attendait pas, car on était fixé sur un fantasme ou un rêve. C'est ainsi que, lorsque Jésus apparaît à ses disciples après sa résurrection, ils peinent à le reconnaître : la résurrection ne se situe pas toujours où nous l'attendons.

Trajet.

Muriel a eu un long et beau trajet de guérison intérieure. Elle est définitivement libérée d'un état très sérieux de fusion avec sa mère. Au cours de son existence elle a eu de graves maladies d'origine psychosomatique dues à l'enfouissement total de ses émotions, à l'incompréhension de ce qu'elle vivait, au refus de juger le comportement de l'autre. Cependant son corps demeure très fragile. Elle s'interroge sans arrêt : y aurait-il un passage qu'elle aurait manqué ? Pourquoi son corps n'est-il pas restauré alors qu'elle a vécu une véritable guérison intérieure ? Manquerait-elle de foi ? Au cours d'un entretien elle découvre qu'elle s'est installée au fil des mois dans une revendication de guérison sans cicatrice. Elle a oublié que le Christ est ressuscité avec ses cicatrices, ses plaies encore ouvertes. La façon dont elle a vécu ce problème de fusion a eu des répercussions graves sur son état de santé, son corps a été atteint.

Il est à peu près certain qu'il demeurera fragile toute son existence.

Elle prend conscience que son attente reflète un sentiment de toute-puissance qui fait partie de son histoire ; en effet elle n'a été aimée qu'à la condition d'être parfaite ; dès l'adolescence elle est entrée dans une recherche de perfectionnisme. Tout en elle devait être parfait, elle ne peut donc admettre que la guérison ne soit pas totale. Elle renonce alors à cette nouvelle manifestation de toute-puissance qui demeurait cachée. Elle vit la dernière étape du trajet de deuil : l'acceptation profonde et totale de sa réalité, de ses limites, des séquelles de blessures qui sont toujours là ; elle continue à faire tout ce qui est nécessaire pour se soigner, améliorer son état, gérer sa santé, mais ce n'est plus un souci, un questionnement permanent. Elle est totalement libérée de ce qui devenait obsessionnel, de ce but qu'elle s'était fixée : une guérison sur tous les plans de sa vie.

La dernière pierre qui empêchait la sortie du chemin de mort est alors enlevée : le Dieu de la Pâque peut faire en elle le travail de résurrection, lui donner en plénitude la paix du cœur, celle qui demeure quoi qu'il arrive. Depuis ce passage, Muriel connaît la paix, elle n'est plus à la recherche éperdue d'un but irréalisable ; elle est entrée dans la forme de résurrection que le Seigneur lui réservait, qui n'était pas celle qu'elle attendait.

Les résidus.

Il arrive fréquemment qu'après avoir effectué tout un trajet d'évangélisation de ses profondeurs, on garde en soi des vieux restes du passé qui ne servent plus, ce que l'on pourrait appeler des *résidus* : ils se manifestent souvent sous forme d'un état de lourdeur, de tristesse, de frustration... Ils vont empêcher le travail de résurrection du Christ en soi.

Laurence est profondément heureuse du trajet qu'elle a parcouru en quelques années ; elle est maintenant bien enracinée en elle-même, en Dieu, elle a trouvé sa véritable orientation de vie.

Elle prend tout à coup conscience qu'elle entretient en elle en permanence un sentiment d'accablement. Elle a une vie très remplie, c'est par libre choix qu'elle a reçu le service qui est le sien, mais l'accès à la joie lui demeure fermé. Cependant, elle n'a aucune raison objective d'être accablée. C'est pour elle une surprise de mettre au jour, en mot précis, ce sentiment qui l'habite.

En faisant une nouvelle relecture de son passé, il lui apparaît clairement que, dans sa génération, se trouve une lignée de femmes qui ont été accablées par la vie pour des raisons diverses : un couple difficile, une impuissance à découvrir une issue de vie à leur situation… Une de ses aïeules s'est suicidée. Elle-même a porté un lourd fardeau pendant toute sa jeunesse, elle a pris sur ses épaules le chemin d'un autre, et s'est installée dans une fonction de « sauveur ». Au cours de son trajet d'évangélisation de ses profondeurs, elle a déposé ce fardeau que Dieu ne lui demandait pas de porter, elle a repris sa propre route. Cependant, l'accablement demeure comme s'il était du présent. En fait elle a continué d'une certaine manière à intégrer en elle le problème de l'autre. Elle a une fois de plus pris en elle ce qui ne lui appartient pas : le sentiment d'accablement qui pesait sur ses aïeules.

En outre, elle prend conscience qu'elle a pris l'habitude d'être accablée, ce comportement s'est planté en elle alors qu'il n'a plus lieu d'être.

Du fait du long parcours de guérison qui a été le sien, elle peut rapidement mettre hors d'elle ce vieux vêtement qu'elle portait encore.

Après trois jours de combat, elle est tout à fait libérée. Elle peut alors véritablement accueillir en elle la vie du Ressuscité.

En même temps elle remet les femmes de sa génération dans la main du Père ; elle casse ainsi la chaîne, la transmission du sentiment d'accablement, elle adhère à la loi de vie : deviens toi-même en Dieu, suis ton chemin personnel ; *mon joug est léger*, dit Jésus (Mt 11, 30).

Beaucoup demeurent ainsi dans des sentiments du passé qui n'ont plus lieu d'être ; ils se demandent pourquoi ils ne peuvent retrouver la vie, le bonheur de vivre puisqu'un beau et bon trajet a été fait. Les vieilles habitudes sont tenaces surtout si l'on ne les met pas clairement en mots ; on traîne sans trop savoir ce que l'on traîne ni pourquoi on traîne. L'Esprit va nous aider de sa lumière, nous apprendre comment mettre le vin nouveau dans des outres neuves (Mt 9, 14-17), comment ne pas nous tenir au chaud dans des vêtements usés qui ne servent plus.

Prière vivante.

Passer d'une forme de mort à un chemin de vie entraîne une véritable libération mais ce n'est pas pour autant que l'on accueille la vie du Ressuscité en soi, à l'intérieur de sa propre vie en quelque sorte. Recevoir vitalement la vie du Ressuscité comme un fleuve qui va baigner l'entièreté de l'être est une expérience spécifique, une qualité de vie, l'aboutissement du trajet, le temps de la Pâque.

La résurrection de Jésus s'est vécue au travers d'une mort qui a été très violente. Elle est précédée de trois jours de deuil. De même pour nous la résurrection est souvent précédée de passages difficiles, des sortes d'enfers, des formes de mort, des relations brisées. Elle se vivra si nous lui permettons de se déployer.

Il est très facile de passer à côté de ce mouvement, de demeurer sur le plan d'une croyance mentale. Ne pas saisir le sens vital, réel de la résurrection, ignorer comment vivre ce mouvement intérieur, ou tout simplement ne pas y penser, revient à s'arrêter en route, à se priver du renouvellement de la vie. On est paisible mais pas renouvelé, la vie du Ressuscité ne pénètre pas jusque dans les profondeurs de la chair. Comme les Hébreux devant Jéricho, on risque alors de demeurer au seuil de la Terre de la promesse.

Il n'est plus question à ce moment de conversion, de renoncement, de travail de deuil, de démarche, de réflexion. Il s'agit de laisser ce flux de vie renouvelée pénétrer jusque dans sa chair, dans tout ce qui en soi a besoin de revenir à la vie, les parties malades, un état dépressif installé depuis de longues années, peut-être depuis trente-huit ans (Jn 5, 5), un pardon impossible à donner...

Lorsque émergent les blessures les plus archaïques, celles dont a été victime l'enfant, avant la formation de la pensée, l'expression de la parole, on a souvent le sentiment de se trouver devant un lieu qui semble ne jamais pouvoir être touché. C'est à ce moment qu'il importe de laisser pénétrer au cœur de cette blessure si profonde, ancrée, enkystée dans sa chair, la vie du Ressuscité. Elle va atteindre le nœud, la racine la plus lointaine du mal subi, l'assainir, remettre la vie en route : *la lumière luit dans les ténèbres et les ténèbres n'ont pu l'arrêter* (Jn 1, 5) car *il a vaincu le monde* (Jn 16, 33) le monde de discorde, d'erreur, il a vaincu la mort.

Nous n'avons pas à nous étonner que ce mouvement paraisse difficile à beaucoup : de nombreux enfants ont vécu un sentiment d'insécurité, la peur habite tant d'hommes et de femmes. Comme toujours sur le parcours d'évangélisation des profondeurs il va être bon de mettre en mots ce qui empêche d'accueillir en soi la vie du Ressuscité, et d'amener au jour la blessure dans laquelle s'origine la forme de peur qui est la nôtre.

Demandons paisiblement la grâce de cette lumière, de ce passage ; l'Esprit va nous aider à nous familiariser peu à peu avec cet état spirituel très profond, source de paix. C'est lui qui nous apprend à prier, qui prie en nous. Il ne nous emmènera pas sur des chemins dangereux ou trop difficiles. Il nous aidera d'une manière ou d'une autre à vivre ce que nous pouvons vivre. Il est essentiel de ne pas être désolés ou culpabilisés face à cette difficulté, mais de prendre conscience qu'elle provient de nos blessures ; et nous savons comment les blessures peuvent peu à peu être assainies dans la grâce de l'amour du Père.

Il est dans le dessein de Dieu de nous permettre d'accueillir dans notre présent la forme de résurrection qui nous attend. Il connaît notre histoire, nos fragilités, et sait pourquoi et comment nous pouvons demeurer paralysés devant la forteresse de Jéricho : ce n'est certes pas cela qui peut l'empêcher de nous faire don de la résurrection. Quelle que soit notre fragilité, demeurons dans la certitude qu'il nous fera entrer dans la Terre de la promesse, notre terre intérieure.

Si nous vivons véritablement de la vie du Christ vivant, la résurrection va être secrètement présente en nous-mêmes et dans toute notre vie. Elle va y exercer sa fonction, car elle est œuvrante, opérante.

En se laissant guider par l'Esprit, on va découvrir comment vivre cette forme de méditation, de prière, d'ouverture qui va permettre d'accueillir réellement en soi la vie du Ressuscité. Cela va peut-être modifier notre façon habituelle de prier, mais le temps de la résurrection est celui où nous entrons dans le « nouveau ».

Méditations.

Nous pouvons nous nourrir, littéralement, de ce pain vivant qu'est la Parole de Dieu : notamment de tous les passages de l'Écriture qui évoquent les sources d'eau vive qui viennent arroser une terre aride et desséchée pour la rendre à nouveau féconde.

Vous puiserez de l'eau avec joie aux sources du salut (Is 12, 3).

Le pays de la soif se changera en sources (Is 35, 7).

Je fais jaillir des sources au fond des vallées (Is 41, 18).

Le Seigneur a changé un sol aride en pays de sources (Ps 106, 35).

L'eau que je lui donnerai deviendra en lui source d'eau jaillissant en vie éternelle (Jn 4, 14).

Méditer à partir du fleuve que nous décrit Ézéchiel (47, 1-12) peut beaucoup aider :

Là où cette eau pénètre elle assainit, et la vie se développe partout ou va le torrent... sur chacune de ses rives le feuillage des arbres ne flétrira pas et les fruits ne cesseront pas.

C'est une méditation qui nous aide à sortir du mental, à intégrer en nous-mêmes la puissance et la richesse de la résurrection [1]. Il ne s'agit pas de réfléchir à ce qu'est ce fleuve, ni de le visualiser hors de soi, mais de le laisser se répandre à travers tout son être, de le sentir véritablement couler en soi, empli de la vie du Ressuscité, accomplissant son œuvre partout où il passe en nous. Une respiration libre va aider en partant de la source du Temple – la source du cœur profond – à traverser tout l'être, à laisser aller les toxines hors de soi.

Le texte d'Ézéchiel sur les ossements desséchés développe également un thème qui permet une forme de méditation vitale. Par la grâce et la puissance du Seigneur, ils se mettent à vivre, à être recouverts de nerfs, de chair, de peau et finalement reçoivent l'Esprit :

La main de l'Éternel fut sur moi, il m'emmena par l'esprit de l'Éternel, et il me déposa au milieu de la vallée, une vallée pleine d'ossements. Il me la fit parcourir, parmi eux, en tous sens. Or les ossements étaient très nombreux sur le sol de la vallée, et ils étaient complètement desséchés.

Il me dit : « Fils d'homme, ces ossements vivront-ils ? » Je dis : « Seigneur, c'est toi qui le sais. » Il me dit : « Prophétise sur ces ossements. Tu leur diras : Ossements desséchés,

---

1. Voir le témoignage d'Henri dans « la violence. Trajets de transformation », Ire partie de cet ouvrage, p. 151 s.

écoutez la parole de l'Éternel. Ainsi parle le Seigneur à ces ossements. Voici que je vais faire entrer en vous l'esprit et vous vivrez. Je mettrai sur vous des nerfs, je ferai pousser sur vous de la chair, je tendrai sur vous de la peau, je vous donnerai un esprit et vous vivrez, et vous saurez que je suis l'Éternel. » Je prophétisai, comme j'en avais reçu l'ordre. Or il se fit un bruit au moment où je prophétisais ; il y eut un frémissement et les os se rapprochèrent les uns des autres. Je regardai : ils étaient recouverts de nerfs, la chair avait poussé et la peau s'était tendue par-dessus, mais il n'y avait pas d'esprit en eux. Il me dit : « Prophétise à l'esprit, prophétise, fils d'homme. Tu diras à l'esprit : ainsi parle le Seigneur. Viens des quatre vents, esprit, souffle sur ces morts, et qu'ils vivent. » Je prophétisai comme il m'en avait donné l'ordre, et l'Esprit vint en eux, ils reprirent vie et se mirent debout sur leurs pieds : grande, immense armée.

Alors il me dit : « Fils d'homme, ces ossements, c'est toute la maison d'Israël. Les voilà qui disent : "Nos os sont desséchés, notre espérance est détruite, c'en est fait de nous." C'est pourquoi, prophétise. Tu leur diras : Ainsi parle le Seigneur. Voici que j'ouvre vos tombeaux ; je vais vous faire remonter de vos tombeaux, mon peuple, et je vous ramènerai sur le sol d'Israël. Vous saurez que je suis l'Éternel, lorsque j'ouvrirai vos tombeaux et que je vous ferai remonter de vos tombeaux mon peuple. Je mettrai mon esprit en vous et vous vivrez, et je vous installerai sur votre sol, et vous saurez que moi, l'Éternel, j'ai parlé et je fais, oracle de Dieu » (Ez 37, 1-14).

L'essentiel est de sortir du mental, de l'intellect, de « l'abstrait », de recevoir réellement, totalement, dans sa chair même, dans toutes ses cellules, dans tout ses remous internes, la vie du Ressuscité. Chacun prend la posture qui lui convient, dans laquelle il se sent à l'aise, est attentif au souffle, sans rien forcer. Cette forme de méditation est apaisante, nourrissante, source d'unité car tout l'être y est impliqué, d'une façon extrêmement simple. Elle est accessible à tous.

Le combat spirituel.

La résurrection est donnée, elle est entièrement gratuite, mais nous devons rester vigilants. Comment recevons-nous le don de Dieu ? Qu'en faisons-nous dans le temps, la durée, le quotidien ? Se laisser construire et se construire par, avec, et en Christ ressuscité, à partir du nouveau, hors des ornières de l'ancien, de ce qui en nous ne sert plus, va être le lieu d'un combat spirituel tonique, dynamique. C'est quotidiennement qu'il va être nécessaire de recevoir à nouveau le don, d'authentifier, de fortifier son désir, de consolider son choix, de veiller à ne pas laisser en friche le don reçu, à ne pas l'éteindre par manque de vigilance, de temps, par apathie.

Être pardonné et pardonner. Jésus est le pardon vivant.

Au moment de mourir, Jésus refuse de condamner ses bourreaux, de les enchaîner définitivement à leur mal : *Père, pardonne-leur, ils ne savent ce qu'ils font* (Lc 23, 34). Agonisant, épuisé, il est encore soucieux d'apporter le salut à ceux qui lui ôtent la vie. On peut véritablement à ce moment le reconnaître comme celui qui enlève le péché du monde (Jn 1, 29). En effet, la façon dont il a vécu sa mort, la demande de pardon pour ses ennemis, l'extrême attention portée à chaque humain quelle que soit sa faute réconcilient les hommes avec leur Père.

Ils peuvent alors comprendre que le chemin de retour est ouvert à tous sans exception, quelle que soit la gravité de leur chute.

Jésus libère ainsi les humains des ravages de la culpabilité sans fin, de l'angoisse de leur propre déchéance. Comme toujours, il cherche à remettre la vie en route. La croix sauve en ceci qu'elle restitue à chacun une vision juste de l'amour divin ; elle annonce le salut possible pour tous [1]. En priant pour ses ennemis au moment de sa mort, Jésus manifeste que le Père accueille toujours celui qui revient après être parti au loin.

Le pardon est le sommet de l'amour, il est une des conditions essentielles de la résurrection. C'est au cœur de cet amour-là que Jésus est entré dans la mort comme un vivant.

La résurrection et le pardon sont indissolublement liés. Il ne saurait y avoir de résurrection sans pardon ; le pardon à recevoir pour soi-même ou à donner à l'autre est en lui-même une forme de résurrection car il permet de remettre en vie ce qui était mort dans la relation. C'est pour cela que le pardon ne peut venir que de Dieu, car lui seul peut recréer ce qui a été décréé. C'est par sa grâce que l'homme, la femme peuvent entrer dans la potentialité de se savoir réellement pardonnés et de pardonner à l'autre.

Le pardon à recevoir pour soi-même ou à donner à l'autre est le signe distinctif des fils et filles de Dieu : ils sont appelés de façon pressante à participer à ce mouvement qui fait jaillir la vie de la mort, du mal. C'est une des réponses essentielles au mal du monde : se savoir pardonné, entrer dans la joie de cette bénédiction qui remet la vie en route et pardonner à son tour sont des actes intérieurs qui délient l'autre, ouvrent la porte de la prison. La vie, l'amour peuvent circuler largement et porter fruit au travers du désordre, du mal.

Mais il peut y avoir en soi de nombreux freins et barrages qui font obstacle à l'accueil de cette grâce.

S'enchaîner au mal que l'on a commis ou lier l'autre dans son mal constitue un véritable barrage à l'accueil de la vie du Ressuscité : elle est arrêtée comme dans un nœud, elle ne circule plus. De nombreuses maladies vont s'originer dans un pardon non reçu ou non donné. Le pardon, qu'il soit reçu ou

---

1. Pierre JANTON, *Cette violence d'abandon qu'est la prière*, p. 83-84.

donné, est la source de véritables guérisons de la psyché et du corps.

Il ne faut pas oublier que le pardon consiste à laisser aller ce que l'on pourrait garder : retour stérile sur soi, dépit, racine de toute-puissance dans le cas du pardon à recevoir, vengeance, colère, souffrance dans le cas du pardon à donner. C'est une remise de la dette, la sienne ou celle de l'autre, c'est donc un deuil, et comme dans tout travail de deuil, il va être nécessaire de parcourir des étapes[1]. Le pardon va donc se vivre dans le temps. Mais le choix d'entrer dans ce cheminement peut être pris dans le cœur, même si l'on n'est absolument pas prêt à pardonner.

Le moment où l'acte de pardon est posé représente un engagement, une promesse, un mouvement initial. Le processus va être le même que lorsque l'on prononce un vœu, le vœu de pauvreté par exemple. C'est un engagement qui va ensuite se vivre dans la durée, se déployer dans la créativité de l'Esprit, avec des avancées, des reculs, des tâtonnements, des découvertes. L'Esprit nous apprend comment vivre le pardon au travers d'événements qui vont réactiver la blessure.

Le pardon n'est entier, n'entre dans sa plénitude que lorsqu'il est baigné, enveloppé de la certitude de la résurrection, de cette perspective qui redonne à chacun la possibilité de revenir à la vie. Ouvrir la porte d'une relation à la présence du Christ, c'est permettre à la force de résurrection d'œuvrer au cœur de ce qui a été abîmé, détérioré. Elle n'est pas seulement miséricorde, elle est recréation, elle porte en germe cette potentialité donnée à chacun, chacune, de revenir à la vie ; tout être humain peut devenir serviteur de cette dimension magnifique, dans la mesure où il adhère de tout son être à cette réalité.

Nous pouvons nous en remettre en toute confiance à la grâce de Dieu ; elle nous précède, nous invite à entrer dans

---

1. Simone PACOT, *L'Évangélisation des profondeurs*, t. I, p. 181-229.

ce nouveau mode d'être, cette libération. Elle ne saurait manquer dans un passage aussi fondamental.

Trajet.

Quand la résurrection touche le cœur.

Emmanuel est au service de sa communauté. Il reçoit de nombreuses personnes auxquelles il vient en aide. C'est là son engagement chrétien. Il a fait tout un chemin d'évangélisation des profondeurs au cours duquel il a pris conscience d'une grave blessure provenant de la violence de son père : celui-ci est rentré dans son foyer après la guerre de 1940 et s'est alors révélé extrêmement dur, ce qui a beaucoup terni sa relation avec Emmanuel.

Au cours de son parcours, Emmanuel a mis en mots cette blessure qui l'a profondément affecté, il a traversé révolte et chagrin en les laissant habiter par le Christ, a renoncé à sa fausse route et, au bout d'une année, s'est senti prêt à pardonner à son père. Il vit cependant des passages difficiles. Il se sent oppressé périodiquement par un sentiment d'accablement qui compromet son activité. Il se fait accompagner mais il ne parvient pas à comprendre l'origine de ce qui lui arrive. L'Esprit va cependant lui ouvrir un chemin profondément libérateur.

À la faveur de circonstances qu'il percevra plus tard comme le signe de la main de Dieu sur sa vie, son regard fut attiré par une plaque commémorative de la Résistance. Elle faisait mémoire de la fin tragique de résistants de la dernière guerre. L'émotion qui s'empara alors de lui lui fit comprendre que ces paroles devaient être pour lui un enseignement. Peu à peu, elles firent leur chemin : il découvrit, de l'intérieur, combien la dernière guerre avait été une terrible épreuve imprimée dans la chair de sa famille, de son propre père tout spécialement. Son regard se transforma alors peu à peu au sujet de celui qui fut enlevé aux siens, prématurément, plus de vingt ans auparavant, victime des séquelles de la guerre.

Il était profondément touché, une relation nouvelle commençait à prendre place. La fermeture de son cœur au drame qui avait été alors vécu par sa famille laissait la place à une compassion toute nouvelle, aussi inattendue que bouleversante. La relation à son propre père se restaurait : un élan de tendresse et de reconnaissance pour celui qui l'avait mis au monde venait briser l'indifférence qui l'avait peu à peu gagné. Une joie profonde, qui depuis ne s'est jamais démentie, commençait à jaillir de ces retrouvailles.

Que s'est-il passé ? Emmanuel avait effectivement pardonné mais cet acte avait été posé sans véritable compassion du cœur, ce qui arrive fréquemment ; un pardon donné dans ces conditions garde néanmoins sa pleine valeur, il ouvre la porte à un approfondissement, à l'accueil progressif de la grâce qui va peu à peu faire fondre les résistances, emplir le cœur du don de compassion. C'est ainsi qu'Emmanuel a reçu pour pouvoir le donner le pardon qui vient du Seigneur, de l'amour même de Dieu. La résurrection a touché son cœur, il lui a été donné le cœur nouveau qu'annonce Ézéchiel : *Et je vous donnerai un cœur nouveau, j'ôterai de votre chair le cœur de pierre et je vous donnerai un cœur de chair* (Ez 36, 26).

Les conséquences de ce pardon ne s'arrêtent pas à la joie d'une relation perdue et maintenant retrouvée. Elles touchent profondément la personne d'Emmanuel. Au cours des semaines qui suivirent, il prit conscience qu'il venait de recevoir, sans du tout s'en douter, un cadeau magnifique : celui d'une réconciliation profonde avec son père, mais aussi avec lui-même et le Seigneur. Désormais, il se sentait enfin libre du fardeau qu'il avait porté jusque-là, capable d'aller maintenant son propre chemin, en pleine possession des dons qui sont les siens !

Cet événement ouvrit Emmanuel à une interprétation plus subtile que celle qu'il s'était faite jusqu'à présent de la parabole dite « du fils prodigue ». Il y voyait à présent l'illustration vivante de sa propre histoire : celle de la rencontre authentique d'un fils avec son père. Maintenant restaurée, cette relation s'ouvre sur une nouvelle paternité, celle qui est donnée d'en haut, rayonnante de compassion et aussi de joie parce qu'elle inclut depuis ses plus proches toute la famille humaine !

Accomplir chacune des étapes de la Pâque.

On ne saurait survoler aucune des trois étapes de la Pâque. Et pourtant c'est ce que l'on fait si l'on passe trop rapidement sur ce que l'on doit vivre. Lorsqu'on enfouit ses grandes émotions, que l'on dénie la réalité, on passe au-dessus du vendredi saint.

On peut manquer l'étape du samedi saint en cherchant à passer directement du mal subi à la résurrection, à la vie, en évitant la traversée de la réalité, de l'épaisseur de son humanité, en méconnaissant et négligeant cette descente de la vie vivante du Christ, de la parole dans ses propres obscurités, à la racine de ses torsions, ses déviances, en faisant l'économie du temps de conversion. On n'a peut-être pas su comment quitter le tombeau, accueillir la bonne nouvelle dans la psyché, le corps, et se mettre en route.

On peut aussi s'attarder indéfiniment au vendredi saint en demeurant englouti dans le mal subi, ou au samedi saint, en n'en finissant plus de « gratter » ses blessures ; on peut passer à côté du temps de la résurrection.

Autant il est nécessaire de ne court-circuiter aucune étape, autant quand le temps est venu, il s'agit de consentir à l'œuvre du Dieu de la Pâque en soi, d'y adhérer pleinement. Il va accomplir en nous le travail de résurrection, nous faire cheminer dans notre forme spécifique de résurrection. Certains sont comme sur le haut d'un mur et retombent systématiquement en arrière ; ils n'entrent pas véritablement dans la vie alors que le moment est venu de vivre la joie du matin de Pâque.

La Pâque du Christ est un événement central. Jésus nous précède, nous accompagne dans toutes nos Pâques : il est le chemin, il donne force, il remet en sens. Il apporte le salut au cœur de nos vies, du monde.

> *On n'entendra plus parler de violence dans ton pays,*
> *ni de ravages et de ruines sur ton territoire,*
> *tu appelleras tes remparts salut*
> *et tes portes louange...*
> *Ton soleil ne se couchera plus*
> *et ta lune ne disparaîtra plus*
> *car l'Éternel sera ta lumière*
> *et les jours de ton deuil seront accomplis.*
>
> [Is 60, 18.20.]

LA RELATION NOUVELLE AU MONDE

Il se fera dans les derniers jours, dit le Seigneur, que je répandrai mon Esprit sur toute chair (Jl 3, 28-29).

Je prierai le Père et Il vous donnera un autre paraclet pour être avec vous à jamais, l'Esprit de Vérité, que le monde ne peut recevoir parce qu'il ne le voit ni le connaît. Vous, vous le connaissez parce qu'il demeure avec vous et qu'il est en vous. Je ne vous laisserai pas orphelins, je reviendrai vers vous [...] vous me verrez parce que je vis et que vous vivrez (Jn 14, 16-19).

Le jour de la Pentecôte étant arrivé ils se trouvaient ensemble dans un même lieu... Tous furent alors remplis de l'Esprit Saint... (Ac 2, 1-13 ; Jn 20, 19-23).

La promesse s'accomplit : c'est un don incomparable qui est fait aux humains. L'Esprit du Père et du Fils est vivant et demeure en eux. Quelque chose se met alors en place chez ceux qui prennent conscience de cette réalité de la vie de l'Esprit en eux : leurs yeux s'ouvrent, la peur s'estompe ; ils ne sont plus enserrés dans les liens du doute et de l'impuissance, ils peuvent s'élancer en avant. Un langage nouveau est donné : il peut être compris par tous, il éveille et fait naître une nouvelle écoute.

L'Esprit commence toujours par inviter ceux qui l'accueillent à quitter l'Égypte, à se mettre en route vers la Terre de la promesse, leur propre terre intérieure, à évangéliser leurs profondeurs, en commençant par remettre en ordre l'intégralité de leur être conformément aux grandes lois fondatrices de la vie. La grâce du Christ est là ; elle les précède, les accompagne, les enveloppe, les nourrit, les fortifie, les établit dans leur sécurité la plus essentielle : la prise de conscience de leur véritable filiation, de leur forme de parenté avec Dieu, de leur source de vie.

C'est alors que l'Esprit va les mener à la découverte progressive de leur tâche spécifique dans la construction du monde, l'achèvement de la création, chacun dans sa forme particulière, sa trajectoire personnelle. C'est par l'Esprit que les hommes, les femmes qui se mettent en route vont construire, à partir de leur transformation intérieure, la nouvelle relation au monde annoncée par Jésus : remplir sa tâche au cœur de la réalité avec un esprit autre que l'esprit du monde, en se laissant inspirer, vivifier par l'Esprit Saint, pour découvrir peu à peu comment vivre et mettre en œuvre les grandes lois de vie, au cœur même de leurs engagements, dans le travail professionnel, l'entreprise, la famille, l'environnement, la vie civique…

L'Esprit seul peut enseigner le sens véritable de la tâche : elle part du dedans, non du dehors, de l'invisible, non du visible, de la substance, non de la forme ; elle consiste non à se précipiter dans l'action mais à prendre le temps de recevoir puis de découvrir comment incarner, mettre en forme le plan, le projet du Père. Être dans le monde (Jn 17, 14-18), sans être du monde, sans prendre en soi l'esprit du monde, au cœur même de ses engagements, est à l'évidence un des aspects de la porte étroite dont parle Jésus (Mt 7, 13). Être solidement enraciné dans sa plus grande profondeur, en demeurant bien planté sur la terre, dans le réel, être aimant, confiant, mais aussi inventif, audacieux : ce sont là des qualités de l'Esprit. Il transdynamise les forces vives des êtres humains, vivifie leur créativité, leur apprend à entrer dans le nouveau en demeurant dans la sagesse. Il leur sera alors possible de laisser aller l'ancien qui les enserrait, entraînait une forme de sclérose : l'accablement, l'habitude, l'errance, le

repli sur soi, la peur de manquer, l'absence de sens, le sentiment de solitude intérieure, d'abandon, la peur du don, de
l'inconnu, des formes nouvelles.

C'est ainsi que l'Esprit pourra toucher terre, féconder la
réalité, que la grâce du Christ pénétrera l'expérience
humaine, que l'être humain deviendra serviteur de la vie,
levain dans la pâte (Mt 13, 33), *sel de la terre* (Mt 5, 13),
lumière du monde (Mt 5, 14-16), qu'il accomplira l'œuvre de
Dieu et pas seulement une œuvre pour Dieu. C'est également
de cette façon que se construira l'unité entre sa vie intérieure
et sa tâche extérieure.

*Que celui qui écoute dise « viens » et que l'homme
assoiffé s'approche, que l'homme de désir reçoive l'eau de
la vie, gratuitement* (Ap 22, 17).

LA PAROLE FONDATRICE DE LA VIE

Alors Dieu modela l'homme avec la glaise du sol, il insuffla dans ses narines une haleine de vie et l'homme devint un être vivant (Gn 2, 7) ; *puis de la côte qu'il avait tirée de l'homme, Dieu façonna une femme et l'amena à l'homme* (Gn 2, 22).

Je te donne la vie, sois vivant.

LES LOIS DE VIE

Le choix de la vie.

Choisis donc la vie, non la mort (Dt 30, 15-20).

Chemins de vie : Choisir de se mettre en route sur un chemin de vie – découvrir une issue de vie dans les conditions de vie qui sont les siennes –, renoncer à toute complicité avec la mort.

Transgressions : Le possible choix du chemin de mort – les fausses routes –, autodestruction, pactes avec la mort, promesses mal situées…

L'acceptation de la condition humaine.

Tu peux manger de tous les arbres du jardin. Mais de l'arbre de la connaissance du bien et du mal tu ne mangeras pas, car le jour où tu en mangeras, tu mourras certainement (Gn 2, 16-17).

Tu es créé, tu n'es pas Dieu, tu es créé et aimé dans les limites de tout humain.

Chemins de vie : Occuper sa juste place de créature. Retrouver sa source. Entrer dans une juste collaboration avec l'Esprit Saint, accepter ses propres limites, sa réalité, celles des autres, de son histoire, celles qu'impose l'événement, aller à la rencontre de ses émotions. Découvrir et déployer sa mesure spécifique.

Transgressions : Refuser ou méconnaître les limites de la condition humaine : l'erreur, les échecs, les crises, le manque, la perte, la vulnérabilité de tout homme, toute femme... Entrer dans la toute-puissance, enfouir ses émotions, refuser les médiations ou en faire un absolu.

Le déploiement de l'identité spécifique de chaque personne, en Dieu et en juste relation à l'autre.

Va vers toi, de ta terre, de ton enfantement, de la maison de ton père vers la terre que je te ferai voir (Gn 12, 1).

Et l'on ne t'appellera plus Abram, mais ton nom sera Abraham (Gn 17, 5).

Celui qui a des oreilles, qu'il entende ce que l'Esprit dit aux Églises : au vainqueur, je donnerai de la manne cachée et je lui donnerai aussi un caillou blanc, un caillou portant gravé un nom nouveau que nul ne connaît, hormis celui qui le reçoit (Ap 2, 17).

Tu es créé et aimé unique, deviens toi-même en Dieu, dans une juste relation à l'autre.

Chemins de vie : Devenir soi. S'assurer de son identité en Dieu, découvrir son nom. Renouveler la relation : dans l'amour et la vérité, la Pentecôte de la relation.

Transgressions : Demeurer dans la fusion, se mélanger à l'identité de l'autre, le posséder ou se laisser posséder, entretenir de la confusion dans la relation, prendre sur soi le chemin de l'autre, se courber devant un pouvoir abusif, convoiter ce qu'a ou est l'autre, entrer dans la rivalité, se déprécier.

La recherche de l'unité de la personne, habitée par le Dieu vivant.

Tu aimeras le Seigneur ton Dieu de tout ton cœur, de toute ton âme, de toute ta force, de tout ton esprit et ton prochain comme toi-même (Dt 6, 5 ; Lv 19, 18 ; Lc 10, 27).
Le Verbe s'est fait chair (Jn 1, 14).
Ne savez-vous pas que vous êtes un temple de Dieu, et que l'Esprit de Dieu habite en nous (1 Co 3, 16).
Tu es un au travers de ton corps, ta psyché et du cœur profond qui les anime.
Chemins de vie : Prendre également soin de ses trois composantes, apprendre à développer la vie du cœur profond.
Transgressions : Mélanger ses différentes composantes, les diviser, méconnaître leur hiérarchie intérieure, en négliger une, être fasciné par l'une d'elles.

L'entrée dans la fécondité et le don.

Dieu les bénit et leur dit : soyez féconds, multipliez (Gn 1, 28).
La parabole des talents (Mt 25, 14-30) : *C'est bien, serviteur bon et fidèle, lui dit son maître, en peu de choses tu as été fidèle, sur beaucoup je t'établirai ; entre dans la joie de ton Seigneur.*
Chemins de vie : Vivre en béni de Dieu, accueillir la vie du Ressuscité, découvrir sa forme spécifique de fécondité, porter du fruit.
Transgressions : Méconnaître la source de la fécondité et du don, demeurer dans un repli stérile sur soi, se réduire ou se déprécier, méconnaître ou enterrer les dons reçus.

Ce tableau des lois de vie a été élaboré avec l'équipe de Bethasda.

REPÈRES SIMPLES
SUR LES CHEMINS
DE L'ÉVANGÉLISATION DES PROFONDEURS

La descente dans ses profondeurs.

1. *Que nous est-il arrivé ?*

Nommons la ou les blessures : fusion, emprise, confusion des chemins ou des places dans la famille, manque ou perte de l'amour, rivalité dans la fratrie...

2. *Qu'avons-nous fait à partir de la blessure ?*

Comment avons-nous réagi ?
Comment avons-nous vécu les émotions qu'elle a entraînées ?

3. *Que nous apprennent les lois de vie ?*

Que nous dit la Parole de Dieu ?
Quelle information essentielle nous donne-t-elle ?

4. *Quelle loi de vie avons-nous transgressée ?*
(volontairement ou non) *Quelle fausse route avons-nous prise ?*

Quand ? Comment ? Pourquoi ? Qu'avons-nous voulu éviter ?
Quelle a été notre part de complicité dans ce trajet ?

Le chemin de remontée.

5. *À quelle nouvelle issue, à quels mouvements, actes inté-rieurs, la Parole de Dieu nous amène-t-elle ?*

La repentance

La conversion
— Adhésion : À quelle loi de vie adhérons-nous aujourd'hui ?
— Renoncement : À quoi cette adhésion amène-t-elle à renoncer ?
— Quelles seront dans notre vie quotidienne les conséquences de ce renoncement ?
— Deuil : Quel deuil cela entraîne-t-il ?

L'accueil de la vie du Ressuscité, de l'inattendu qui vient de Dieu
— Comment laissons-nous le Dieu du dimanche de Pâques accomplir en nous et avec nous l'œuvre de résurrection ?
— Choix du chemin de vie : Quel pas pouvons-nous poser aujourd'hui sur le chemin de vie ?

Ce trajet n'est ni systématique, ni simpliste, ni réducteur, ni rapide, mais dans la grâce de Dieu, il nous conduit sur un chemin de vie.

Ces repères ont été établis avec les membres de l'équipe de Bethasda. Association Bethasda : B.P. 5292, 78175 Saint-Germain-en-Laye Cedex.

LISTE DES OUVRAGES CITÉS

BASSET Lytta, *Guérir du malheur*, Paris, Albin Michel, 2000.

—, *Le Pouvoir de pardonner*, Paris, Albin Michel, 2000.

BAUDIQUEY Paul, *Le Retour du prodigue*, Paris, audiovisuel ACNAV.

BEAUCHAMP Paul, *La Loi de Dieu*, Paris, Éd. du Seuil, 1999.

—, *L'Un et l'Autre Testament*, Paris, Éd. du Seuil, 1977.

BIANCHI Enzo, *Adam où es-tu ?*, Paris, Éd. du Cerf, 1998.

BOURGUET Daniel, *Approches du Notre Père*, Lyon, Réveil Publications, Veillez et Priez, 2000.

—, *Les Béatitudes*, Lyon, Réveil Publications, Veillez et Priez, 2000.

—, *Les Maladies de la vie spirituelle*, Lyon, Réveil Publications, 2000.

BRUGUÈS Jean-Louis, *Dictionnaire de morale catholique*, Chambray, CLD, 1991.

CALDELARI Henri, *L'Homme au cœur de Dieu*, Éd. Saint-Augustin, 1995.

CHOURAQUI André, *La Bible*, Paris, Desclée de Brouwer, 1990.

DUMAS André, *Cent prières possibles*, Paris, Éd. Cana, 1997.

EISENBERG Josy et ABÉCASSIS Armand, *À Bible ouverte, II, Et Dieu créa Ève*, Paris, Albin Michel, 1992.

FILLIOZAT Isabelle, *L'Intelligence du cœur*, Paris, Éd. Marabout, 2001.

GERMAIN Sylvie, *Etty Hillesum*, Paris, Éd. Pygmalion, 1999.

GESCHÉ Adolphe, *Dieu pour penser*, I, *Le Mal*, Paris, Éd. du Cerf, 1996.

—, II, *L'Homme*, 1993.

—, III, *Dieu*, 1994.

—, VI, *Le Christ*, 2001.

HETU Jean-Luc, *Quelle foi ?*, Éd. Lemêac-Québec, 1978.

JANTON Pierre, *Cette violence d'abandon qu'est la prière*, Paris, Desclée de Brouwer, 1982.

PACOT Simone, *L'Évangélisation des profondeurs*, t. I, Paris, Éd. du Cerf, 1997.

—, t. II, *Reviens à la vie*, Éd. du Cerf, 2002.

Cardinal RATZINGER, *Foi chrétienne hier et aujourd'hui*, Paris, Éd. du Cerf, 1985.

Catéchisme de l'Église catholique, Paris, Éd. du Cerf, 1996.

RICH Arthur, *Éthique économique*, Genève, Labor et Fides, 1994.

SCHÜTZENBERGER Anne, *Aïe mes aïeux*, Paris, Éd. Épi-La Méridienne, 1993.

SESBOÜE Bernard, *Croire*, Paris, Droguet-Ardant, 1999.

SIBONY Daniel, *Les Trois Monothéismes*, Paris, Éd. du Seuil, 1992.

SILLAMY Norbert, *Dictionnaire de la psychologie*, Larousse, 1995.

THÉVENOT Xavier, *Compter sur Dieu*, Paris, Éd. du Cerf, 1992.

—, « Guérison, salut, vulnérabilité » (article), *La Maison Dieu*, n° 217, Paris, Éd. du Cerf, 1999.

—, *Les péchés, que peut-on en dire ?*, Mulhouse, Salvator, 1983.

—, *Souffrance, bonheur, éthique*, Mulhouse, Salvator, 1992.

—, « La souffrance écrase, c'est l'amour qui sauve » (article), *La Croix* du 19 octobre 1996.

THIEL Marie-Jo, « Souffrance et compassion », *Revue d'éthique et de théologie morale*, n° 196, Paris, Éd. du Cerf, 1996.

TISSERON Serge, *Du bon usage de la honte*, Paris, Ramsay, 1998.

—, *La Honte, psychanalyse d'un lien social*, Paris, Dunod, 1992.

VARILLON François, *Joie de croire, joie de vivre*, Paris, Bayard Éditions-Centurion, 1990.

Vocabulaire de théologie biblique, Xavier-Léon DUFOUR [sous la dir. de], Paris, Éd. du Cerf, 1978.

VIORST Judith, *Les Renoncements nécessaires*, Paris, Laffont, 1988.

WÉNIN André, *Pas seulement de pain*, Paris, Éd. du Cerf, 1998.

WIECHERT Ernst, *Missa sine nomine*, coll. « Livre de Poche », 1965.

DOCUMENTATION BETHASDA [1]

Marie-Madeleine LAURENT et Dominique DE BETTIGNIES, *La Rencontre avec le Père : le désir et l'interdit*, document de travail n° 2.

Marie RIBEREAU-GAYON, Pierre-Yves BRANDT, Catherine BOÉ et Remi CHARPIGNY, *La Vie renouvelée*, document de travail n° 4.

1. Documentation Bethasda : 22, route du Tertre, 41150 Chouzy-sur-Cisse. (Les documents de travail de l'Association Bethasda sont réservés aux seuls adhérents.)

Table des matières

TROISIÈME PARTIE

LE SENS DU TRAJET : LA PÂQUE

Henri Brunel : *Prières à décoiffer les clochers*

William Bush : *La relation du martyre des seize carmélites de Compiègne*

Ambroise-Marie Carré : *Ces maîtres que Dieu m'a donnés*

Ambroise-Marie Carré : *Croire, avec vingt personnages de l'Évangile*

Ambroise-Marie Carré : *La Sainteté*

Michel Carrouges : *Le Père Jacques. Au revoir les enfants*

Catherine de Bar : *Adorer et adhérer*

Bernard et Bernadette Chovelon : *L'Aventure du mariage. Guide pratique et spirituel*

Jean Clapier : *Une voie de confiance et d'amour. L'itinéraire pascal de Thérèse de Lisieux*

Pierre Claverie : *Donner sa vie. Six jours de retraite sur l'Eucharistie*

Pierre Claverie : *Petit traité de la rencontre et du dialogue*

Pierre Claverie : *Je ne savais pas mon nom... Mémoires d'un religieux anonyme*

Jean Comby *et al.* **:** *L'Itinéraire mystique d'une femme. Rencontre avec Marie de l'Incarnation ursuline*

Gabrielle Cosson : *Guérir avec les saints*

Paul Couturier : *Prière et unité chrétienne*

Hyacinthe-Marie Cormier : *Être à Dieu*

Angelika Daiker : *Au-delà des frontières ! Vie et spiritualité de Petite Sœur Magdeleine*

Claude Dagens et Véronique Margron : *Le Rosaire de lumière*

Conrad De Meester : *Les Mains vides*

Conrad De Meester : *Les Plus Belles Pages d'Élisabeth de la Trinité*

Conrad De Meester : *Frère Laurent de la Résurrection*

Bernard Descouleurs, Christiane Gaud : *Marguerite-Marie Alacoque. La Mystique du cœur.*

Pierre Descouvemont : *Sur la terre comme au ciel, une novice de sainte Thérèse*

Pierre Descouvemont : *Marie au cœur de nos vies*

Pierre Descouvemont : *Guide des chemins de la prière*
André Dodin : *Initiation à Saint Vincent de Paul*
Paul-Dominique Dognin : *Comme un sauvetage*
Christian Dorrière : *L'Abbé Jean Daligault, un peintre dans les camps de la mort*
Suzanne Eck : *Initiation à Jean Tauler*
Suzanne Eck : *« Jetez-vous en Dieu ». Initiation à Maître Eckhart*
Agnès Égron : *La Prière de feu*
Jacques Fau : *En retraite avec sainte Thérèse. Méditer l'Acte d'offrande à l'Amour miséricordieux*
Patrick-Marie Févotte : *Aimer la Bible avec Élisabeth de la Trinité*
Patrick-Marie Févotte : *Virginité, chemin d'amour. À l'école d'Élisabeth de la Trinité*
Ghislain-Étienne Flipo : *Prier pour aimer*
Charles de Foucauld : *« Cette chère dernière place. » Lettres à mes frères de la Trappe*
Jean Gaillard : *La Liturgie pascale*
Maximilio Herraiz Garcia : *L'Oraison, une histoire d'amitié*
Guy Gaucher : *Bernanos ou l'invincible espérance*
Guy Gaucher : *La Passion de Thérèse de Lisieux*
Guy Gaucher : *Flammes d'amour : Thérèse et Jean*
Jacques Gauthier : *Que cherchez-vous au soir tombant ?*
Rina Geftman : *L'Offrande du soir*
Sœur Geneviève : *Le Trésor de la prière à travers le temps*
Pierre Gervaise : *Qui donc est Dieu pour nous aimer ainsi ? La Révélation*
Maxime Gimenez : *Les Voies de l'intériorité*
Aliette Gruget : *Alexis. Mort et vie d'un enfant*
Jean-Marie Gueullette : *Laisse Dieu être Dieu en toi. Petit traité de la liberté intérieure*
Jean-Marie Gueullette : *« Reste auprès de moi, mon frère. » Vivre la mort d'un ami*
Bernard Guitteny : *Grignion de Montfort missionnaire des pauvres (1673-1716)*

*Cet ouvrage
a été composé par Facompo, Lisieux
et achevé d'imprimer sur Roto-Page
en juillet 2007
par l'Imprimerie Floch
53100 - Mayenne.*

*Dépôt légal : avril 2003.
N° d'imprimeur : 68648.
N° d'éditeur : 11819.*